#시험대비
#핵심정복

7일 끝
중간고사
기말고사

Chunjae
Makes
Chunjae

▼

개발총괄	김은숙
편집개발	김은송, 김용하, 박준우, 박유미
제작	황성진, 조규영

발행일	2021년 3월 15일 초판 2021년 3월 15일 1쇄
발행인	(주)천재교육
주소	서울시 금천구 가산로9길 54
신고번호	제2001-000018호
고객센터	1577-0902
교재 내용문의	(02)3282-8739

7일 끝으로 끝내자!

7 고등 물리학 I

BOOK 1

1학기 중간·기말 대비

이 책의 구성과 활용

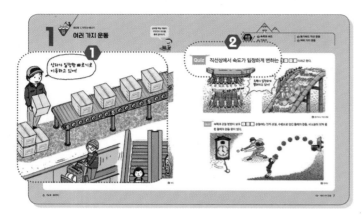

생각 열기

공부할 내용을 그림과 퀴즈로 가볍게 살펴보며 학습을 준비해 보세요.

❶ **공부할 내용 미리보기** | 학습할 개념을 그림과 만화로 재미있게 알아보세요.

❷ **Quiz** | 공부할 내용을 그림과 관련된 퀴즈 문제로 확인해 보세요.

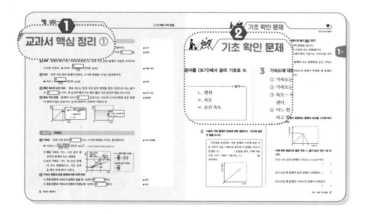

교과서 핵심 정리 + 기초 확인 문제

꼭 알아야 할 교과서 핵심 내용을 익히고 기초 확인 문제를 풀며 제대로 이해했는지 확인해 보세요.

❶ **교과서 핵심 정리** | 빈칸을 채워 보며 교과서 핵심 개념을 다시 한번 체크해 보세요.

❷ **기초 확인 문제** | 교과서 핵심 정리와 관련된 문제를 풀며 공부한 내용을 확인해 보세요.

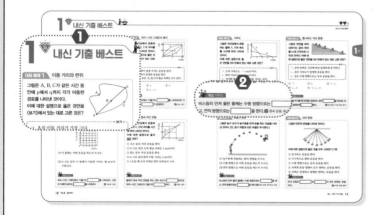

내신 기출 베스트

다양한 유형의 문제를 풀어 보며 공부한 내용을 점검해 보세요.

❶ **대표 예제** | 시험에 자주 나오는 빈출 유형 필수 문제를 풀어 보세요.

❷ **개념 가이드** | 대표 예제와 관련된 핵심 개념을 익혀 보세요.

시험 공부 마무리 테스트

누구나 100점 테스트

5일 동안 공부한 내용을 바탕으로 기초 이해
력을 점검해 보세요.

서술형·사고력 테스트
창의·융합·코딩 테스트

서술형·사고력 문제와 창의·융합·코딩 문제를 풀
어 보면서 창의력과 문제 해결력을 높여 보세요.

학교시험 기본 테스트

중간·기말고사 예상 문제를 최종으로 풀며
실전에 대비해 보세요.

시험 직전까지 챙겨야 할 부록

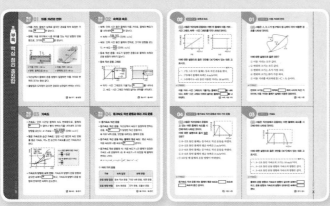

💎 핵심 정리 총집합 카드

시험 직전이나 틈틈이 암기 카드를 휴대하여 활용해 보세요.

💎 정답과 해설

오답 풀이 및 선택지 바로 보기와 같은 자세한 해설을 보면서 실
력을 높여 보세요.

이 책의 차례

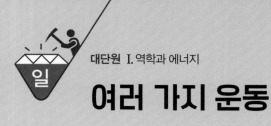

여러 가지 운동

Quiz 직선상에서 물체의 ㅅ ㄷ 가 일정한 운동을 등속 직선 운동이라고 한다.

상자가 일정한 빠르기로 이동하고 있어!

답 속도

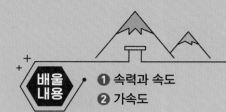

배울 내용
① 속력과 속도
② 가속도
③ 등가속도 직선 운동
④ 여러 가지 운동

Quiz 직선상에서 속도가 일정하게 변하는 운동을 ㄷㄱㅅㄷㅈㅅㅇㄷ 이라고 한다.

속력이 일정하게 빨라지고 있어!

답 등가속도 직선 운동

Quiz 속력과 운동 방향이 모두 ㅂㅎㄴ 운동에는 진자 운동, 수평으로 던진 물체의 운동, 비스듬히 던져 올린 물체의 운동 등이 있다.

답 변하는

교과서 핵심 정리 ①

개념 1　속력과 속도

1 이동 거리　물체가 실제로 움직인 거리로, **❶**　　　만 가지는 물리량이다.

2 변위　처음 위치에서 나중 위치까지 직선 방향의 변화량으로, 크기와 **❷**　　　을 가지는 물리량이다.

3 속력　물체의 빠르기를 나타낸 물리량으로, 단위 시간 동안 물체가 이동한 거리이며 크기만 가진다. ➡ 속력$=\dfrac{\boxed{❸\quad}}{\text{시간}}$ [단위: m/s]

4 속도　단위 시간 동안 물체의 변위로, 크기와 방향을 가지는 물리량이다.

➡ 속도$=\dfrac{\boxed{❹\quad}}{\text{시간}}$ [단위: m/s]

5 평균 속도와 순간 속도　평균 속도는 일정 시간 동안 변위를 걸린 시간으로 나눈 값이고, **❺**　　　는 어느 한 순간의 빠르기로 매우 짧은 시간 동안의 평균 속도이다.

6 등속 직선 운동　물체의 속도가 **❻**　　　운동으로, 속도의 크기(속력)와 운동 방향이 변하지 않는 운동이다. ⑩ 에스컬레이터, 컨베이어, 무빙워크 등

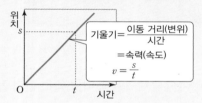 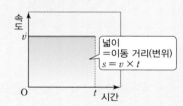

❶ 크기

❷ 방향

❸ 이동 거리

❹ 변위

❺ 순간 속도

❻ 일정한

개념 2　가속도

1 가속도　단위 시간 동안 **❼**　　　으로, 크기와 방향을 가지는 물리량이다.

➡ 가속도$=\dfrac{\text{속도 변화량}}{\text{걸린 시간}}$ [단위: m/s^2] – 가속도의 방향은 알짜힘의 방향과 같다.

① **평균 가속도**: 어느 시간 동안 평균적인 물체의 속도 변화량

② **순간 가속도**: 어느 한 순간 물체의 속도 변화량으로, 시간 간격을 매우 작게 하여 구한다.

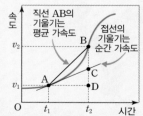

・$t_1 \sim t_2$ 동안 평균 가속도
$= \dfrac{\overline{BD}}{\overline{AD}} = \dfrac{v_2 - v_1}{t_2 - t_1}$

・t_1일 때 순간 가속도
$= \dfrac{\overline{CD}}{\overline{AD}}$

2 가속도 방향과 운동 방향에 따른 속력 변화

① 운동 방향과 가속도의 방향이 같을 때: 속력이 **❽**　　　한다.

② 운동 방향과 가속도의 방향이 반대일 때: 속력이 **❾**　　　한다.

❼ 속도 변화량

❽ 증가

❾ 감소

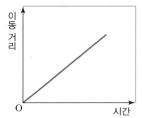

기초 확인 문제

정답과 해설 **64**쪽

1 다음 설명과 관련된 용어를 〈보기〉에서 골라 기호로 쓰시오.

┌─────────────────── ● 보기 ●─┐
│ ㄱ. 이동 거리   ㄴ. 변위   │
│ ㄷ. 속력   ㄹ. 속도   │
│ ㅁ. 평균 속도   ㅂ. 순간 속도 │
│ ㅅ. 등속 직선 운동   │
└────────────────────────────┘

(1) 단위 시간 동안 물체가 이동한 거리이다. (   )

(2) 단위 시간 동안 물체의 변위이다.   (   )

(3) 방향과 관계없이 물체가 실제로 움직인 거리이다.
(   )

(4) 속도의 크기와 방향의 변화가 없는 운동이다.
(   )

2 다음은 어떤 물체의 운동에 대한 설명이다. 빈칸에 알맞은 말을 쓰시오.

┌────────────────────────────┐
│ 　직선상을 운동하는 어떤 물체의 시간에 따른 이│
│ 동 거리가 다음 그래프와 같다면 이 물체는 속도가│
│ 일정한 ㉠(   ) 운동을 한다. 이때 이동│
│ 거리-시간 그래프 기울기는 ㉡(   )을│
│ 나타낸다.   │
│   │
│   이   │
│   동   ╱   │
│   거   ╱   │
│   리 ╱   │
│   ╱   │
│   O ───────── 시간   │
└────────────────────────────┘

3 가속도에 대한 설명으로 옳지 <u>않은</u> 것은?

① 가속도는 크기와 방향을 갖는다.

② 가속도는 단위 시간당 속도 변화량이다.

③ 속도－시간 그래프에서 기울기는 가속도를 나타낸다.

④ 어느 한 순간 물체의 속도 변화량을 순간 가속도라고 한다.

⑤ 운동 방향과 가속도의 방향이 반대일 때 물체의 속력은 증가한다.

4 그림은 직선상에서 운동하는 물체의 속도를 시간에 따라 나타낸 것이다.

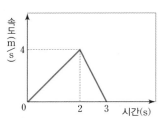

이에 대한 설명으로 옳은 것은 ○, 옳지 않은 것은 ×표 하시오.

(1) 0~2초 동안 물체의 가속도는 $2 \ m/s^2$이다.
(   )

(2) 2초일 때 물체의 운동 방향이 바뀌었다. (   )

(3) 2초일 때 물체의 가속도의 방향이 바뀌었다.
(   )

1 **일** **교과서 핵심 정리 ②**

개념 3 등가속도 직선 운동

1 등가속도 직선 운동 단위 시간 동안 물체의 속도 변화량, 즉 [❶____]가 일정한 직선 운동이다.

❶ 가속도

① 등가속도 직선 운동 하는 물체의 [❷____]는 일정하게 증가하거나 감소한다.

❷ 속도

② 등가속도 직선 운동 하는 물체의 평균 속도는 처음 속도(v_0)와 나중 속도(v)의

[❸____]이다. ➡ $v_{평균} = \dfrac{v_0 + v}{2}$

❸ 중간 값

2 등가속도 직선 운동 방정식 처음 속도가 v_0인 물체가 일정한 가속도 a로 운동하여 t초 후 속도가 v가 되었을 때 물체의 변위는 s이다.

➡ $v = v_0 + at$, $s = v_0 t + \dfrac{1}{2}at^2$, $2as = v^2 - v_0^2$

3 등가속도 직선 운동의 그래프 (가속도 > 0, 처음 속도 > 0일 때)

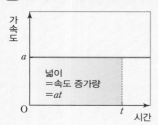 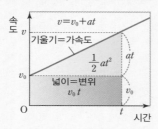 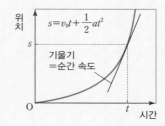

개념 4 여러 가지 운동

1 속력만 변하는 운동 연직 아래 또는 연직 위로 던진 물체는 연직 방향으로 속력이 증가 또는 감소하는 직선 운동을 한다.

2 운동 방향만 변하는 운동 등속 원운동을 하는 물체의 속력은 일정하지만, 운동 방향은 원궤도의 [❹____] 방향으로 계속 변한다.

❹ 접선

3 속력과 운동 방향이 모두 변하는 운동

① 진자 운동: 긴 줄에 매달려 있는 추와 같은 물체의 운동으로, 같은 경로를 반복해서 왕복 운동을 한다.

② 수평으로 던진 물체의 운동: [❺____] 방향으로는 힘이 작용하지 않아 등속 직선 운동을 하고, [❻____] 방향으로는 중력이 작용하여 등가속도 직선 운동을 한다. 운동 방향은 매 순간 변한다.

❺ 수평

❻ 연직

③ 비스듬히 던져 올린 물체의 운동(포물선 운동): 수평 방향으로는 힘이 작용하지 않으며, 연직 방향으로는 중력이 작용하여 등가속도 운동을 한다. 운동 방향은 포물선 궤도의 접선 방향으로 계속 [❼____].

❼ 변한다

5 그림은 등가속도 직선 운동에 대해 학생 A~C가 대화하는 모습을 나타낸 것이다.

자유 낙하 운동은 등가속도 직선 운동이야.

물체의 운동 방향과 가속도의 방향이 같으면 속력이 점점 증가해.

평균 속도는 처음 속도와 나중 속도의 중간 값으로 구할 수 있어.

옳게 설명한 학생을 모두 고르시오.

6 그림은 직선상에서 운동하는 물체 A, B의 속도를 시간에 따라 나타낸 것이다.

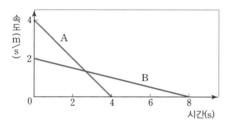

이에 대한 설명으로 옳은 것은 ○, 옳지 않은 것은 ×표 하시오.

(1) A, B 모두 등가속도 직선 운동을 한다. (　　)

(2) A의 평균 속도의 크기는 2 m/s이다. (　　)

(3) B가 정지할 때까지 이동한 거리는 16 m이다.
(　　)

(4) A는 운동 방향과 가속도의 방향이 같고, B는 운동 방향과 가속도의 방향이 반대이다. (　　)

7 여러 가지 운동에 대한 설명으로 옳은 것은 ○, 옳지 않은 것은 ×표 하시오.

(1) 등속 원운동을 하는 물체의 속력은 일정하다.
(　　)

(2) 긴 실을 이용해 천장에 매단 추를 당겼다가 놓으면 진자 운동을 한다. (　　)

(3) 수평으로 던져진 물체는 수평 방향으로 등가속도 운동을 한다. (　　)

(4) 수평으로 던져진 물체는 연직 방향으로 등가속도 운동을 한다. (　　)

8 그림은 비스듬히 차 올린 축구공의 운동 모습을 나타낸 것이다.

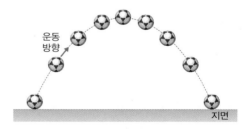

운동 방향

지면

이에 대한 설명으로 옳지 **않은** 것은? (단, 공기 저항과 모든 마찰은 무시한다.)

① 수평 방향으로는 힘이 작용하지 않는다.
② 수평 방향으로는 속력이 일정한 운동을 한다.
③ 연직 방향으로는 중력이 계속 작용한다.
④ 연직 방향으로는 등가속도 운동을 한다.
⑤ 같은 경로를 반복해서 왕복 운동을 한다.

대표 예제 1 이동 거리와 변위

그림은 A, B, C가 같은 시간 동
안에 p에서 q까지 각각 이동한
경로를 나타낸 것이다.

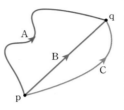

이에 대한 설명으로 옳은 것만을
〈보기〉에서 있는 대로 고른 것은?

보기

ㄱ. A의 이동 거리가 가장 크다.
ㄴ. B의 이동 거리가 가장 작다.
ㄷ. A, B, C의 변위는 모두 같다.

① ㄱ   ② ㄴ   ③ ㄱ, ㄷ
④ ㄴ, ㄷ   ⑤ ㄱ, ㄴ, ㄷ

개념 가이드

☐☐☐☐는 실제로 움직인 거리이고, ☐☐☐는 처음 위
치에서 나중 위치까지 직선 방향의 변화량이다. 🅐 이동 거리, 변위

대표 예제 2 위치-시간 그래프의 해석

그림은 직선상에서 운동하
는 물체 A, B, C의 위치를
시간에 따라 나타낸 것이다.
이에 대한 설명으로 옳은 것
만을 〈보기〉에서 있는 대로
고른 것은?

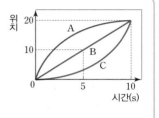

보기

ㄱ. A는 속력이 점점 커지는 운동을 한다.
ㄴ. B는 속력이 일정한 운동을 한다.
ㄷ. 0~10초 동안 A, B, C의 평균 속력은 모두 같다.

① ㄱ   ② ㄴ   ③ ㄷ
④ ㄱ, ㄴ   ⑤ ㄴ, ㄷ

개념 가이드

위치-시간 그래프에서 기울기는 ☐☐☐를 나타내므로 기
울기가 일정하면 ☐☐☐가 일정하다. 🅐 속도, 속도

대표 예제 3 속도-시간 그래프의 해석

그림은 직선상에 운동하는 어떤 물체의 속도를 시간에 따
라 나타낸 것이다.

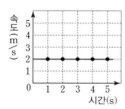

(1) 이 물체는 어떤 운동을 하는지 쓰시오.

(2) 0~5초 동안 이 물체가 이동한 거리는 몇 m인지
   구하시오.

개념 가이드

속도-시간 그래프에서 기울기는 ☐☐☐를 나타내고, 그래
프 아래의 넓이는 ☐☐를 나타낸다. 🅐 가속도, 변위

대표 예제 4 등속 직선 운동

그림은 직선상에서 운동하
는 물체 A, B의 위치를 시간
에 따라 나타낸 것이다.
이에 대한 설명으로 옳지
않은 것은?

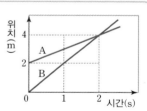

① A는 등속 직선 운동을 한다.
② 0~2초 동안 A의 평균 속력은 1 m/s이다.
③ B는 등속 직선 운동을 한다.
④ 0~2초 동안 B의 이동 거리는 4 m이다.
⑤ 1초일 때 A의 속력은 B의 속력보다 크다.

개념 가이드

물체가 등속 직선 운동을 하는 경우 속도가 ☐☐하므로
위치-시간 그래프의 기울기도 ☐☐하다. 🅐 일정, 일정

대표 예제 5 가속도

그림은 직선상에서 운동
하는 물체 A, B의 속도
를 시간에 따라 나타낸
것이다.
이에 대한 설명으로 옳
은 것만을 〈보기〉에서 있는 대로 고른 것은?

──── 보기 ────
ㄱ. A의 가속도는 −1 m/s²이다.
ㄴ. B의 가속도는 −4 m/s²이다.
ㄷ. 정지할 때까지 A, B의 이동 거리는 같다.

① ㄱ   ② ㄴ   ③ ㄱ, ㄷ
④ ㄴ, ㄷ   ⑤ ㄱ, ㄴ, ㄷ

개념 가이드

가속도는 단위 시간당 [　　　　] 변화량이며, [　　　　]와
방향을 가지는 물리량이다.　　　　🔘 속도, 크기

대표 예제 6 등가속도 직선 운동

그림은 빗면을 따라
내려가는 공의 위치
를 0.2초 간격으로 나
타낸 것이다. 이에 대
한 설명으로 옳은 것만을 〈보기〉에서 있는 대로 고른 것은?

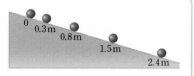

──── 보기 ────
ㄱ. 공의 속력은 시간에 따라 일정하게 증가한다.
ㄴ. 공은 가속도가 일정한 운동을 한다.
ㄷ. 공은 수평 방향으로는 등속 운동을 한다.

① ㄱ   ② ㄴ   ③ ㄱ, ㄴ
④ ㄴ, ㄷ   ⑤ ㄱ, ㄴ, ㄷ

개념 가이드

마찰을 무시할 때 빗면을 내려오는 공은 [　　　　]을 하므로, 속
력은 일정하게 [　　　　]한다.　🔘 등가속도 직선 운동, 증가

대표 예제 7 포물선 운동

그림은 농구 선수가 농구공을 던져 슛을 하는 모습을 나타
낸 것이다. (단, 공기 저항과 모든 마찰은 무시한다.)

(1) 농구공에 작용하는 힘의 방향을 쓰시오.
(2) 수평 방향으로 어떤 운동을 하는지 쓰시오.
(3) 연직 방향으로 어떤 운동을 하는지 쓰시오.

개념 가이드

비스듬히 던져 올린 물체는 수평 방향으로는 [　　　　]을 하
고, 연직 방향으로는 [　　　　]을 한다.🔘 등속 운동, 등가속도 운동

대표 예제 8 진자 운동

그림은 단진자 운동을 나타낸 것이다.

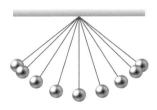

이에 대한 설명으로 옳은 것을 모두 고르면? (2개)
① 등가속도 운동을 한다.
② 주기적으로 왕복 운동을 한다.
③ 수평 방향으로는 등속 운동을 한다.
④ 속력과 운동 방향이 모두 변하는 운동을 한다.
⑤ 속력은 일정하고 방향만 변하는 운동을 한다.

개념 가이드

진자 운동은 [　　　　]과 [　　　　]이 모두 변하는 운동
이다.　　　　　　　　🔘 속력, 운동 방향

2일

뉴턴 운동 법칙

공부할 핵심 개념이 무엇인지 퀴즈를 통해 알아보자.

Quiz 물체가 처음의 운동 상태를 계속 유지하려고 하는 성질을 ㄱ ㅅ 이라고 한다.

답 관성

Quiz 물체의 ㄱ ㅅ ㄷ 는 물체에 작용한 알짜힘에 비례하고, 물체의 질량에 반비례한다.

와, 기관차를 두 개 다니까 속도가 빠르게 증가하는구나.

와, 힘들어. 객차를 여러 개 다니까 도무지 속도가 나질 않네.

🔖 답 가속도

Quiz 물체 A가 물체 B에게 힘을 작용하면 반드시 B도 A에게 힘을 작용한다. 이것을 ㅈ ㅇ ㅂ ㅈ ㅇ 법칙이라고 한다.

많은 연료를 태워서 화염을 분출시키면 뒤쪽으로 엄청난 힘이 가해지지.

반작용

작용

화염을 뒤로 분출시키고 반작용으로 그만큼 힘을 받아 앞으로 날아가게 되지.

🔖 답 작용 반작용

2일 교과서 핵심 정리 ①

개념 1 뉴턴 운동 제1법칙(관성 법칙)

1 힘 물체에 힘이 작용하면 물체의 [❶_____]나 모양이 변한다.

2 힘의 3요소 힘의 크기, [❷_____], 힘의 작용점

힘의 크기 / 작용선 / 힘의 방향 / 힘의 작용점

3 알짜힘 한 물체에 여러 힘이 작용할 때 여러 힘을 [❸_____]하여 하나의 힘으로 나타낸 것

4 힘의 평형 알짜힘이 0인 경우 물체에 작용하는 힘들이 [❹_____]을 이루었다고 하며, 이때 물체의 가속도는 0(등속 직선 운동 또는 정지)이다.

5 뉴턴 운동 제1법칙 물체에 작용하는 알짜힘이 0이면 정지해 있는 물체는 계속 정지해 있고, 운동하는 물체는 [❺_____]을 계속 한다.

① 관성: 물체가 처음의 운동 상태를 계속 유지하려는 성질로 물체의 질량이 클수록 관성이 [❻_____]. – 질량이 클수록 물체의 운동 상태를 바꾸기 어렵다.

② 정지 관성에 의한 현상: 버스가 갑자기 출발하면 승객이 뒤로 넘어진다. 컵 위의 종이를 튕기면 동전이 컵 속으로 떨어진다. 등

③ 운동 관성에 의한 현상: 버스가 갑자기 정지하면 승객이 앞으로 넘어진다. 망치 자루를 바닥에 내리치면 망치 머리가 조여진다. 등

❶ 운동 상태

❷ 힘의 방향

❸ 합성

❹ 평형

❺ 등속 직선 운동

❻ 크다

개념 2 뉴턴 운동 제2법칙(가속도 법칙)

1 힘과 운동 물체에 알짜힘이 작용하면 [❼_____]의 변화(가속도)가 생긴다.

2 힘과 가속도의 관계 물체의 질량이 일정할 때 물체의 가속도는 물체에 작용하는 알짜힘의 크기에 [❽_____]하고, 가속도의 방향은 힘이 작용하는 방향과 같다.

3 질량과 가속도의 관계 물체에 작용하는 힘이 일정할 때 물체의 가속도는 질량에 [❾_____]한다.

❼ 속도

❽ 비례

❾ 반비례

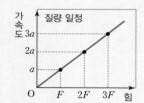

가속도 / 질량 일정 / $3a$ / $2a$ / a / O / F / $2F$ / $3F$ / 힘

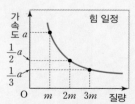

가속도 / 힘 일정 / a / $\frac{1}{2}a$ / $\frac{1}{3}a$ / O / m / $2m$ / $3m$ / 질량

4 뉴턴 운동 제2법칙 물체의 [❿_____]는 물체에 작용하는 알짜힘에 비례하고, 물체의 질량에 반비례한다.

➡ 가속도$(a) = \dfrac{알짜힘(F)}{질량(m)}$, $F = ma$

❿ 가속도

1 힘에 대한 설명으로 옳은 것은 ○, 옳지 않은 것은 ×표 하시오.

(1) 물체에 힘이 작용하면 물체의 모양이나 운동 상태가 변한다. ( )

(2) 힘의 3요소는 크기, 방향, 작용점이다. ( )

(3) 물체에 작용하는 알짜힘이 0이면 물체의 가속도도 0이다. ( )

(4) 물체에 작용하는 알짜힘이 0이면 운동하던 물체는 등가속도 직선 운동을 한다. ( )

3 다음은 힘과 운동에 대한 설명이다. 빈칸에 알맞은 말을 쓰시오.

(1) 물체에 알짜힘이 작용하면 물체의 운동 방향이나 ( )이 변한다.

(2) 물체의 가속도는 물체에 작용하는 알짜힘에 ( )하고, 물체의 질량에 ( ) 한다.

(3) 가속도의 방향은 물체에 작용하는 알짜힘의 방향과 ( ).

(4) 가속도의 방향과 물체의 운동 방향이 같으면 속력이 ( )하고, 가속도의 방향과 물체의 운동 방향이 반대이면 속력이 ( ) 한다.

2 그림 (가)는 컵 위에 놓인 종이에 동전을 올려 놓고 종이를 빠르게 쳤을 때 모습을, (나)는 망치 머리를 박을 때 자루를 바닥에 빠르게 내리치는 모습을 나타낸 것이다.

(가)   (나)

이에 대한 설명으로 옳지 않은 것은?

① (가)에서 종이가 갑자기 움직일 때 동전은 정지해 있으려고 한다.

② (가)에서 종이가 빠져나간 후 공중에 뜬 동전은 중력을 받아 컵 속으로 떨어진다.

③ (나)에서 자루가 바닥에 부딪쳐 멈출 때 망치 머리는 계속 운동하려고 한다.

④ (나)에서 자루를 여러 번 바닥에 내리치면 망치 머리는 자루에 더 깊숙이 박힌다.

⑤ (가)와 (나)는 운동하는 물체가 계속 운동하려는 관성을 나타내는 예이다.

4 그림 (가)는 질량이 일정할 때 알짜힘에 따른 가속도를, (나)는 알짜힘이 일정할 때 질량에 따른 가속도를 나타낸 것이다.

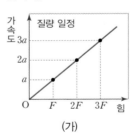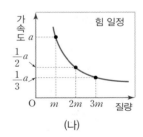

(가)   (나)

이에 대한 설명으로 옳은 것은 ○, 옳지 않은 것은 ×표 하시오.

(1) 가속도는 작용한 알짜힘에 비례한다. ( )

(2) 가속도는 물체의 질량에 반비례한다. ( )

(3) 가속도는 질량과 알짜힘의 곱에 비례한다. ( )

교과서 핵심 정리 ②

개념 3 뉴턴 운동 제3법칙(작용 반작용 법칙)

1 뉴턴 운동 제3법칙 힘은 항상 두 물체 사이에서 상호 작용 하는데 A가 B에게 힘(F_{AB})을 작용하면 B도 **❶**〔   〕에게 힘(F_{BA})을 작용한다.

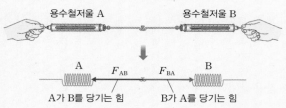

용수철저울 A   용수철저울 B

A F_{AB} F_{BA} B
A가 B를 당기는 힘   B가 A를 당기는 힘

① 작용과 반작용은 크기가 같고, 방향은 **❷**〔   〕이다.

➡ $F_{AB} = -F_{BA}$

② 작용과 반작용은 **❸**〔   〕작용선상에서 서로 다른 두 물체 사이에 작용하는 힘이므로 합성할 수 **❹**〔   〕.

2 작용 반작용의 예 배의 노를 뒤로 저으면 배가 앞으로 나아간다. 로켓이 연료를 연소시켜 뒤로 분출시키면서 앞으로 날아간다. 등

3 작용 반작용과 두 힘의 평형

① 작용 반작용 관계에 있는 두 힘:
F_1과 F_2, F_3과 **❺**〔   〕

② 힘의 평형 관계에 있는 두 힘:
F_1과 **❻**〔   〕

책 F_4
책상 F_1 F_3
F_2
지구

- F_1 : 지구가 책을 당기는 힘
- F_2 : 책이 지구를 당기는 힘
- F_3 : 책이 책상을 누르는 힘
- F_4 : 책상이 책을 떠받치는 힘

❶ A

❷ 반대

❸ 동일한

❹ 없다

❺ F_4

❻ F_4

개념 4 운동 법칙 적용(연결된 두 물체인 경우)

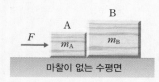

B
A
F m_A m_B
마찰이 없는 수평면

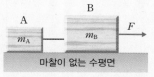

B
A
m_A m_B F
마찰이 없는 수평면

1 연결되어 있는 두 물체를 한 덩어리로 생각한다. ➡ 두 물체에 작용하는 알짜힘(F)과 두 물체의 질량의 합($m_A + m_B$)을 구한다.

2 운동 방정식을 이용하여 가속도(a)를 구한다. ➡ $a = \dfrac{F}{m_A + m_B}$

3 운동 방정식을 이용하여 각 물체에 작용하는 알짜힘을 구한다.

① A에 작용하는 알짜힘: $F_A = m_A a = \dfrac{m_A F}{m_A + m_B}$

② B에 작용하는 알짜힘: $F_B = m_B a =$ **❼**〔   〕

4 A와 B 사이에 작용하는 힘은 **❽**〔   〕관계로 크기가 같고 방향이 반대이다.

❼ $\dfrac{m_B F}{m_A + m_B}$

❽ 작용 반작용

2일

5 뉴턴 운동 제3법칙에 대한 설명으로 옳은 것은 ○, 옳지 않은 것은 ×표 하시오.

(1) 작용과 반작용의 방향은 같다. ( )

(2) 작용과 반작용의 크기는 같다. ( )

(3) 작용과 반작용을 합성하면 0이다. ( )

(4) 작용과 반작용은 동일 직선상에서 작용한다. ( )

(5) 한 물체가 다른 물체에 힘을 작용하면 힘을 받는 다른 물체도 반드시 힘을 작용한다. ( )

6 그림은 책상 위에 놓여 있는 책과 관련된 힘을 나타낸 것이다.

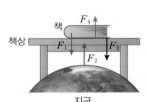

- F_1: 지구가 책을 당기는 힘
- F_2: 책이 지구를 당기는 힘
- F_3: 책이 책상을 누르는 힘
- F_4: 책상이 책을 떠받치는 힘

(1) F_1과 작용 반작용 관계에 있는 힘을 쓰시오.

(2) F_3과 작용 반작용 관계에 있는 힘을 쓰시오.

(3) F_1과 힘의 평형을 이루는 힘을 쓰시오.

7 그림은 수평면에 놓인 실로 연결된 물체 A, B에 힘 F를 작용한 것을 나타낸 것이다.

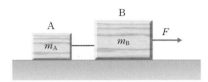

이에 대한 문제를 푸는 과정에 대한 설명으로 옳지 않은 것은? (단, 실의 질량과 모든 마찰은 무시한다.)

① 연결되어 있는 두 물체는 한 덩어리로 생각한다.

② 두 물체에 작용하는 알짜힘을 구한다.

③ 두 물체의 질량의 합을 구한다.

④ 운동 방정식을 이용하여 가속도를 구한다.

⑤ B에 작용하는 알짜힘은 F이다.

8 그림은 수평면 위에 정지해 있는 물체 A, B를 용수철저울로 연결하고 30 N의 힘으로 당기는 모습을 나타낸 것이다. (단, 용수철저울의 질량과 모든 마찰은 무시한다.)

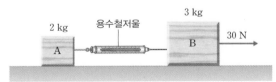

빈칸에 알맞은 말을 쓰시오.

(1) A의 가속도의 크기는 ( ) m/s²이다.

(2) A에 작용하는 알짜힘의 크기는 ( ) N 이다.

(3) B에 작용하는 알짜힘의 크기는 ( ) N 이다.

(4) 물체 사이에 연결된 용수철저울에서 측정되는 힘의 크기는 ( ) N이다.

대표 예제 1 힘

그림은 한 물체에 힘 F_1, F_2, F_3, F_4가 작용하는 것을 나타낸 것이다.

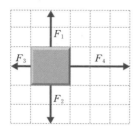

이 물체에 작용하는 알짜힘의 크기는? (단, 모눈 한칸은 1 N의 힘을 나타낸다.)

① 1 N　　② 2 N　　③ 3 N
④ 4 N　　⑤ 5 N

개념 가이드

알짜힘은 [　　　] 물체에 작용하는 모든 힘의 [　　　] 으로 구한다.
답 한, 합력

대표 예제 2 뉴턴 운동 제1법칙

그림은 막대로 옷을 두드려서 먼지를 털어내는 모습을 나타낸 것이다.
이에 대한 설명으로 옳은 것만을 〈보기〉에서 있는 대로 고른 것은?

보기
ㄱ. 먼지는 관성에 의해 정지해 있다.
ㄴ. 옷은 막대로부터 힘을 받아 뒤로 밀려난다.
ㄷ. 달리는 사람이 돌부리에 걸려 넘어질 때와 같은 관성에 의한 현상이다.

① ㄱ　　② ㄴ　　③ ㄱ, ㄴ
④ ㄴ, ㄷ　　⑤ ㄱ, ㄴ, ㄷ

개념 가이드

관성에 의해 정지해 있던 물체는 계속 [　　　], 운동하던 물체는 [　　　] 을 계속 하려고 한다.
답 정지, 등속 직선 운동

대표 예제 3 힘과 가속도

그림은 정지해 있는 질량이 2 kg인 물체에 크기가 각각 10 N, 20 N인 두 힘이 작용한 것을 나타낸 것이다.

이에 대한 설명으로 옳은 것만을 〈보기〉에서 있는 대로 고르시오.

보기
ㄱ. 물체에 작용하는 알짜힘의 크기는 10 N이다.
ㄴ. 물체의 가속도의 크기는 5 m/s²이다.
ㄷ. 물체의 운동 방향은 오른쪽이다.

개념 가이드

물체의 가속도는 [　　　] 에 비례하고, 정지해 있던 물체의 운동 방향은 [　　　] 의 방향과 같다.
답 알짜힘, 알짜힘

대표 예제 4 뉴턴 운동 제2법칙

그림 (가)는 질량이 2 kg인 수레를 용수철저울로 끌어당기는 것을, (나)는 수레를 끌어당기는 힘을 다르게 한 두 경우 A, B에서 수레의 속력을 시간에 따라 나타낸 것이다.

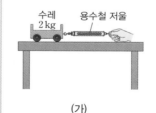
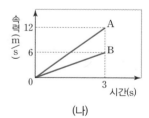

(가)　　　　　　(나)

(1) A의 경우 수레에 작용하는 알짜힘의 크기를 구하시오.
(2) B의 경우 수레의 가속도의 크기를 구하시오.

개념 가이드

물체의 가속도는 물체에 작용한 [　　　] 에 비례하고, 물체의 [　　　] 에 반비례한다.
답 알짜힘, 질량

대표 예제 5 뉴턴 운동 제3법칙

그림은 마찰이 없는 수평면 위에 놓인 자석 A, B가 줄 p, q에 의해 정지해 있는 모습을 나타낸 것이다.

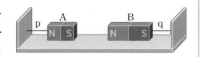

이에 대한 설명으로 옳은 것만을 〈보기〉에서 있는 대로 고르시오. (단, 줄의 질량은 무시한다.)

> 보기
> ㄱ. A가 B에 작용하는 힘은 B가 A에 작용하는 힘과 크기가 같다.
> ㄴ. p에 작용하는 힘은 q에 작용하는 힘과 같다.
> ㄷ. B에 작용하는 알짜힘은 0이다.

개념 가이드

두 물체 사이에서는 힘이 서로 상호 작용 한다. 이때 두 힘의 크기는 [ ], 방향은 [ ]이다. **답** 같고, 반대

대표 예제 6 뉴턴 운동 제3법칙

그림은 공을 벽에 대고 누를 때 작용한 힘을 나타낸 것이다.

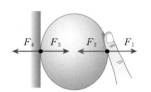

F_1: 공이 손가락을 미는 힘
F_2: 손가락이 공을 미는 힘
F_3: 벽이 공을 미는 힘
F_4: 공이 벽을 미는 힘

이에 대한 설명으로 옳은 것만을 〈보기〉에서 있는 대로 고르시오.

> 보기
> ㄱ. F_1과 작용 반작용 관계에 있는 힘은 F_2이다.
> ㄴ. F_3과 작용 반작용 관계에 있는 힘은 F_4이다.
> ㄷ. F_2와 평형을 이루는 관계에 있는 힘은 F_3이다.

개념 가이드

작용 반작용 관계에 있는 두 힘은 [ ] 물체, 평형을 이루는 두 힘은 [ ] 물체에 작용한다. **답** 다른, 한

대표 예제 7 운동 법칙 적용

그림과 같이 질량이 같은 두 물체를 용수철저울 A, B로 연결하고 힘 F로 끌어당겼더니 A의 눈금이 10 N을 가리켰다.

B의 눈금은? (단, 용수철저울의 질량과 모든 마찰은 무시한다.)

① 10 N ② 20 N ③ 30 N
④ 40 N ⑤ 50 N

개념 가이드

그림에서 용수철저울 A의 눈금은 [ ] 물체에 작용하는 알짜힘을, 용수철저울 B의 눈금은 [ ] 물체에 작용하는 알짜힘을 나타낸다. **답** 한, 두

대표 예제 8 운동 법칙 적용

그림은 질량이 각각 3 kg, 2 kg인 물체 A, B가 도르래에 연결되어 있는 것을 나타낸 것이다. 이에 대한 설명으로 옳은 것만을 〈보기〉에서 있는 대로 고르시오. (단, 줄의 질량과 모든 마찰은 무시하고, 중력 가속도는 10 m/s²이다.)

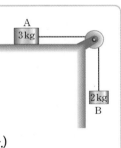

> 보기
> ㄱ. A의 가속도의 크기는 4 m/s²이다.
> ㄴ. B에 작용하는 중력의 크기는 20 N이다.
> ㄷ. B에 작용하는 알짜힘의 크기는 20 N이다.

개념 가이드

연결된 두 물체는 [ ]처럼 운동하므로 두 물체는 같은 속도와 [ ]로 운동한다. **답** 한 덩어리, 가속도

운동량과 충격량

Quiz 볼링공이 무거울수록, 볼링공의 속도가 빠를수록 볼링핀에 전달하는 ㅊ ㄱ ㄹ 이 크다.

탑 충격량

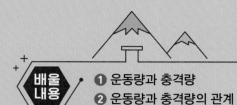
Quiz 충돌 시간을 길게 하여 ㅊㄱㄹ 을 작게 하는 경우도 있고 충격량을 크게 하는 경우도 있다.

답 충격력

Quiz 충돌할 때 외력이 작용하지 않으면 충돌 전후 운동량의 총합은 ㄱㄷ.

답 같다

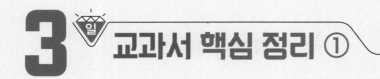
3일 교과서 핵심 정리 ①

개념 1 운동량과 충격량

1 운동량 물체의 운동 정도를 나타내는 양으로, 크기와 **❶** 을 가진다.

  ① 운동량의 크기: 물체의 질량과 **❷** 의 곱으로 구한다.

    ➡ 운동량＝질량×속도, $p=mv$ [단위: kg·m/s]

  ② 운동량의 방향: **❸** 의 방향과 같다.

2 충격량 물체가 받은 충격의 정도를 나타내는 양으로, 크기와 방향을 가진다.

  ① 충격량의 크기: 물체에 작용한 힘과 힘을 작용한 **❹** 의 곱으로 구한다.

    ➡ 충격량＝힘×시간, $I=F\varDelta t$ [단위: N·s]

  ② 충격량의 방향: **❺** 의 방향과 같다.

❶ 방향

❷ 속도

❸ 속도

❹ 시간

❺ 힘

개념 2 운동량과 충격량의 관계

1 운동량과 충격량의 관계 물체가 받은 충격량은 물체의 운동량의 **❻** 과 같다.

└─ 나중 운동량－처음 운동량

> **[운동량과 충격량의 관계 유도]**
> 질량이 m인 물체가 v_0의 속도로 운동하다가 일정한 힘 F를 시간 $\varDelta t$ 동안 받은 후 속도가 v가 되었다면 가속도 $a=\dfrac{v-v_0}{\varDelta t}$이다.
>
> 따라서 $F=ma=m\dfrac{v-v_0}{\varDelta t}$에서 $F\varDelta t=mv-mv_0$이다. 즉 $I=F\varDelta t=\varDelta p$이다.

❻ 변화량

2 운동량과 충격량 그래프 해석

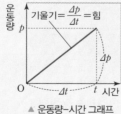

▲ 운동량–시간 그래프   ▲ 힘–시간 그래프

  ① 운동량–시간 그래프: 기울기는 **❼** 을 나타낸다.

  ② 힘–시간 그래프: 그래프 아래의 넓이는 **❽** 을 나타낸다.

3 충격력 충돌할 때 물체가 받는 힘으로, 충격량을 시간으로 나누어 구할 수 있다. 즉 충격력은 단위 시간 동안 **❾** 의 변화량과 같다.

  ➡ 충격력＝$\dfrac{충격량}{시간}$, $F=\dfrac{m\varDelta v}{\varDelta t}=\dfrac{mv-mv_0}{\varDelta t}=\dfrac{\varDelta p}{\varDelta t}$

❼ 힘

❽ 충격량

❾ 운동량

1 그림은 공을 던져주는 기계가 질량이 200 g인 공을 20 m/s의 속력으로 던지는 모습을 나타낸 것이다.

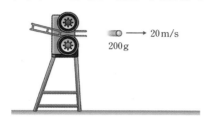

이 공의 운동량은?

① 0.2 kg·m/s
② 2 kg·m/s
③ 4 kg·m/s
④ 20 kg·m/s
⑤ 200 kg·m/s

2 그림은 마찰이 없는 수평면에 정지해 있는 물체에 일정한 방향으로 작용하는 힘을 시간에 따라 나타낸 것이다.

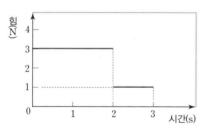

빈칸에 알맞은 말을 쓰시오.

(1) 주어진 그래프 아래의 넓이는 (   )을 나타낸다.

(2) 0초에서 2초까지 물체가 받은 충격량의 크기는 (   ) N·s이다.

(3) 0초에서 3초까지 물체가 받은 충격량의 크기는 (   ) N·s이다.

(4) 충격량의 방향은 (   )의 방향과 같다.

3 다음은 운동량과 충격량에 대한 설명이다. 빈칸에 알맞은 말을 쓰시오.

(1) 충돌 시 물체의 운동량의 변화량은 물체가 받은 (   )과 같다.

(2) 운동량-시간 그래프에서 그래프의 기울기는 (   )을 나타낸다.

(3) 힘-시간 그래프에서 물체가 받은 (   ) 은 그래프 아래의 넓이로 구할 수 있다.

4 그림은 마찰이 없는 수평면에서 속력 v로 운동하던 물체가 벽과 충돌할 때 물체의 운동량을 시간에 따라 나타낸 것이다.

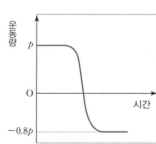

이에 대한 설명으로 옳은 것은 O, 옳지 않은 것은 ×표 하시오.

(1) 충돌 후 물체의 속력은 $0.8v$이다. (   )

(2) 물체의 운동량의 변화량의 크기는 $1.8p$이다.
(   )

(3) 충돌 시 물체가 받은 충격량의 크기는 $1.8p$이다.
(   )

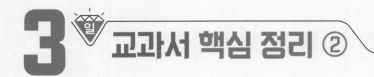

교과서 핵심 정리 ②

개념3 충격력과 충돌 시간의 관계

1 충격량이 같을 때 충돌 시간이 길수록 **❶**[ ]은 작다.

> 동일한 두 컵을 같은 높이에서 각각 시멘트 바닥(A)과
> 방석(B) 위에 떨어뜨렸다.
> ① 같은 높이에서 떨어진 두 컵이 충돌하는 동안 받은
>   충격량은 **❷**[ ].
> ② 충돌 시간이 짧은 A에서 받은 충격력이 더 **❸**[ ].

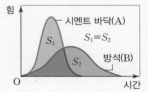

2 충돌 시간을 길게 하여 충격력을 줄이는 예(단, 충격량은 일정)
   ① 자동차가 충돌했을 때 에어백이 작동하면 충격을 적게 받는다.
   ② 공을 받을 때 손을 뒤로 빼면서 받으면 충격을 적게 받는다.

3 충돌 시간을 길게 하여 충격량을 크게 하는 예(단, 충격력은 일정)
   ① 대포의 포신이 **❹**[ ] 포탄이 더 멀리 날아간다.
   ② 야구 방망이를 끝까지 밀어주면 공이 더 멀리 날아간다.

❶ 충격력

❷ 같다
❸ 크다

❹ 길어지면

개념4 운동량 보존 법칙

1 **운동량 보존 법칙** 외력이 작용하지 않으면 물체들 사이에 상호 작용(충돌, 분열, 융합
등) 전후 운동량의 총합은 **❺**[ ].

충돌 전   충돌 중   충돌 후

$$\Rightarrow m_1v_1 + m_2v_2 = m_1v_1{'} + m_2v_2{'}$$

❺ 보존된다

2 **두 물체가 충돌 후 융합하는 경우** 충돌 전 두 물체의 운동량의 합은 충돌 후 전체 운동
량과 **❻**[ ].

❻ 같다

3 **정지해 있던 한 물체가 두 물체로 분열하여 운동하는 경우** 정지해 있는 물체가 분열하기
전 운동량은 0이므로 분열 후 두 물체는 서로 반대 방향으로 **❼**[ ] 크기의 운동
량을 갖는다.

❼ 같은

4 **탄성 충돌** 충돌 과정에서 운동 에너지가 **❽**[ ] 되는 충돌이다.

❽ 보존

5 **비탄성 충돌** 충돌 과정에서 운동 에너지가 보존되지 않는 충돌이다. **❾**[ ] 충
돌은 충돌 후 한 덩어리로 운동하는 경우이다.

❾ 완전 비탄성

기초 확인 문제

5 그림 (가)와 (나)는 같은 높이에서 질량이 같은 달걀을 각각 나무 바닥과 방석에 떨어뜨릴 때의 모습을 나타낸 것이다.

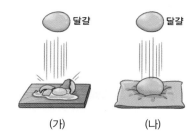

(가)   (나)

빈칸에 알맞은 말을 고르시오.

(1) 충돌 직전 달걀의 운동량은 (가)에서가 (나)에서와(보다) (작다 , 같다 , 크다).

(2) 충돌 시간은 (가)에서가 (나)에서와(보다) (작다 , 같다 , 크다).

(3) 달걀이 받은 충격력은 (가)에서가 (나)에서와(보다) (작다 , 같다 , 크다).

6 충격량과 충격력에 대한 설명으로 옳지 <u>않은</u> 것은?

① 충격량이 같을 때 충돌 시간이 짧을수록 충격력은 크다.

② 충격력이 같을 때 충돌 시간이 길수록 충격량은 크다.

③ 자동차가 충돌했을 때 에어백이 작동하면 충격력이 작아진다.

④ 날아오는 공을 받을 때 손을 뒤로 빼면서 받으면 충격력이 작아진다.

⑤ 대포의 포신이 긴 것은 포신이 짧은 것보다 충격량이 작다.

7 그림 (가)는 두 학생 A, B가 롤러스케이트를 신고 정지해 있는 모습이고, (나)는 A가 B를 밀어 두 학생이 분리된 모습을 나타낸 것이다.

(가)   (나)

이에 대한 설명으로 옳은 것은 ○, 옳지 않은 것은 ×표 하시오.

(1) 분리 전 A, B의 운동량의 합은 0이다. (   )

(2) 분리 후 A, B의 운동량의 합은 0이 아니다.
(   )

(3) 분리 후 A, B의 운동량은 서로 반대 방향이다.
(   )

8 그림은 질량이 200 g인 총알이 200 m/s의 속력으로 날아와 정지해 있는 질량이 1.8 kg인 나무 도막에 충돌하여 박힌 후, V의 속력으로 함께 운동하는 모습을 나타낸 것이다.

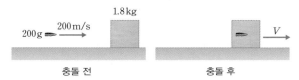

충돌 전   충돌 후

충돌 후 나무 도막의 속력 V는? (단, 공기 저항과 모든 마찰은 무시한다.)

① 1 m/s   ② 2 m/s   ③ 4 m/s

④ 10 m/s   ⑤ 20 m/s

대표 예제 1 　운동량

운동량에 대한 설명으로 옳은 것만을 〈보기〉에서 있는 대로 고른 것은?

───── 보기 ───

ㄱ. 운동하는 물체의 운동 정도를 나타내는 양이다.
ㄴ. 운동량의 크기는 물체의 질량이 클수록, 물체의 속력이 클수록 크다.
ㄷ. 운동량은 힘과 힘이 작용한 시간의 곱으로 계산한다.

① ㄱ　　　② ㄱ, ㄴ　　　③ ㄱ, ㄷ
④ ㄴ, ㄷ　　　⑤ ㄱ, ㄴ, ㄷ

개념 가이드

운동량은 물체의 운동 정도를 나타내는 양으로, [　　　]과 [　　　]의 곱으로 구할 수 있다.

답 질량, 속도

대표 예제 2 　충격량

그림은 정지해 있는 골프공에 500 N의 힘으로 0.02초 동안 충격을 가하는 것을 나타낸 것이다.

골프공이 골프채로부터 받은 충격량은?

① 2 N·s　　　② 5 N·s　　　③ 10 N·s
④ 50 N·s　　　⑤ 100 N·s

개념 가이드

충격량은 물체가 받은 충격의 정도를 나타내는 양으로, [　　　]과 [　　　]의 곱으로 구할 수 있다.

답 힘, 시간

대표 예제 3 　운동량과 충격량의 관계

마찰이 없는 수평면 위에 정지해 있는 질량이 5 kg인 물체에 힘이 작용하였다. 그림은 물체에 작용한 힘을 시간에 따라 나타낸 것이다.

이에 대한 설명으로 옳은 것을 모두 고르면? (2개)

① 0~5초 동안 물체가 받은 충격량은 50 N·s이다.
② 5초일 때 물체의 속력은 10 m/s이다.
③ 5초일 때 물체의 운동량은 100 kg·m/s이다.
④ 0~5초 동안 물체의 가속도는 일정하다.
⑤ 힘-시간 그래프의 기울기는 가속도를 나타낸다.

개념 가이드

물체가 충격을 받아 물체의 운동 상태가 변할 때 물체가 받은 [　　　]은 [　　　]의 변화량과 같다. **답** 충격량, 운동량

대표 예제 4 　운동량과 충격량의 관계

그림은 질량이 m으로 같은 물체 A, B가 각각 운동하다가 벽에 부딪쳐 튀어나오는 것을 나타낸 것이다.

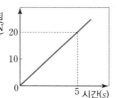 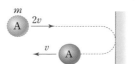 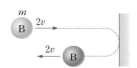

이에 대한 설명으로 옳은 것만을 〈보기〉에서 있는 대로 고르시오.

───── 보기 ───

ㄱ. A가 받은 충격량의 크기는 $3mv$이다.
ㄴ. B가 받은 충격량의 크기는 $4mv$이다.
ㄷ. B의 운동량은 변하지 않았다.

개념 가이드

운동량의 변화량은 나중 운동량에서 [　　　]을 뺀 값이고, 충격량은 [　　　]의 변화량과 같다. **답** 처음 운동량, 운동량

대표 예제 **5**　충격력과 충돌 시간

충격력을 감소시키는 예로 옳은 것만을 〈보기〉에서 있는 대로 고른 것은?

●━━━ 보기 ●

ㄱ. 높은 곳에서 뛰어내릴 때 무릎을 구부린다.

ㄴ. 유리병과 같이 깨지기 쉬운 물품은 에어캡을 사용하여 포장한다.

ㄷ. 테니스 공을 칠 때 테니스 채를 끝까지 길게 휘두른다.

① ㄱ　　　　② ㄴ　　　　③ ㄱ, ㄴ

④ ㄴ, ㄷ　　　⑤ ㄱ, ㄴ, ㄷ

개념 가이드

충격량은 충격력과 충돌 [　　　　]의 곱으로 구하고, 충격량이 같을 때 충돌 시간이 길면 충격력이 [　　　　]한다.

답 시간, 감소

대표 예제 **6**　충격력과 일상생활

다음 일상생활의 예 중 원리가 <u>다른</u> 하나는?

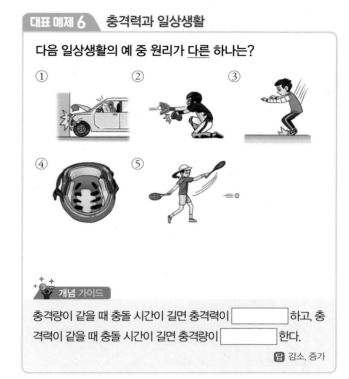

① ② ③ ④ ⑤

개념 가이드

충격량이 같을 때 충돌 시간이 길면 충격력이 [　　　　]하고, 충격력이 같을 때 충돌 시간이 길면 충격량이 [　　　　]한다.

답 감소, 증가

대표 예제 **7**　운동량 보존 법칙

그림은 마찰이 없는 수평면 위에서 질량이 각각 2 kg, 4 kg인 물체 A, B가 서로 반대 방향으로 운동하다가 충돌할 때, 충돌 전후의 모습을 나타낸 것이다.

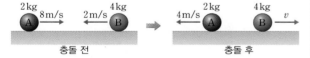

충돌 전　　　　　　충돌 후

충돌 후 B의 속도 v는?

① 1 m/s　　② 2 m/s　　③ 4 m/s

④ 8 m/s　　⑤ 10 m/s

개념 가이드

운동량 보존 법칙에 의해 충돌 전 [　　　　]의 합과 충돌 후 [　　　　]의 합은 같다.

답 운동량, 운동량

대표 예제 **8**　탄성 충돌과 비탄성 충돌

그림은 질량이 m인 물체 A가 속도 v로 운동하다가 정지해 있는 질량이 $2m$인 물체 B와 충돌한 후 함께 붙어서 운동하는 모습을 나타낸 것이다.

충돌 전　　　　　　충돌 후

충돌 후 B의 속도는?

① v　　　　② $2v$　　　　③ $\frac{1}{2}v$

④ $\frac{1}{3}v$　　　⑤ $\frac{1}{4}v$

개념 가이드

두 물체가 충돌 후 함께 붙어서 운동하는 경우를 [　　　　] 비탄성 충돌이라고 하며, 이 경우 운동량은 [　　　　].

답 완전, 보존된다

4 일 열과 역학적 에너지

공부할 핵심 개념이 무엇인지 퀴즈를 통해 알아보자.

Quiz 중력만 작용하여 운동하는 물체의 각 지점에서 운동 에너지와 중력 퍼텐셜 에너지의 합은 항상 ㄱ ㄷ .

답 같다

배울 내용

❶ 역학적 에너지
❷ 역학적 에너지 보존
❸ 내부 에너지와 열역학 제1법칙
❹ 열역학 제2법칙과 열기관

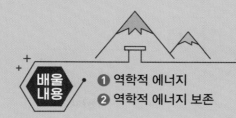

Quiz 단열 과정은 기체가 외부와 열 출입 없이 변하는 과정으로, 기체가 외부에 한(받은) 일은 ㄴ ㅂ ㅇ ㄴ ㅈ 감소(증가)량과 같다.

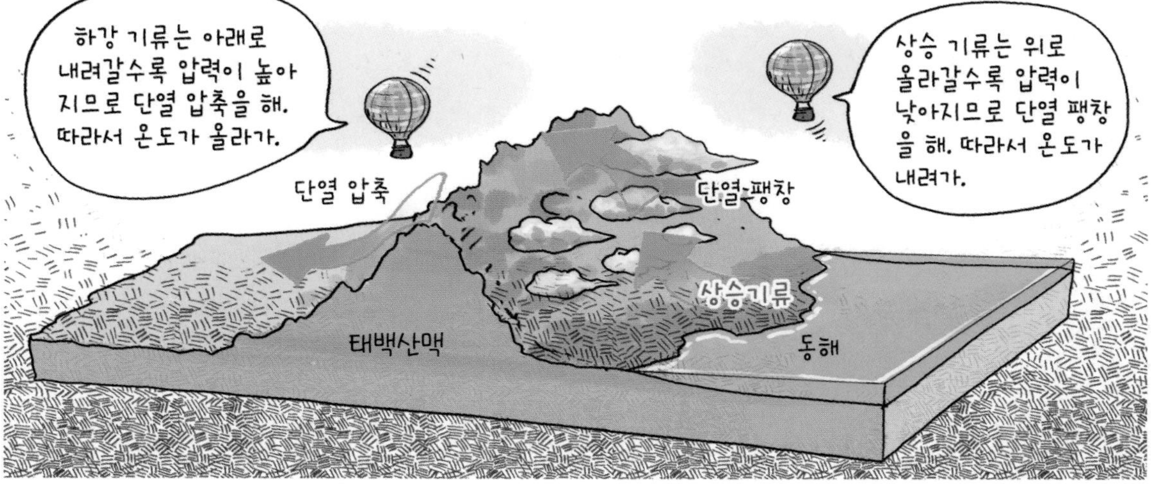
하강 기류는 아래로 내려갈수록 압력이 높아지므로 단열 압축을 해. 따라서 온도가 올라가.
상승 기류는 위로 올라갈수록 압력이 낮아지므로 단열 팽창을 해. 따라서 온도가 내려가.
단열 압축
단열 팽창
상승 기류
태백산맥
동해

답 내부 에너지

Quiz 열기관은 고열원에서 열을 흡수하여 ㅇ 을 하고 남은 열은 저열원으로 방출한다.

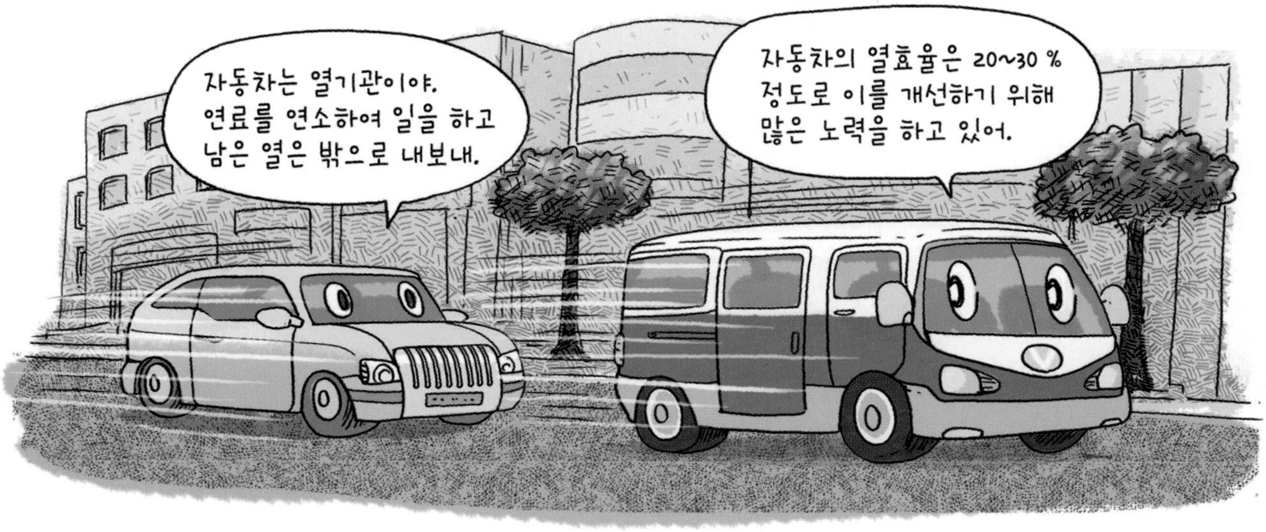
자동차는 열기관이야. 연료를 연소하여 일을 하고 남은 열은 밖으로 내보내.
자동차의 열효율은 20~30 % 정도로 이를 개선하기 위해 많은 노력을 하고 있어.

답 일

4일 교과서 핵심 정리 ①

개념 1 역학적 에너지

1 일 물체에 힘을 작용하여 물체가 ❶[　　　]의 방향으로 이동했을 때 일을 했다고 한다. ➡ 일＝힘×❷[　　　], $W=Fs$ [단위: J(줄)]

2 에너지 일을 할 수 있는 능력

① 물체에 일을 해 주면 해 준 일의 양만큼 물체의 에너지가 증가한다.

② 물체가 외부에 일을 하면 한 일의 양만큼 물체의 에너지가 감소한다.

3 운동 에너지 운동하는 물체가 가진 에너지로, 물체가 정지할 때까지 할 수 있는 ❸[　　　]을 의미한다.

➡ 운동 에너지＝$\frac{1}{2}$×질량×속도^2, $E_k=\frac{1}{2}mv^2$

• 물체에 작용한 알짜힘이 한 일은 물체의 운동 에너지 ❹[　　　]과 같다.

➡ $Fs=\frac{1}{2}mv^2-\frac{1}{2}mv_0^2=\Delta E_k$

5 퍼텐셜 에너지 물체가 ❺[　　　]와 다른 위치에 있을 때 가지는 에너지로, 물체에 일을 해 주어 위치가 변하면 퍼텐셜 에너지가 변한다.

① **중력 퍼텐셜 에너지**: 질량이 m인 물체가 기준점으로부터 높이 h인 곳에 있을 때 가지는 중력 퍼텐셜 에너지는 $E_p=mgh$(g: 중력 가속도)이다.

② **탄성 퍼텐셜 에너지**: 탄성을 가진 물체를 ❻[　　　]시켰을 때 가지는 에너지로, 용수철 상수가 k인 용수철이 x만큼 변형되었을 때 가지는 탄성 퍼텐셜 에너지는 $E_p=\frac{1}{2}kx^2$이다.

개념 2 역학적 에너지 보존

1 역학적 에너지 물체의 운동 에너지와 ❼[　　　]에너지의 합 ➡ $E=E_k+E_p$

2 역학적 에너지 보존 마찰이나 공기 저항을 무시할 때 물체의 역학적 에너지는 항상 ❽[　　　]하게 보존된다. ➡ $E=E_k+E_p=$일정

3 중력에 의한 역학적 에너지 보존 중력만이 작용하여 운동하는 물체의 각 지점에서 ❾[　　　]와 중력 퍼텐셜 에너지의 합은 항상 같다.

4 탄성력에 의한 역학적 에너지 보존 용수철에 물체를 매달고 당겼다 놓았을 때 각 지점에서 운동 에너지와 탄성 퍼텐셜 에너지의 ❿[　　　]은 항상 같다.

5 역학적 에너지가 보존되지 않는 경우 물체가 운동할 때 마찰이나 공기 저항 같이 운동을 방해하는 힘을 받으면 역학적 에너지는 보존되지 ⓫[　　　]. – 감소한 역학적 에너지는 대부분 열에너지로 변한다.

❶ 힘
❷ 이동 거리
❸ 일의 양
❹ 변화량
❺ 기준 위치
❻ 변형
❼ 퍼텐셜
❽ 일정
❾ 운동 에너지
❿ 합
⓫ 않는다

1 그림과 같이 마찰이 없는 수평면 위에 정지해 있던 물체에 크기가 15 N인 일정한 힘을 작용하여 물체를 5 m 이동시켰다.

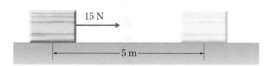

이에 대한 설명으로 옳은 것은?

① 힘이 물체에 한 일은 15 J이다.

② 물체의 역학적 에너지는 처음과 같다.

③ 마찰이 없으므로 물체에 한 일은 없다.

④ 5 m 이동했을 때 물체의 운동 에너지는 75 J이다.

⑤ 바닥의 마찰을 고려하면 물체의 운동 에너지는 지금보다 증가한다.

2 그림과 같이 레일을 설치하고 A점에 쇠구슬을 가만히 놓았더니 쇠구슬이 굴러 내려와 C점에서 나무 도막과 충돌한 후 s만큼 이동하여 정지하였다. (단, A점에서 C점까지의 마찰은 무시한다.)

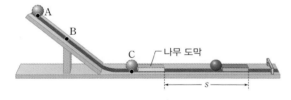

빈칸에 알맞은 말을 쓰시오.

(1) 내려오는 동안 쇠구슬의 중력 퍼텐셜 에너지가 (   ) 에너지로 전환된다.

(2) C점에서 운동하는 쇠구슬은 나무 도막을 밀고 가는 (   )을 한다.

(3) 쇠구슬이 나무 도막에 한 일은 A점에서 쇠구슬의 (   ) 에너지와 같다.

(4) 쇠구슬을 B점에 놓으면 나무 도막의 이동 거리는 s보다 (   )한다.

3 그림은 지면으로부터 높이가 3 m인 A점에서 물체를 가만히 놓았을 때 물체가 떨어지는 모습을 나타낸 것이다.

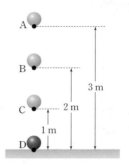

이에 대한 설명으로 옳지 <u>않은</u> 것은? (단, 공기 저항과 모든 마찰은 무시한다.)

① A점에서 운동 에너지는 0이다.

② B점에서 물체의 역학적 에너지는 A점에서와 같다.

③ C점에서 운동 에너지는 A점에서 중력 퍼텐셜 에너지의 $\frac{1}{3}$배이다.

④ D점에서 운동 에너지는 A점에서 중력 퍼텐셜 에너지와 같다.

⑤ B점에서 중력 퍼텐셜 에너지는 C점에서 중력 퍼텐셜 에너지의 2배이다.

4 그림과 같이 용수철에 추를 매달고 평형점 O로부터 6 cm 잡아당겼다가 놓았다. 시간이 지난 후 마찰에 의해 최대 진동 폭이 3 cm가 되었다.

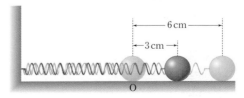

최대 진동 폭이 3 cm가 되었을 때 역학적 에너지는 용수철을 6 cm 당겼다 놓았을 때의 몇 배인지 구하시오.

4일 교과서 핵심 정리 ②

개념 3 내부 에너지와 열역학 제1법칙

1 열평형 상태 온도가 다른 두 물체가 접촉하였을 때 두 물체의 온도가 같아져 더 이상 **❶** ⬚ 이 없는 상태이다.

2 열역학 제0법칙 물체 A와 B가 열평형을 이루고 A와 C가 열평형을 이룬다면 물체 B와 C도 **❷** ⬚ 을 이루어 온도가 모두 같다.

3 이상 기체의 내부 에너지 이상 기체의 내부 에너지는 기체 분자의 운동 에너지의 총합이고, **❸** ⬚ 에 비례한다.
└ 분자 사이의 인력과 분자의 크기를 무시할 수 있는 기체

4 기체가 하는 일 기체가 일정한 압력 P로 ΔV만큼 팽창하면 외부에 W만큼의 일을 하는데, 이때 $W = P\Delta V$이다.

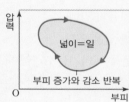

넓이=일

부피 증가와 감소 반복

- 기체가 압축과 팽창을 반복하는 순환 과정에서 기체가 한 일은 압력-부피 그래프에서 그래프로 둘러싸인 부분의 **❹** ⬚ 와 같다.

5 열역학 제1법칙 기체에 가해 준 열에너지 Q는 내부 에너지 변화량(ΔU)과 외부에 **❺** ⬚ (W)의 합과 같다.

➡ $Q = \Delta U + W$

- 열역학 제1법칙은 열에너지와 역학적 에너지를 포함한 **❻** ⬚ 이다.

개념 4 열역학 제2법칙과 열기관

1 열역학 제2법칙 자발적으로 일어나는 자연 현상에는 방향성이 있음을 나타낸 법칙이다.

① 자연 현상은 대부분 비가역적이며 무질서도가 **❼** ⬚ 방향으로 일어난다.

② 역학적 일은 전부 열로 바꿀 수 있지만 열은 전부 일로 바꿀 수 **❽** ⬚ .

2 열기관 열을 **❾** ⬚ 로 바꾸는 장치

고열원

Q_1

열기관 W

Q_2

저열원

① 열기관의 열효율: 열기관에 공급된 열에너지 중 일로 전환된 **❿** ⬚ 로, Q_1의 열을 공급받아 W의 일을 하고 Q_2의 열을 방출할 때 열효율은 $e = \dfrac{W}{Q_1} = \dfrac{Q_1 - Q_2}{Q_1}$이다.

② 열기관에서 순환 과정 후 원래 상태로 되돌아오는 경우 온도와 내부 에너지의 변화는 **⓫** ⬚ .

3 카르노 기관 고열원(T_1)과 저열원(T_2) 사이에서 가장 높은 효율을 낼 수 있는 이상적인 열기관 ➡ 열효율 $e_{7} = 1 - \dfrac{Q_2}{Q_1} = 1 - \dfrac{T_2}{T_1}$

---

❶ 열의 이동

❷ 열평형

❸ 절대 온도

❹ 넓이

❺ 한 일

❻ 에너지 보존 법칙

❼ 증가하는

❽ 없다

❾ 일

❿ 비율

⓫ 없다

5 그림은 10 ℃의 물 A가 들어 있는 수조에 60 ℃의 물 B가 들어 있는 비커를 넣었을 때 A, B의 온도를 시간에 따라 나타낸 것이다.

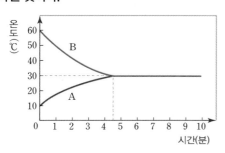

빈칸에 알맞은 말을 쓰시오.

(1) 열은 (   )에서 (   )로 이동한다.

(2) A, B가 열평형 상태에 도달했을 때의 온도는 (   ) ℃이다.

6 열역학 제1법칙에 대한 설명으로 옳은 것을 모두 고르면? (2개)

① 열역학 제1법칙은 열에너지를 포함한 에너지 보존 법칙이다.

② 기체에 가해 준 열에너지는 내부 에너지 변화량과 외부에 한 일의 합과 같다.

③ 외력이 작용하면 열역학 제1법칙은 성립하지 않는다.

④ 기체가 일을 하면 내부 에너지가 증가하고, 기체가 일을 받으면 내부 에너지가 감소한다.

⑤ 기체에 열을 가할 때 부피 변화가 없으면 내부 에너지가 감소한다.

7 열역학 제2법칙에 대한 설명으로 옳지 않은 것은?

① 자연 현상은 무질서도가 증가하는 방향으로 일어난다.

② 열효율이 100 %인 열기관을 카르노 기관이라고 한다.

③ 열은 자발적으로 온도가 높은 곳에서 낮은 곳으로만 이동하고 반대로는 이동하지 않는다.

④ 역학적 일은 전부 열로 바꿀 수 있지만 열은 전부 일로 바꿀 수 없다.

⑤ 물에 떨어뜨린 잉크는 퍼져 나가지만 한곳으로 다시 모이지는 않는다.

8 그림 (가)는 온도가 400 K인 고열원에서 Q_1의 열을 흡수하여 W의 일을 하고 온도가 300 K인 저열원으로 Q_2의 열을 방출하는 카르노 기관을, (나)는 (가)에서 기체의 압력과 부피를 나타낸 것이다.

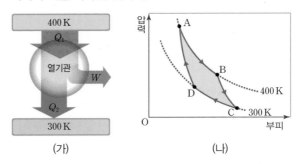

(가)   (나)

(1) 이 카르노 기관의 열효율을 구하시오.

(2) Q_1이 1000 J일 때 이 카르노 기관이 한 일은 몇 J인지 구하시오.

(3) 그림 (나)에서 색칠한 부분의 넓이는 (가)의 무엇에 해당하는지 쓰시오.

대표 예제 1 일과 에너지

그림 (가)는 마찰이 없는 수평면 위에 정지해 있는 질량이 10 kg인 물체를 15 m 떨어진 곳까지 밀고 가는 모습을, (나)는 이때 물체에 작용한 힘을 이동 거리에 따라 나타낸 것이다.

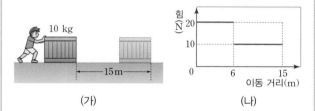

(가)   (나)

(1) 물체를 6 m 이동시켰을 때 한 일을 구하시오.
(2) 물체를 15 m 이동시켰을 때 물체의 운동 에너지는 몇 J인지 구하시오.

개념 가이드

물체에 한 일은 [   ]과 [   ]의 곱으로 구할 수 있다.
답 힘, 이동 거리

대표 예제 2 역학적 에너지

그림과 같이 질량이 2 kg인 물체를 일정한 속력으로 2 m만큼 들어 올렸다.
이에 대한 설명으로 옳은 것만을 〈보기〉에서 있는 대로 고른 것은?
(단, 중력 가속도는 10 m/s²이고, 모든 마찰은 무시한다.)

─● 보기 ●─
ㄱ. 물체를 들어 올리는 데 드는 힘은 20 N이다.
ㄴ. 물체에 한 일은 40 J이다.
ㄷ. 물체의 중력 퍼텐셜 에너지 증가량은 40 J이다.

① ㄱ   ② ㄴ   ③ ㄱ, ㄷ
④ ㄴ, ㄷ   ⑤ ㄱ, ㄴ, ㄷ

개념 가이드

물체를 일정한 [   ]으로 들어 올릴 때 한 일은 모두 중력 퍼텐셜 에너지 [   ]에 이용된다.
답 속력, 증가

대표 예제 3 역학적 에너지 보존

그림은 마찰이 없는 수평면에서 용수철에 매단 추가 A, B 사이에서 진동하는 것을 나타낸 것이다. O는 평형점이다.

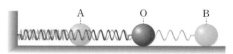

이에 대한 설명으로 옳은 것만을 〈보기〉에서 있는 대로 고르시오.

─● 보기 ●─
ㄱ. 운동 에너지는 O에서 가장 크다.
ㄴ. 탄성 퍼텐셜 에너지는 A, B에서 같다.
ㄷ. A에서 O로 갈 때 탄성 퍼텐셜 에너지가 운동 에너지로 전환된다.

개념 가이드

탄성 퍼텐셜 에너지는 [   ]가 변형된 길이가 길수록 [   ].
답 탄성체, 크다

대표 예제 4 역학적 에너지 보존

그림과 같이 빗면 위의 높이 h인 곳에서 질량이 m인 물체를 가만히 놓았더니 물체가 빗면을 따라 내려와 용수철 상수가 k인 용수철을 x만큼 압축시켰다.

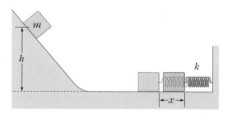

용수철이 압축된 길이 x를 구하시오. (단, 중력 가속도는 g이고, 모든 마찰은 무시한다.)

개념 가이드

마찰이나 공기 저항을 무시하면 물체의 역학적 에너지는 [   ]된다. 따라서 그림과 같은 경우 중력 퍼텐셜 에너지가 [   ] 에너지로 전환된다.
답 보존, 탄성 퍼텐셜

정답과 해설 **72**쪽

대표 예제 **5** 내부 에너지

그림은 일정량의 이상 기체의 압력과 부피를 나타낸 것이다. 이상 기체의 상태가 A에서 B로 변했다.
이에 대한 설명으로 옳은 것만을 〈보기〉에서 있는 대로 고른 것은?

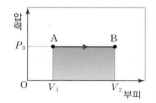

─● 보기 ●─

ㄱ. 기체는 외부에 일을 한다.
ㄴ. 기체가 외부에 한 일은 색칠한 부분의 넓이와 같다.
ㄷ. 기체는 외부에서 열을 받는다.

① ㄱ   ② ㄴ   ③ ㄱ, ㄷ
④ ㄴ, ㄷ   ⑤ ㄱ, ㄴ, ㄷ

🔧 **개념 가이드**

기체의 부피가 [   ]하면 외부에 일을 한 것이며, 압력−부피 그래프 아래의 [   ]는 한 일을 나타낸다.　🅑 증가, 넓이

대표 예제 **6** 열역학 제1법칙

다음은 열역학 제1법칙에 대한 설명이다. 빈칸에 알맞은 말을 쓰시오.

(1) 열역학 제1법칙은 역학적 에너지 외에도 열에너지를 포함한 (   ) 법칙의 일종이다.

(2) 기체에 가해 준 열에너지는 (   )과 외부에 한 일의 합과 같다.

🔧 **개념 가이드**

열역학 제1 법칙은 [   ]와 [   ]를 포함한 넓은 의미의 에너지 보존 법칙이다.　🅑 열에너지, 역학적 에너지

대표 예제 **7** 열역학 제2법칙

열역학 제2법칙으로 설명할 수 있는 현상으로 옳은 것만을 〈보기〉에서 있는 대로 고른 것은?

─● 보기 ●─

ㄱ. 열은 스스로 온도가 높은 곳에서 낮은 곳으로만 이동한다.
ㄴ. 열효율이 100 %인 열기관은 존재하지 않는다.
ㄷ. 기체에 가해 준 열에너지는 내부 에너지 변화량과 외부에 한 일의 합과 같다.

① ㄱ   ② ㄴ   ③ ㄱ, ㄴ
④ ㄴ, ㄷ   ⑤ ㄱ, ㄴ, ㄷ

🔧 **개념 가이드**

자연 현상은 대부분 [   ]이며, 무질서도가 [   ]하는 방향으로 일어난다.
　🅑 비가역적, 증가

대표 예제 **8** 열기관

그림과 같이 어떤 열기관이 3000 J의 열을 받아 A → B → C → D → A의 순환 과정을 거쳐 일을 하였다.
이 열기관이 한번 순환하는 과정에 대한 설명으로 옳은 것만을 〈보기〉에서 있는 대로 고르시오.

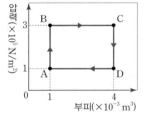

─● 보기 ●─

ㄱ. 외부에 한 일은 600 J이다.
ㄴ. 열기관의 열효율은 20 %이다.
ㄷ. 내부 에너지의 증가량은 2400 J이다.

🔧 **개념 가이드**

열기관이 한번 순환하는 열역학 과정에서는 기체의 온도 변화가 [   ]이므로 내부 에너지의 증가량도 [   ]이다.　🅑 0, 0

특수 상대성 이론

Quiz 특수 상대성 이론의 두 가지 가정에는 상대성 원리와 ㄱ ㅅ ㅂ ㅂ 의 원리가 있다.

광속 불변

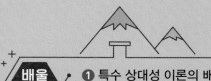
Quiz 특수 상대성 이론에 의한 현상으로는 시간 지연과 ㄱ ㅇ ㅅ ㅊ 이 있다.

정지해 있는 은수가 빠르게 움직이는 민호의 시간을 관찰하면 느리게 가는 것으로 보여.

민호

은수

빠르게 운동하는 철수가 A에서 B까지의 거리를 측정하면 정지해 있는 영희가 측정한 것보다 짧게 측정돼.

철수

A

B

영희

답 길이 수축

Quiz 질량과 ㅇ ㄴ ㅈ 는 서로 별개의 양이 아니므로 서로 변환될 수 있다.

핵발전소는 우라늄 원자핵이 분열할 때 나오는 열을 이용하여 발전을 해.

KSTAR는 한국형 초전도 핵융합 연구 장치로, 중수소와 삼중수소 핵융합을 이용해 발전을 하려 해.

답 에너지

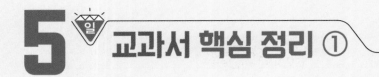

교과서 핵심 정리 ①

개념 1 특수 상대성 이론의 배경

1 상대 속도 관찰자(A)를 기준으로 한 물체(B)의 속도

➡ A에 대한 B의 상대 속도=B의 속도−A의 속도, $v_{AB}=v_B-v_A$

2 마이컬슨·몰리 실험 에테르의 존재를 확인하기 위해 실행한 실험으로 에테르가 존재하지 않음을 밝혀냈다. └ 빛을 전달하는 매질이라고 생각했던 가상의 물질

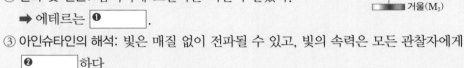

① 가정: 에테르의 흐름이 있다면 빛이 거울 M_1, M_2에서 반사되어 탐지기에 도달하는 데 걸린 시간이 다를 것이다.

② 결과 및 결론: 탐지기에 도달하는 시간이 같았다.

➡ 에테르는 **❶**.

③ 아인슈타인의 해석: 빛은 매질 없이 전파될 수 있고, 빛의 속력은 모든 관찰자에게 **❷** 하다.

3 관성 좌표계 관성 법칙을 만족하는 좌표계로, 한 관성 좌표계에 대해 일정한 속도로 운동하는 좌표계는 모두 **❸** 좌표계이다.

4 특수 상대성 이론의 두 가지 가설

① 상대성 원리: 모든 관성 좌표계에서 **❹** 법칙은 동일하게 성립한다.

② 광속 불변의 원리: 모든 관성 좌표계에서 진공 중 빛의 속도는 관찰자나 광원의 속도에 관계없이 항상 **❺** 하다.

개념 2 특수 상대성 이론

1 두 사건의 동시성 한 관찰자에게 동시에 일어난 사건이 다른 관찰자에게는 동시에 일어나지 않을 수 있다.

① 공간의 상대성: 같은 지점도 관찰자의 위치에 따라 다르게 표현한다.

② 시간의 상대성: 일반적으로 두 사건이 발생한 시간 차이는 관찰자(좌표계)에 따라 다르게 측정한다.

2 시간 지연 정지한 관찰자가 광속에 가까운 속도로 운동하는 물체의 시간을 보면 **❻** 가는 것으로 관측된다.

3 고유 시간 사건과 관찰자가 **❼** 관성계에서 측정한 시간 ➡ 사건 발생 시간을 측정할 때 고유 시간이 가장 짧다.

4 길이 수축 정지한 관찰자가 광속에 가까운 속도로 운동하는 물체의 길이를 관찰하면 길이가 **❽** 것으로 관측된다.

5 고유 길이 물체가 정지한 상태로 관측되는 같은 계에서 측정한 물체의 길이

❶ 존재하지 않는다

❷ 동일

❸ 관성

❹ 물리

❺ 동일

❻ 느리게

❼ 같은

❽ 줄어든

1 그림은 회전 원판을 회전시키면서 서로 수직으로 진행하는 빛의 속도를 비교할 수 있는 마이컬슨·몰리의 실험 장치를 모식적으로 나타낸 것이다.

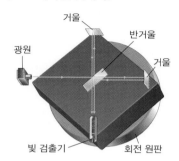

거울
반거울
광원
거울
빛 검출기
회전 원판

이 실험에 대한 설명으로 옳은 것은 ○, 옳지 않은 것은 × 표 하시오.

(1) 빛은 에테르를 통해 전파된다고 생각하고 실험을 설계하였다. ( )

(2) 에테르 흐름에 나란한 빛과 수직인 빛의 속도를 비교하려고 하였다. ( )

(3) 실험 결과 에테르의 존재를 확인할 수 있었다. ( )

2 특수 상대성 이론의 가정 두 가지를 모두 고르면? (2개)

① 빛은 에테르 속에서 진행할 때 속력이 일정하다.
② 모든 관성계에서 물리 법칙은 동일하게 성립한다.
③ 모든 관성계에서 관찰자나 광원의 속도와 관계없이 진공에서 빛의 속도는 일정하다.
④ 한 관성계에서 동시로 보이는 사건은 다른 관성계에서도 동시로 보인다.
⑤ 정지해 있는 관찰자가 빠르게 운동하는 관찰자를 보면 시간이 빠르게 가는 것으로 보인다.

3 그림은 광속에 가까운 속도로 등속 운동 하는 우주선 안에 있는 민호와 우주선 밖에 정지해 있는 은수를 나타낸 것이다. 민호와 은수는 우주선 안에서 빛이 거리 l인 두 거울 사이를 왕복하는 시간을 측정하였다.

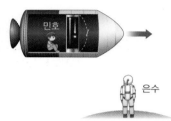

민호
은수

빈칸에 알맞은 말을 고르시오.

(1) 민호와 은수의 좌표계는 서로 (같다 , 다르다).

(2) 민호와 은수가 측정한 빛의 속도는 (같다 , 다르다).

(3) 은수가 측정한 빛이 거울 사이를 왕복한 시간은 민호가 측정한 것보다 (짧다 , 같다 , 길다).

4 그림은 정지해 있는 행성 A, B 사이를 광속에 가까운 속도로 등속 운동 하는 우주선 안에 있는 철수와 우주선 밖에 정지해 있는 영희를 나타낸 것이다.

A
철수
B
영희

이에 대한 설명으로 옳은 것은 ○, 옳지 않은 것은 ×표 하시오.

(1) 철수는 자신은 정지해 있고 영희가 빠르게 운동하는 것처럼 보인다. ( )

(2) 영희가 측정한 A, B 사이의 거리가 고유 거리이다. ( )

(3) 철수가 측정한 A, B 사이의 거리는 영희가 측정한 것보다 짧다. ( )

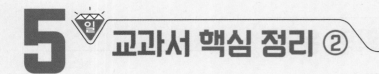

교과서 핵심 정리 ②

개념 3   질량·에너지 등가성

1 질량 증가   물체에 일을 해 주어 물체의 운동 에너지가 증가하면 물체의 속력뿐 아니라 질량도 증가한다. 즉, 물체에 가해 준 에너지의 일부는 물체의 속력을, 일부는 질량을 증가시키는 데 사용된다. ➡ 질량은 **❶**[   ]의 또 다른 형태로 볼 수 있다

2 질량·에너지 등가성   질량과 **❷**[   ]는 서로 전환될 수 있다. ➡ 질량 m에 해당하는 에너지는 $E =$ **❸**[   ](c: 진공 중에서 빛의 속도)이다.

3 정지 에너지   **❹**[   ]해 있는 물체가 가지는 에너지로, 정지 상태인 물체의 질량이 m_0일 때 정지 에너지는 $E_0 = m_0 c^2$이다.

❶ 에너지

❷ 에너지

❸ mc^2

❹ 정지

개념 4   핵반응

1 핵반응   **❺**[   ]이 분열하거나 융합하는 반응 ➡ 핵반응 전후 양성자와 중성자의 수는 보존되지만 질량의 합은 변한다.

$$\text{질량수} \rightarrow {}^{A}_{Z}X \leftarrow \text{원소 기호}$$
$$\text{원자 번호} \rightarrow \quad = \text{양성자수}$$

❺ 원자핵

2 질량 결손과 에너지   핵반응 후 질량의 총합이 핵반응 전보다 줄어드는 질량 결손이 발생한다. 이때 **❻**[   ]에 따라 질량 결손에 해당하는 만큼의 에너지가 생성된다. ➡ $E = \Delta mc^2$ (Δm: 질량 결손)

❻ 질량·에너지 등가성

3 핵분열   무거운 원자핵이 원래 원자핵보다 가벼운 두 개 이상의 원자핵으로 분열하는 반응

① 우라늄의 핵분열 반응: 우라늄235 원자핵이 **❼**[   ]를 흡수하여 바륨과 크립톤, 중성자로 분열하는 반응이다.

$${}^{235}_{92}U + {}^{1}_{0}n \longrightarrow {}^{236}_{92}U \rightarrow {}^{92}_{36}Kr + {}^{141}_{56}Ba + 3{}^{1}_{0}n + 200\ MeV$$

❼ 중성자

② 핵발전소에서는 **❽**[   ]이나 플루토늄 원자핵 분열을 이용하여 에너지를 얻는다.

❽ 우라늄

4 핵융합   두 개 이상의 원자핵이 결합하여 무거운 원자핵이 되는 반응

① 태양 중심부의 수소 핵융합 반응: 태양 중심부에서는 4개의 수소 원자핵이 융합하여 **❾**[   ]으로 되면서 많은 에너지가 발생한다.

$$4{}^{1}_{1}H \longrightarrow {}^{4}_{2}He + 2e^{+} + 26\ MeV$$

❾ 헬륨 원자핵

② 수소핵 융합 발전(토카막): 초고온, 초고압 상태의 토카막 안에서 중수소 원자핵과 삼중수소 원자핵이 **❿**[   ]으로 변하면서 많은 에너지가 발생한다.

$${}^{2}_{1}H + {}^{3}_{1}H \longrightarrow {}^{4}_{2}He + {}^{1}_{0}n + 17.6\ MeV$$

❿ 헬륨 원자핵

5 그림은 정지 질량이 m_0인 물체의 속력이 변할 때 질량을 속력에 따라 나타낸 것이다. (단, c는 빛의 속력이다.)

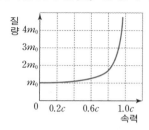

이에 대한 설명으로 옳은 것은 ○, 옳지 않은 것은 ×표 하시오.

(1) 속력이 $0.6c$보다 작을 때 질량은 변하지 않는다.
( )

(2) 질량은 물체의 고유한 양이 아니라 속력에 따라 변하는 양이다. ( )

(3) 물체의 속력이 빛의 속력에 가까울수록 질량의 증가율이 더 크다. ( )

6 특수 상대성 이론에 따르면 질량과 에너지는 서로 전환될 수 있다. 이에 대한 예로 적절하지 <u>않은</u> 것은?

① 핵발전소에서 플루토늄이 원자핵 분열을 한다.
② 석탄이 빛과 열을 내면서 연소한다.
③ 원자로에서 우라늄이 붕괴되면서 열을 낸다.
④ 토카막 안에서 중수소와 삼중수소가 충돌하여 헬륨으로 변한다.
⑤ 태양 중심부에서 수소 원자핵이 충돌하여 헬륨 원자핵으로 변한다.

7 그림은 원자로에서 우라늄 원자핵에 중성자가 충돌하여 분열하는 과정을 간단히 나타낸 것이다.

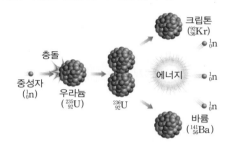

이에 대한 설명으로 옳지 <u>않은</u> 것은?

① 큰 원자핵이 작은 원자핵으로 분열한다.
② 원자핵 분열 과정에서 많은 에너지가 발생한다.
③ 원자핵 분열 과정에서 질량수가 감소한다.
④ 원자핵 분열 과정에서 질량 결손이 일어난다.
⑤ 원자핵 분열 과정에서 중성자 수가 증가하여 연쇄 반응을 한다.

8 그림은 수소핵 융합 반응을 간단히 나타낸 것이다.

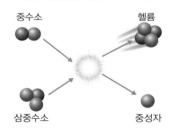

빈칸에 알맞은 말을 쓰시오.

(1) 중수소 원자핵과 삼중수소 원자핵이 반응하여 ( )을 만든다.
(2) 핵융합 과정에서 ( )이 일어나고, 이에 해당하는 에너지가 발생한다.
(3) 원자핵이 융합하면서 좀 더 ( ) 원자핵으로 변한다.

5^일 내신 기출 베스트

대표 예제 1 | 마이컬슨·몰리 실험

그림은 마이컬슨·몰리 실험 장치를 간단히 나타낸 것이다.

이 실험에 대한 가정으로 옳은 것만을 〈보기〉에서 있는 대로 고르시오.

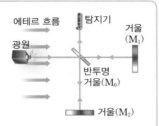

── 보기 ──
ㄱ. 빛은 에테르 속에서 전파된다고 가정한다.
ㄴ. 에테르 흐름에 나란한 빛과 수직인 빛의 속력은 다를 것이다.
ㄷ. 빠르게 운동하는 태양계와 지구가 에테르 흐름을 만들 것이다.

개념 가이드

마이컬슨·몰리 실험은 [   ]의 존재를 확인하기 위한 것으로 실험 결과 [   ]가 존재하지 않음을 밝혀냈다. 답 에테르, 에테르

대표 예제 2 | 특수 상대성 이론의 가정

특수 상대성 이론의 가정으로 옳은 것만을 〈보기〉에서 있는 대로 고른 것은?

── 보기 ──
ㄱ. 모든 관성계에서 물리 법칙은 동일하게 성립한다.
ㄴ. 고유 길이는 서로 다른 관성계에서 측정할 때 길이이다.
ㄷ. 진공에서 빛의 속력은 모든 관성계에서 동일하게 측정된다.

① ㄱ   ② ㄴ   ③ ㄱ, ㄷ
④ ㄴ, ㄷ   ⑤ ㄱ, ㄴ, ㄷ

개념 가이드

특수 상대성 이론의 가정은 [   ] 원리와 [   ]의 원리이다. 답 상대성, 광속 불변

대표 예제 3 | 시간 지연

다음은 빛의 속도에 가까운 속도로 빠르게 운동하는 물체와 관찰자에 대한 설명이다.

빈칸에 알맞은 말을 쓰시오.

(1) 고유 시간은 사건과 관찰자가 (   ) 관성 좌표계에 있을 때 관찰한 시간이다.
(2) (   )는 두 위치와 관찰자가 같은 관성 좌표계에 있을 때 관찰한 길이이다.
(3) 정지한 관성 좌표계에서 빠르게 운동하는 관성 좌표계의 시간을 관찰하면 (   ) 흐른다.

개념 가이드

관성 좌표계는 [   ]을 만족시키는 좌표계로 서로 같은 관성 좌표계에서 관찰한 물리량은 [   ]. 답 관성 법칙, 같다

대표 예제 4 | 길이 수축

그림은 뮤온이 지면에 도달하는 모습을 간단히 나타낸 것이다.

이에 대한 설명으로 옳은 것만을 〈보기〉에서 있는 대로 고르시오. (단, c는 빛의 속도이다.)

── 보기 ──
ㄱ. 지상의 관찰자가 보면 뮤온의 수명이 길어진다.
ㄴ. 뮤온에서 보면 지면까지의 거리가 짧아진다.
ㄷ. 뮤온은 공기와의 충돌로 수명이 늘어난다.

개념 가이드

정지한 관찰자가 매우 빠르게 운동하는 물체를 관찰하면 시간이 [   ] 가고, 길이가 [   ] 것으로 관측된다. 답 느리게, 줄어든

대표 예제 5 · 질량 · 에너지 등가성

어떤 원자로에서 핵분열이 일어나 질량 결손이 1 g만큼 발생하였다.

이 원자로에서 발생한 열에너지는? (단, 빛의 속력은 3×10^8 m/s이다.)

① 3×10^8 J

② 6×10^{12} J

③ 9×10^{13} J

④ 9×10^{16} J

⑤ 3×10^{18} J

개념 가이드

질량과 에너지는 서로 상호 [   ]될 수 있으며, 이때 질량과 에너지의 관계식은 $E =$ [   ]이다.

답 전환, mc^2

대표 예제 6 · 핵반응

핵반응에 대한 설명으로 옳지 <u>않은</u> 것은?

① 핵반응 전후 전하량은 보존된다.

② 핵반응 전후 질량수는 보존된다.

③ 질량 결손이 일어나 많은 에너지가 방출된다.

④ 원자핵은 핵분열하면 안정된 원소가 되고, 핵융합하면 불안정한 원소가 된다.

⑤ 핵분열 반응으로 생성된 원소는 반응 전 원자핵보다 안정된 원소이다.

개념 가이드

핵반응 전후 양성자수, 중성자수, 전하량은 [   ], 질량은 [   ].

답 보존되고, 보존되지 않는다

대표 예제 7 · 핵분열 반응

그림은 원자로에서 일어나는 핵반응을 모식적으로 나타낸 것이다. 이에 대한 설명으로 옳은 것은?

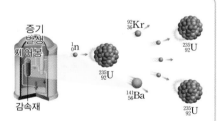

① 감속재는 중성자의 속도를 크게 한다.

② 핵분열 반응을 할수록 자유롭게 움직일 수 있는 중성자 수는 감소한다.

③ 핵분열 반응 시 질량 결손이 일어난다.

④ 제어봉은 중성자를 방출하는 곳이다.

⑤ 우라늄은 중성자와 충돌하여 핵융합한다.

개념 가이드

우라늄 원자핵이 [   ]와 충돌하여 핵분열 반응을 일으킬 때 많은 양의 [   ]가 방출된다.

답 중성자, 에너지

대표 예제 8 · 핵융합 반응

다음은 태양 중심부에서 일어나는 원자핵 반응식을 나타낸 것이다.

$$4{}^1_1\text{H} \longrightarrow \boxed{\text{(가)}} + 2e^+ + 26 \text{ MeV}$$

이에 대한 설명으로 옳은 것만을 〈보기〉에서 있는 대로 고르시오.

─── 보기 ───

ㄱ. (가)에 들어갈 원자핵은 ${}^4_2\text{He}$이다.

ㄴ. 이 원자핵 반응에서 질량 결손이 일어난다.

ㄷ. 이 반응에서 전하량이 증가한다.

개념 가이드

두 개 이상의 원자핵이 결합하여 무거운 원자핵이 되는 반응을 [   ] 반응이라고 하며, 이때 많은 양의 [   ]가 발생한다.

답 핵융합, 에너지

1 다음은 학생들이 속력과 속도에 대해 대화하는 모습을 나타낸 것이다.

속력은 속도의 크기와 항상 같아. 학생 A

속도는 크기와 방향을 갖고 있는 양이지. 학생 B

평균 속도는 어느 시간 동안 전체 변위를 걸린 시간으로 나누어 구해. 학생 C

대화 내용이 옳은 학생을 모두 고른 것은?

① A   ② B   ③ C
④ A, B   ⑤ B, C

2 그림은 직선상에서 오른쪽으로 운동하는 물체의 위치를 시간에 따라 나타낸 것이다.
이에 대한 설명으로 옳은 것만을 〈보기〉에서 있는 대로 고른 것은?

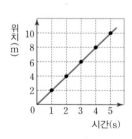

──── 보기 ────
ㄱ. 물체의 속력은 2 m/s이다.
ㄴ. 물체의 속도는 점점 빨라진다.
ㄷ. 물체의 이동 거리는 시간에 비례하여 증가한다.

① ㄱ   ② ㄴ   ③ ㄷ
④ ㄱ, ㄷ   ⑤ ㄴ, ㄷ

3 그림은 직선상에서 운동하는 물체 A, B의 속도를 시간에 따라 나타낸 것이다.
이에 대한 설명으로 옳지 않은 것은?

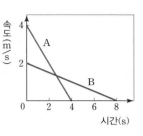

① A의 가속도의 크기는 1 m/s²이다.
② B의 가속도의 크기는 1 m/s²이다.
③ 0~4초 동안 A의 이동 거리는 8 m이다.
④ 0~8초 동안 B의 이동 거리는 8 m이다.
⑤ 두 물체는 서로 다른 가속도로 운동하다가 정지한다.

4 놀이공원에 있는 바이킹의 운동에 대한 설명으로 옳은 것만을 〈보기〉에서 있는 대로 고르시오.

──── 보기 ────
ㄱ. 같은 경로를 반복해서 운동한다.
ㄴ. 운동 방향이 매 순간 변한다.
ㄷ. 운동하는 동안 속력은 항상 일정하다.

5 그림은 막대기로 이불에 붙은 먼지를 터는 모습을 나타낸 것이다.
이에 대한 설명으로 옳은 것은?

① 먼지는 정지해 있으려고 한다.
② 막대는 정지해 있으려고 한다.
③ 먼지는 막대기에 맞아서 날아간다.
④ 이불의 막대를 맞은 부분은 정지해 있으려고 한다.
⑤ 망치 자루를 쳐 머리를 박는 것과 같은 관성에 의한 현상이다.

6 그림 (가)는 한 물체에 가하는 힘을 변화시켰을 때 가속도와 힘의 관계를, (나)는 질량이 다른 물체에 같은 힘을 가했을 때 가속도와 질량의 관계를 나타낸 것이다.

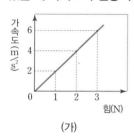
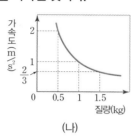

(가)   (나)

이에 대한 설명으로 옳은 것만을 〈보기〉에서 있는 대로 고른 것은?

> 보기
> ㄱ. 가속도는 가한 힘에 비례하여 증가한다.
> ㄴ. 가속도는 물체의 질량에 반비례하여 감소한다.
> ㄷ. 가한 힘이 일정하면 속도는 변하지 않는다.

① ㄱ   ② ㄴ   ③ ㄷ
④ ㄱ, ㄴ   ⑤ ㄴ, ㄷ

7 그림은 용수철저울 두 개를 마주 걸고 당긴 모습을 나타낸 것이다.

용수철저울 A   용수철저울 B

F_{AB} ←   → F_{BA}

이에 대한 설명으로 옳은 것만을 〈보기〉에서 있는 대로 고른 것은?

> 보기
> ㄱ. F_{AB}와 F_{BA}의 크기는 같다.
> ㄴ. 두 힘은 같은 작용선상에서 작용한다.
> ㄷ. 서로 다른 물체에 작용하는 힘은 항상 쌍으로 나타난다.

① ㄱ   ② ㄴ   ③ ㄷ
④ ㄱ, ㄴ   ⑤ ㄱ, ㄴ, ㄷ

8 그림은 질량이 각각 m_A, m_B인 물체 A, B를 도르래를 이용하여 줄로 연결한 모습을 나타낸 것이다.
두 물체의 가속도를 구하는 과정을 서술하시오. (단, 줄의 질량과 공기 저항 및 모든 마찰은 무시하며, 중력 가속도는 g이다.)

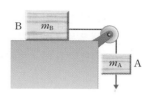

9 질량이 200 g인 공을 30 m/s의 속력으로 던졌을 때 공의 운동량은?

① 2 kg·m/s   ② 3 kg·m/s
③ 5 kg·m/s   ④ 6 kg·m/s
⑤ 30 kg·m/s

신경향

10 그림은 동일한 컵을 같은 높이에서 단단한 바닥과 부드러운 바닥에 떨어뜨렸을 때 컵에 작용한 힘을 시간에 따라 나타낸 것이다. A, B는 두 경우 중 하나이다.

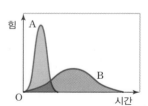

이에 대한 설명으로 옳지 <u>않은</u> 것은?

① 충돌 시 컵이 받은 충격량은 A, B가 같다.
② 충돌 시 운동량의 변화량은 A가 더 크다.
③ 충돌 시 충격력은 A가 더 크다.
④ 단단한 바닥에 떨어진 경우가 A이다.
⑤ 충돌 전 두 컵의 운동량은 같다.

1 그림은 질량이 500 g인 총알이 v의 속력으로 날아와 정지해 있는 질량이 1.5 kg인 나무 도막에 박혀 10 m/s의 속력으로 함께 운동하는 모습을 나타낸 것이다.

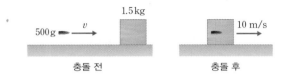

충돌 전 총알의 속력 v는 몇 m/s인지 구하시오. (단, 모든 마찰은 무시한다.)

2 그림과 같이 용수철에 연결되어 4 m/s의 속력으로 오른쪽으로 함께 운동하던 질량이 각각 3 kg, 2 kg인 두 수레가 분리되어 운동하였다. 분리 후 A는 2 m/s의 속력으로 왼쪽으로 운동하였다.

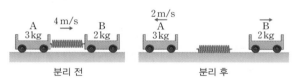

분리 후 B의 운동 상태를 서술하시오. (단, 모든 마찰과 용수철의 질량은 무시한다.)

3 그림은 높이가 5 m인 빗면 위에 정지해 있던 질량이 2 kg인 물체가 빗면을 따라 미끄러져 내려오는 모습을 나타낸 것이다.

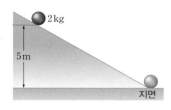

지면에 도달했을 때 이 물체의 속력은 몇 m/s인지 구하시오. (단, 중력 가속도는 10 m/s²이고, 모든 마찰은 무시한다.)

신경향

4 그림과 같이 전동기로 질량이 3 kg인 물체를 높이 2 m만큼 일정한 속력으로 끌어올렸다. 이에 대한 설명으로 옳은 것만을 〈보기〉에서 있는 대로 고른 것은? (단, 중력 가속도는 10 m/s²이고, 모든 마찰은 무시한다.)

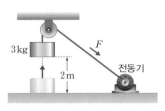

──── 보기 ────
ㄱ. 끌어올리는 힘의 크기 F는 30 N이다.
ㄴ. 전동기가 물체에 한 일은 60 J이다.
ㄷ. 물체의 중력 퍼텐셜 에너지는 30 J 증가한다.

① ㄱ ② ㄷ ③ ㄱ, ㄴ
④ ㄱ, ㄷ ⑤ ㄱ, ㄴ, ㄷ

5 그림과 같이 일정량의 이상 기체가 A → B → C → D → A의 순환 과정을 거쳤다.

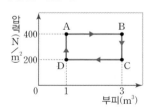

이에 대한 설명으로 옳은 것만을 〈보기〉에서 있는 대로 고른 것은?

──── 보기 ────
ㄱ. 1회 순환하는 동안 기체가 외부에 한 일은 400 J이다.
ㄴ. 1회 순환하는 동안 기체의 내부 에너지는 400 J 증가한다.
ㄷ. 1회 순환하는 동안 외부에서 기체에 가해 준 열은 400 J이다.

① ㄱ ② ㄴ ③ ㄱ, ㄴ
④ ㄴ, ㄷ ⑤ ㄱ, ㄴ, ㄷ

6 그림과 같이 어떤 열기관이 1000 J의 열을 받아 A → B → C → D → A의 순환 과정을 거치면서 일을 하였다.
이 열기관의 열효율은?

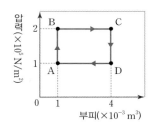

① 0.25   ② 0.3   ③ 0.4
④ 0.5   ⑤ 0.6

7 열역학 제2법칙에 대한 설명으로 옳은 것만을 〈보기〉에서 있는 대로 고른 것은?

┌─────────────────────────── 보기 ───┐
│ ㄱ. 열효율이 100 %인 열기관은 존재하지 않는다. │
│ ㄴ. 자연 현상은 저절로 질서가 증가하는 쪽으로 │
│   일어난다. │
│ ㄷ. 열은 저절로 온도가 높은 물체에서 낮은 물체 │
│   로 이동한다. │
└───────────────────────────────────┘

① ㄱ   ② ㄴ   ③ ㄷ
④ ㄱ, ㄷ   ⑤ ㄱ, ㄴ, ㄷ

8 특수 상대성 이론의 가정으로 옳은 것을 모두 고르면? (2개)

① 모든 관성계에서 물리 법칙은 동일하게 성립한다.
② 빛은 입자성과 함께 파동성을 가지고 있다.
③ 진공에서 빛의 속력은 모든 관성계에서 동일하다.
④ 빠르게 운동하는 관성계에서는 시간이 느리게 흐른다.
⑤ 빠르게 운동하는 관성계에서는 물체의 길이가 짧게 관측된다.

신경향
9 표는 질량·에너지 등가성에 대한 학생들의 발표 내용을 정리한 것이다.

학생	발표 내용
A	물체의 질량은 물체가 가진 고유의 양으로 변하지 않는다.
B	물체의 질량은 속력이 증가함에 따라 증가한다.
C	질량은 에너지의 다른 형태로 볼 수 있으며, 질량은 에너지로 전환될 수 있다.

발표 내용이 옳은 학생만을 모두 고른 것은?

① A   ② C   ③ A, B
④ B, C   ⑤ A, B, C

10 그림은 원자로에서 일어나는 핵반응을 모식적으로 나타낸 것이다.

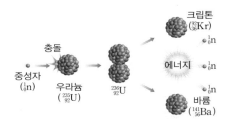

이에 대한 설명으로 옳은 것만을 〈보기〉에서 있는 대로 고른 것은?

┌─────────────────────────── 보기 ───┐
│ ㄱ. 큰 원자핵이 작은 원자핵으로 나누어지는 핵분 │
│   열 반응이다. │
│ ㄴ. 반응 전 핵자들의 질량의 합은 반응 후 핵자들 │
│   의 질량의 합과 같다. │
│ ㄷ. 반응 전후 질량수와 전하량은 각각 보존된다. │
└───────────────────────────────────┘

① ㄱ   ② ㄴ   ③ ㄱ, ㄴ
④ ㄱ, ㄷ   ⑤ ㄴ, ㄷ

1 그림 (가)와 (나)는 직선 운동 하는 물체의 위치와 속도를 각각 시간에 따라 나타낸 것이다.

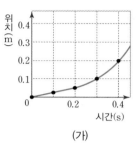
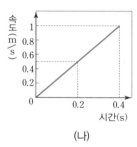

(가)   (나)

(1) 0~0.4초까지 이 물체의 평균 속력은 몇 m/s인지 그래프 (가)와 (나)를 이용하여 각각 구하시오.

_____

_____

_____

(2) 이 물체의 가속도는 몇 m/s²인지 구하시오.

_____

_____

2 그림은 정지해 있던 버스가 갑자기 출발할 때와 달리던 버스가 갑자기 정지할 때의 모습을 나타낸 것이다.

▲ 출발할 때   ▲ 정지할 때

버스가 출발할 때와 정지할 때 승객의 운동을 각각 서술하시오.

_____

_____

_____

3 그림 (가)~(라)는 물체의 운동 상태가 변하는 다양한 경우를 나타낸 것이다.

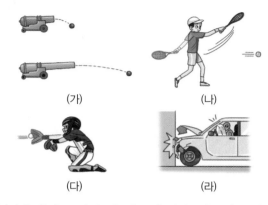

(가)   (나)

(다)   (라)

(1) (가)에서 포신이 긴 대포와 짧은 대포의 포탄이 날아가는 거리가 다른 까닭을 서술하시오.

_____

_____

_____

(2) (나)와 (다)에서 공을 치고, 받는 과정을 충격량과 충격력의 관계로 서술하시오.

_____

_____

_____

(3) (라)에서 안전띠를 매고 에어백이 있는 경우 안전성에 대해 서술하시오.

_____

_____

_____

4 그림은 O점에 정지해 있던 롤러코스터가 레일을 따라 운동하는 것을 모식적으로 나타낸 것이다. (단, 모든 마찰은 무시하고, 중력 가속도는 g이다.)

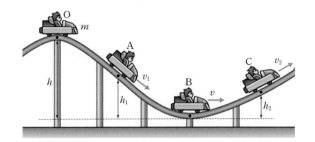

(1) B점에서의 속력을 높이 h를 이용해 서술하시오.

_____

_____

(2) O점에서 역학적 에너지와 C점에서 역학적 에너지를 비교하여 서술하시오.

_____

_____

(3) 롤러코스터의 속력을 크게 하여 더 스릴 있는 놀이 기구를 건설하려면 어떻게 설계해야 하는지 서술하시오.

_____

_____

5 그림은 실린더 속에 일정량의 이상 기체를 넣고 열을 가했더니 대기압 아래에서 부피가 0.02 m³만큼 팽창한 것을 나타낸 것이다. (단, 모든 마찰은 무시하고, 대기압은 10^5 N/m²이다.)

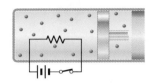

이 과정에서 이상 기체가 외부에 한 일을 서술하시오.

_____

_____

6 그림은 영희가 탄 우주선이 일정한 속도 $0.6c$로 지구에서 행성 A까지 운동하는 것을 나타낸 것이다. 지구에 정지해 있는 철수가 측정한 지구와 A 사이의 거리는 L이다.

(1) 영희가 측정한 지구와 A 사이의 거리를 서술하시오.

_____

_____

(2) 영희가 지구에서 A까지 가는 데 걸리는 시간을 철수와 영희를 기준으로 비교하여 서술하시오.

_____

_____

창의·융합·코딩 테스트

1
그림 (가)~(바)는 놀이공원에 있는 여러 가지 놀이 기구를 나타낸 것이다.

(가) 돌아가는 회전 그네

(나) 직선 구간을 움직이는 리프트

(다) 떨어지는 자이로드롭

(라) 회전하는 롤러코스터

(마) 돌아가는 회전목마

(바) 진자 운동 하는 바이킹

(1) 운동 방향만 변하는 운동을 하는 놀이 기구의 기호를 모두 쓰고, 운동의 특징을 서술하시오.

（2) 놀이 기구 (나)와 (다) 운동에서 공통점과 차이점을 쓰시오.

(3) 놀이 기구 (라)와 (바) 운동의 특징을 서술하시오.

2
그림은 수평면 위에서 각각 줄 p, q에 연결되어 벽에 고정된 막대자석 A, B가 정지해 있는 모습을 나타낸 것이다. (단, 자기력은 두 자석 사이에만 작용하고, 줄의 질량 및 모든 마찰은 무시한다.)

(1) A, B에 작용하는 알짜힘의 크기를 서술하시오.

(2) A가 B를 당기는 힘과 B가 A를 당기는 힘의 크기와 방향을 비교하여 서술하시오.

(3) p가 A를 당기는 힘과 q가 B를 당기는 힘의 크기를 비교하여 서술하시오.

3
창의

그림은 질량이 각각 1 kg, 2 kg인 물체 A, B가 오른쪽으로 4 m/s, 왼쪽으로 1 m/s의 속력으로 운동하다가 충돌한 전후 모습을 나타낸 것이다.

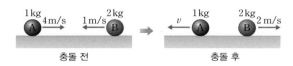

충돌 전   충돌 후

(1) 충돌 후 A의 속력을 풀이 과정과 함께 구하시오.

_____

_____

_____

(2) 충돌 과정에서 A가 받은 충격량을 서술하시오.

_____

_____

_____

4
창의

그림은 온도가 400 K인 고열원에서 Q_1의 열을 받아 W의 일을 하고 온도가 200 K인 저열원으로 Q_2의 열을 내보내는 카르노 기관을 나타낸 것이다. Q_1이 1000 kJ일 때 이 카르노 기관이 한 일을 풀이 과정과 함께 구하시오.

_____

_____

5
창의

그림은 양성자 2개와 중성자 2개가 결합하여 헬륨 원자핵이 되는 핵반응을, 표는 양성자, 중성자, 헬륨 원자핵의 질량을 나타낸 것이다. (단, 1 u=1.66×10^{-27} kg이다.)

입자	질량
양성자	1.0078 u
중성자	1.0087 u
헬륨 원자핵	4.0026 u

(1) 이 핵반응에서 일어나는 질량 결손은 몇 kg인지 풀이 과정과 함께 구하시오.

_____

_____

_____

(2) 이 핵반응에서 발생하는 에너지는 몇 J인지 풀이 과정과 함께 구하시오.

_____

_____

_____

1 그림은 직선상에서 운동하는 물체의 위치를 시간에 따라 나타낸 것이다.
이에 대한 설명으로 옳은 것만을 〈보기〉에서 있는 대로 고른 것은?

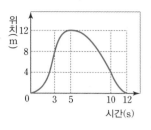

보기
ㄱ. 0초에서 3초까지 물체의 속력은 증가한다.
ㄴ. 5초일 때 물체의 속력이 가장 크다.
ㄷ. 0~12초 동안 물체의 평균 속도는 0이다.

① ㄱ ② ㄴ ③ ㄷ
④ ㄱ, ㄷ ⑤ ㄴ, ㄷ

2 그림은 직선상에서 운동하는 물체 A, B의 속도를 시간에 따라 나타낸 것이다.

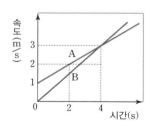

이에 대한 설명으로 옳지 <u>않은</u> 것은?

① A는 등가속도 직선 운동을 한다.
② B는 등가속도 직선 운동을 한다.
③ A의 가속도의 크기는 B의 가속도의 크기보다 크다.
④ 0~4초 동안 이동 거리는 A가 B보다 크다.
⑤ 4초일 때 A, B의 속도는 같다.

3 그림은 직선상에서 운동하는 공의 모습을 0.02초 간격으로 연속 사진으로 촬영한 것이다.

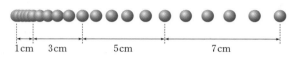

공의 가속도는 몇 m/s^2인지 구하시오.

신경향

4 그림은 놀이공원에서 돌아가고 있는 회전 그네를 나타낸 것이다.
이에 대한 설명으로 옳은 것만을 〈보기〉에서 있는 대로 고른 것은?

보기
ㄱ. 그네의 속력은 일정하다.
ㄴ. 그네의 운동 방향은 계속 변한다.
ㄷ. 그네의 가속도는 0이다.

① ㄱ ② ㄴ ③ ㄱ, ㄴ
④ ㄴ, ㄷ ⑤ ㄱ, ㄴ, ㄷ

5 관성에 의해 나타나는 현상 중 물체의 관성이 나머지와 <u>다른</u> 하나는?

① 휴지를 재빠르게 당기면 끊어진다.
② 달리던 사람이 돌에 걸리면 넘어진다.
③ 달리던 버스가 멈추면 몸이 앞으로 쏠린다.
④ 망치 자루를 바닥에 쳐서 머리를 박는다.
⑤ 자동차가 고속도로를 운행할 때 모든 승객이 안전띠를 맨다.

정답과 해설 81쪽

6 그림은 마찰이 없는 수평면 위에 정지해 있는 질량이 4 kg인 물체에 작용하는 일정한 크기의 두 힘을 나타낸 것이다.

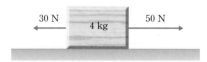

이에 대한 설명으로 옳지 <u>않은</u> 것은?

① 물체는 등가속도 운동을 한다.

② 물체의 가속도의 크기는 5 m/s^2이다.

③ 5초 후 물체의 속도의 크기는 25 m/s이다.

④ 물체에 작용하는 알짜힘의 크기는 20 N이다.

⑤ 5초 동안 물체의 이동 거리는 80 m이다.

7 그림은 수평면 위에 놓인 수레에 수레와 질량이 동일한 추를 1개씩 얹어가면서 같은 크기의 힘으로 수레를 당길 때, 수레의 속도를 시간에 따라 나타낸 것이다.

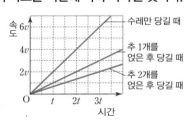

이에 대한 해석으로 가장 적절한 것은?

① 수레는 등속도 운동을 한다.

② 수레는 등속 원운동을 한다.

③ 질량이 클수록 수레의 가속도는 작아진다.

④ 수레의 가속도는 힘의 크기에 비례한다.

⑤ 가속도는 질량에 비례하고 힘에 반비례한다.

8 작용 반작용의 예가 <u>아닌</u> 것은?

① 노를 뒤로 저으면 배가 앞으로 나아간다.

② 샌드백을 힘껏 치면 내 주먹도 아프다.

③ 로켓이 가스를 분출하면서 앞으로 날아간다.

④ 정지해 있는 수레에 힘을 주면 앞으로 나아간다.

⑤ 달리다가 설 때 발을 앞으로 내밀면서 땅을 민다.

9 그림은 직선상에서 운동하는 질량이 10 kg인 물체의 시간에 따른 이동 거리를 나타낸 것이다.
이에 대한 설명으로 옳은 것만을 〈보기〉에서 있는 대로 고른 것은? (단, 모든 마찰은 무시한다.)

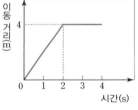

─────● 보기 ●─────

ㄱ. 0~2초 동안 물체에 힘이 작용하였다.

ㄴ. 1초일 때 물체의 운동량은 20 kg·m/s이다.

ㄷ. 3초일 때 물체의 운동량은 40 kg·m/s이다.

① ㄱ   ② ㄴ   ③ ㄷ

④ ㄴ, ㄷ   ⑤ ㄱ, ㄴ, ㄷ

10 그림은 질량이 같은 물체를 같은 높이에서 시멘트 바닥 A와 카펫이 깔린 바닥 B에 떨어뜨렸을 때, 바닥에 충돌하는 동안 물체에 작용한 힘을 시간에 따라 나타낸 것이다.
그래프 아랫부분의 색칠한 부분의 넓이를 비교하시오.

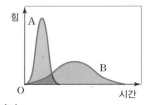

11 그림은 질량이 2 kg인 물체 A가 10 m/s의 속도로 운동하다가 정지해 있는 질량이 3 kg인 물체 B와 충돌한 후한 덩어리가 되어 운동하는 모습을 나타낸 것이다.

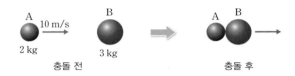

충돌 전   충돌 후

충돌 후 물체의 속력은?

① 1 m/s   ② 2 m/s   ③ 4 m/s

④ 5 m/s   ⑤ 10 m/s

12 그림은 질량이 4 kg인 물체가 정지해 있다가 질량이 각각 3 kg, 1kg인 두 조각 A, B로 쪼개져서 운동하는 모습을 나타낸 것이다.

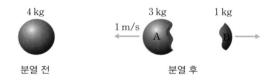

분열 전   분열 후

이에 대한 설명으로 옳은 것만을 〈보기〉에서 있는 대로 고른 것은?

───────────── 보기 ──────

ㄱ. 분열 후 운동량의 총합은 0이다.

ㄴ. 분열 후 B의 속력은 3 m/s이다.

ㄷ. 분열 시 받은 충격량의 크기는 A가 B보다 더 크다.

──────────────────────

① ㄱ   ② ㄴ   ③ ㄷ

④ ㄱ, ㄴ   ⑤ ㄱ, ㄴ, ㄷ

13 그림과 같이 마찰이 없는 수평면 위의 A점에 정지해 있던 물체에 일정한 힘 F를 가하였더니 10 m 떨어진 B점을 4 m/s의 속력으로 통과하였다.

물체에 작용한 힘 F의 크기는 몇 N인지 구하시오.

14 그림은 질량이 80 kg인 사람이 높이 20 m인 곳에서 수면으로 뛰어 내린 모습을 나타낸 것이다.

수면에 닿는 순간 사람의 속력은 몇 m/s인지 구하시오. (단, 중력 가속도는 10 m/s^{2}이고, 공기 저항 및 모든 마찰은 무시한다.)

15 그림은 실린더에 들어 있는 이상 기체의 부피가 ΔV만큼 증가한 모습을 나타낸 것이다. 피스톤의 단면적은 A이고, 압력은 P로 일정하다.

이에 대한 설명으로 옳지 <u>않은</u> 것은? (단, 모든 마찰은 무시한다.)

① 기체가 외부에 한 일은 $P\Delta V$이다.

② 기체가 피스톤을 미는 힘은 PA이다.

③ 기체의 내부 에너지는 증가한다.

④ 기체는 외부에서 열을 흡수한다.

⑤ 기체가 한 일과 내부 에너지 변화량은 같다.

신경향

16 그림은 열역학 제2법칙에 대해 학생들이 스마트폰으로 대화한 모습을 나타낸 것이다.

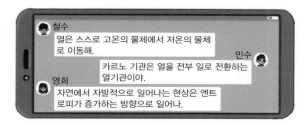

옳은 의견을 말한 학생만을 모두 고른 것은?

① 철수   ② 민수   ③ 영희
④ 철수, 민수   ⑤ 철수, 영희

17 그림은 고열원에서 $10\ kJ$의 열을 받아 일을 하고 $6\ kJ$의 열을 저열원으로 내보내는 카르노 기관을 나타낸 것이다.
이에 대한 설명으로 옳은 것은?

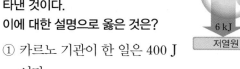

① 카르노 기관이 한 일은 $400\ J$이다.
② 카르노 기관의 열효율은 0.4이다.
③ 저열원의 온도를 높이면 열효율이 높아진다.
④ 흡수한 열량이 많아지면 열효율이 높아진다.
⑤ 고열원의 온도가 $1000\ K$라면 저열원의 온도는 $500\ K$이다.

18 그림은 약 $0.99c$의 속도로 운동하는 뮤온을 나타낸 것이다. 뮤온은 수명이 매우 짧아서 지표면에 도달할 수 없지만 관측 결과 지표면에서 발견되었다. 그 까닭을 서술하시오.

신경향

19 표는 리튬 원자핵과 양성자가 충돌하여 두 개의 헬륨 원자핵을 만드는 실험 결과를 나타낸 것이다.

구분	충돌 전		충돌 후	
	리튬 원자핵	양성자	헬륨 원자핵	헬륨 원자핵
정지 질량(u)	7.0160	1.0078	4.0026	4.0026
운동 에너지 (MeV)	0	0.60	8.95	8.95

이에 대한 설명으로 옳은 것만을 〈보기〉에서 있는 대로 고른 것은?

보기

ㄱ. 충돌 과정에서 질량 결손이 일어난다.
ㄴ. 충돌 후 입자들의 운동 에너지는 증가한다.
ㄷ. 핵반응 과정에서 많은 에너지가 발생한다.

① ㄱ   ② ㄴ   ③ ㄱ, ㄷ
④ ㄴ, ㄷ   ⑤ ㄱ, ㄴ, ㄷ

20 다음은 우라늄이 중성자를 흡수하여 바륨과 크립톤으로 분열하는 핵반응을 나타낸 것이다.

$$^{235}_{92}U + ^{1}_{0}n \longrightarrow ^{141}_{56}Ba + ^{92}_{36}Kr + 3^{1}_{0}n + 에너지$$

이에 대한 설명으로 옳은 것만을 〈보기〉에서 있는 대로 고른 것은?

보기

ㄱ. 핵반응 과정에서 전하량은 증가한다.
ㄴ. 핵반응 과정에서 질량 결손이 일어난다.
ㄷ. 핵반응 과정에서 질량수는 보존된다.

① ㄱ   ② ㄴ   ③ ㄷ
④ ㄱ, ㄷ   ⑤ ㄴ, ㄷ

7일

1 그림은 직선상에서 운동하는 물체 A, B의 속도를 시간에 따라 나타낸 것이다.

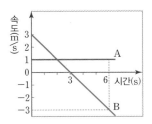

이에 대한 설명으로 옳은 것만을 〈보기〉에서 있는 대로 고른 것은?

보기
ㄱ. A는 등속 직선 운동을 한다.
ㄴ. B는 3초일 때 운동 방향이 바뀐다.
ㄷ. 0~6초 동안 변위의 크기는 A가 B보다 크다.

① ㄱ　　　　② ㄴ　　　　③ ㄷ
④ ㄴ, ㄷ　　　⑤ ㄱ, ㄴ, ㄷ

신경향
2 그림과 같이 직선 도로에서 한 자동차가 등가속도 직선 운동을 하면서 센서 A, B를 통과하였다.

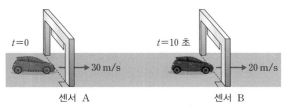

이에 대한 설명으로 옳은 것만을 〈보기〉에서 있는 대로 고른 것은?

보기
ㄱ. A에서 B까지 이동하는 동안 자동차의 평균 속력은 25 m/s이다.
ㄴ. 자동차의 가속도는 −1 m/s²이다.
ㄷ. A와 B 사이의 거리는 250 m이다.

① ㄱ　　　　② ㄴ　　　　③ ㄷ
④ ㄴ, ㄷ　　　⑤ ㄱ, ㄴ, ㄷ

3 그림은 비스듬히 차올린 축구공의 모습을 나타낸 것이다.
이에 대한 설명으로 옳지 <u>않은</u> 것은? (단, 공기 저항과 모든 마찰은 무시한다.)

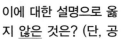

① O에서 속도는 0이다.
② 축구공에 작용하는 힘은 일정하다.
③ A에서 O까지 운동하는 동안 속력이 감소한다.
④ O에서 B까지 운동하는 동안 속력이 증가한다.
⑤ A에서 B까지 운동하는 동안 수평 방향 속력은 일정하다.

4 속력과 운동 방향이 모두 변하는 운동을 하는 물체로 옳은 것은?

① 선풍기 날개　② 회전목마　　③ 대관람차
④ 바이킹　　　⑤ 에스컬레이터

신경향
5 그림은 학생들이 운동 제1법칙에 대해 대화하는 모습을 나타낸 것이다.

옳은 설명을 한 학생만을 모두 고른 것은?

① 철수　　　　② 영희　　　　③ 민수
④ 철수, 영희　　⑤ 영희, 민수

6 그림은 질량이 2 kg인 수레를 마찰이 없는 수평면 위에서 각각 크기가 다른 두 힘 A, B로 당겼을 때 수레의 속력을 시간에 따라 나타낸 것이다.

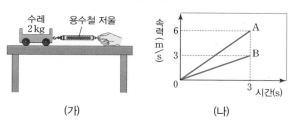

(가)   (나)

이에 대한 설명으로 옳은 것만을 〈보기〉에서 있는 대로 고른 것은?

──────────── 보기 ────────────
ㄱ. A가 작용할 때 수레의 가속도는 2 m/s²이다.
ㄴ. B의 크기는 4 N이다.
ㄷ. 수레의 가속도는 수레에 작용한 힘의 크기에 비례한다.
─────────────────────────────

7 뉴턴 운동 제2법칙에 대한 설명으로 옳은 것은?

① 물체의 가속도는 알짜힘에 비례한다.
② 물체의 가속도는 질량에 비례한다.
③ 알짜힘이 0이면 가속도는 일정하다.
④ 두 물체 사이에는 힘이 쌍으로 작용한다.
⑤ 물체에 힘을 작용하면 물체는 등속도 운동을 한다.

8 그림과 같이 자석 A, B를 같은 극끼리 마주보게 하였더니 A가 공중에 떠 있었다.
이때 A가 B로부터 받는 힘의 반작용을 쓰시오.

9 그림은 마찰이 없는 수평면에 놓인 물체에 일정한 힘을 작용할 때 물체의 운동량을 시간에 따라 나타낸 것이다.

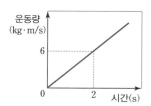

이 물체에 작용한 힘의 크기는?

① 1 N   ② 3 N   ③ 5 N
④ 7 N   ⑤ 9 N

10 그림 (가)는 수평면 위에서 속도 v로 운동하던 물체 A, B가 수평 방향으로 운동하다가 각각 벽에 충돌하여 정지한 모습을, (나)는 충돌할 때 물체에 작용한 힘을 시간에 따라 나타낸 것이다. 그래프 아래의 넓이는 A가 B의 2배이다.

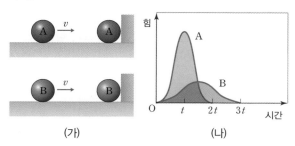

(가)   (나)

이에 대한 설명으로 옳은 것만을 〈보기〉에서 있는 대로 고른 것은?

──────────── 보기 ────────────
ㄱ. 질량은 A가 B의 2배이다.
ㄴ. 물체가 받은 충격력은 A가 B보다 더 크다.
ㄷ. 충돌 직전 운동량은 A가 B의 2배이다.
─────────────────────────────

① ㄱ   ② ㄴ   ③ ㄷ
④ ㄱ, ㄴ   ⑤ ㄱ, ㄴ, ㄷ

11 그림은 질량이 각각 m_1, m_2인 물체 A, B가 붙어서 정지해 있다가 분열되어 운동하는 모습을 나타낸 것이다.

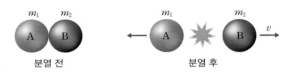

분열 전   분열 후

분열 후 B의 속도가 v일 때 A의 속도를 구하시오.

12 그림 (가)는 마찰이 없는 수평면에서 질량이 각각 2 kg, 1 kg인 물체 A, B가 각각 4 m/s, 1 m/s의 속력으로 운동하는 모습을, (나)는 충돌 시 A가 받은 힘을 시간에 따라 나타낸 것이다. (나)의 그래프 아래의 넓이는 4 N·s 이다.

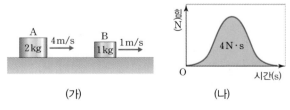

(가)   (나)

이에 대한 설명으로 옳지 <u>않은</u> 것은?

① 충돌할 때 B가 받은 충격량의 크기는 4 N·s이다.
② 충돌 후 A의 운동량의 크기는 4 kg·m/s이다.
③ 충돌 후 B의 운동량의 크기는 4 kg·m/s이다.
④ 충돌 후 A의 속도의 크기는 2 m/s이다.
⑤ 충돌 후 B의 속도의 크기는 5 m/s이다.

13 그림은 질량이 2 kg인 물체가 4 m/s의 속력으로 용수철에 충돌하는 것을 나타낸 것이다.

충돌 과정에서 용수철이 최대로 압축되었을 때 탄성 퍼텐셜 에너지는? (단, 모든 마찰은 무시한다.)

① 2 J   ② 4 J   ③ 6 J
④ 8 J   ⑤ 16 J

14 그림은 높이가 h인 A점에서 속도 v로 운동하던 수레가 B점을 지나 높이가 H인 C점까지 올라간 순간 정지한 것을 나타낸 것이다.

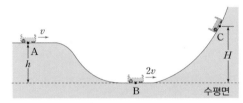

H는? (단, 모든 마찰은 무시한다.)

① $\dfrac{3}{2}h$ ② $\dfrac{4}{3}h$ ③ $2h$
④ $3h$ ⑤ $5h$

15 그림은 실린더 속에 들어 있는 일정량의 이상 기체에 열량 Q를 공급하였더니 부피가 ΔV 만큼 증가한 모습을 나타낸 것이다.

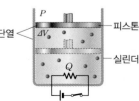

이 과정에서 증가한 내부 에너지에 대해 서술하시오. (단, 압력은 P로 일정하다.)

16 열역학 제2법칙에 대한 설명으로 옳지 **않은** 것은?

① 열은 고온에서 저온으로 흐른다.

② 자연 현상은 대부분 비가역적 과정이다.

③ 역학적 일은 전부 열로 바꿀 수 있다.

④ 열은 전부 역학적 에너지로 바꿀 수 있다.

⑤ 열효율이 100 %인 열기관은 존재할 수 없다.

17 그림은 A → B → C → D → A 과정으로 순환하는 열기관의 압력−부피 그래프를 나타낸 것이다.

이에 대한 설명으로 옳은 것만을 〈보기〉에서 있는 대로 고른 것은?

───── 보기 ●

ㄱ. A → B 과정에서 온도는 상승한다.

ㄴ. B → C 과정에서 외부에 일을 한다.

ㄷ. A에서 순환 과정을 거쳐 다시 A로 돌아오면 내부 에너지가 증가한다.

① ㄱ   ② ㄴ   ③ ㄷ

④ ㄱ, ㄴ   ⑤ ㄱ, ㄴ, ㄷ

18 특수 상대성 이론의 가정 두 가지에 대해 각각 서술하시오.

19 그림은 민호가 탄 우주선이 광속에 가까운 속도 v로 목성을 향해 운동하고 있고, 이를 달에 있는 은수가 관찰하는 모습을 나타낸 것이다.

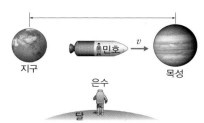

이에 대한 설명으로 옳지 **않은** 것은? (단, 지구와 목성은 은수에 대해 정지해 있다고 가정한다.)

① 민호가 측정한 지구에서 목성까지 거리는 은수가 측정한 것보다 작다.

② 은수가 보면 민호의 시간이 느리게 가는 것으로 보인다.

③ 민호가 보면 은수의 시간이 느리게 가는 것으로 보인다.

④ 민호가 관찰할 때 은수가 지구 쪽으로 빠르게 운동하는 것처럼 관찰된다.

⑤ 민호가 측정한 빛의 속도는 은수가 측정한 빛의 속도보다 크다.

20 그림은 중수소와 삼중수소가 충돌하여 일으키는 핵융합 반응을 나타낸 것이다.

이에 대한 설명으로 옳은 것만을 〈보기〉에서 있는 대로 고른 것은?

───── 보기 ●

ㄱ. 이 반응에서는 질량 결손이 발생한다.

ㄴ. 반응 전후 질량수는 보존된다.

ㄷ. 반응 전후 전하량은 보존된다.

① ㄱ   ② ㄴ   ③ ㄱ, ㄴ

④ ㄴ, ㄷ   ⑤ ㄱ, ㄴ, ㄷ

Memo

1일 기초 확인 문제

9, 11쪽

• 1. 여러 가지 운동

1 (1) ㄷ (2) ㄹ (3) ㄱ (4) ㅅ　**2** ㉠ 등속 직선, ㉡ 속력
3 ⑤　**4** (1) ○ (2) × (3) ○　**5** A, B, C　**6** (1) ○ (2) ○
(3) × (4) ×　**7** (1) ○ (2) ○ (3) × (4) ○　**8** ⑤

1 (1) 단위 시간 동안 물체가 이동한 거리는 속력을 의미
한다.
(2) 단위 시간 동안 물체의 변위는 속도를 의미한다. 속도
는 크기와 방향을 가지는 물리량이다.
(3) 방향과 관계없이 물체가 실제로 움직인 거리는 이동 거
리이다. 이동 거리는 크기만 가지는 물리량이고, 변위는 크
기와 방향을 가지는 물리량이다.
(4) 속도의 크기와 방향의 변화가 없는 운동은 등속 직선
운동이다.

2 이동 거리-시간 그래프의 기울기는 속력을 나타낸다. 물체
가 직선상에서 속력이 일정한 운동을 할 때는 방향이 변하
지 않는다. 따라서 이 물체는 직선상에서 속도가 일정한 등
속 직선 운동을 하는 것이다.

3 ⑤ 물체의 운동 방향과 가속도의 방향이 반대일 때 속력은
감소하고, 물체의 운동 방향과 가속도의 방향이 같을 때는
속력이 증가한다.

4 (1) 속도-시간 그래프의 기울기는 가속도를 나타낸다. 따
라서 0~2초 동안 물체의 가속도는 $\frac{4 \text{ m/s}}{2 \text{ s}}=2$ m/s²이다.
(2) 물체의 운동 방향은 속도의 방향과 같다. 물체가 운동
하는 동안 속도의 방향이 바뀌지 않았으므로 운동 방향도
바뀌지 않았다.
(3) 속도-시간 그래프의 기울기는 가속도를 나타내므로 기
울기의 부호가 바뀌면 가속도의 방향이 바뀐 것이다. 그래
프를 보면 2초일 때 가속도가 2 m/s²에서 −4 m/s²으로
바뀌었다. 따라서 2초일 때 가속도의 방향이 바뀐 것이다.

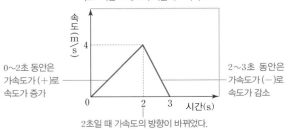

속도-시간 그래프의 기울기＝가속도

0~2초 동안은 가속도가 (＋)로 속도가 증가

2~3초 동안은 가속도가 (−)로 속도가 감소

2초일 때 가속도의 방향이 바뀌었다.

5 A: 자유 낙하 운동은 중력만을 받아 연직 아래 방향으로
운동하므로 등가속도 직선 운동이다.
B: 물체의 운동 방향과 가속도의 방향이 같으면 속력이 증
가하고, 물체의 운동 방향과 가속도의 방향이 반대이면 속
력이 감소한다.
C: 등가속도 직선 운동 하는 물체의 평균 속도는
$\frac{\text{나중 속도＋처음 속도}}{2}$로 구할 수 있다.

6 (1) 속도-시간 그래프의 기울기는 가속도를 나타낸다. A,
B 모두 그래프의 기울기가 일정하므로 가속도가 일정한 등
가속도 직선 운동을 한다.
(2) A는 등가속도 직선 운동을 하므로 평균 속도는
$\frac{\text{처음 속도＋나중 속도}}{2}=\frac{4 \text{ m/s}+0}{2 \text{ s}}=2$ m/s이다.
(3) 속도-시간 그래프에서 그래프 아래의 넓이는 이동 거
리를 나타낸다. 따라서 B가 정지할 때까지 0~8초 동안 이
동한 거리는 $\frac{1}{2}×2$ m/s×8 s＝8 m이다.
(4) A, B 모두 가속도의 부호가 (−)이므로 속도가 감소하
고 있다. 따라서 A, B 모두 운동 방향과 가속도의 방향은
반대이다.

7 (1) 등속 원운동 하는 물체의 속력은 일정하고 운동 방향은
계속 변한다.
(2) 천장에 매단 추를 당겼다가 놓으면 같은 경로를 왕복
하는 진자 운동을 한다.
(3), (4) 수평으로 던져진 물체는 수평 방향으로는 힘이 작
용하지 않으므로 등속 운동을 하고, 연직 방향으로는 중력
이 작용하므로 등가속도 운동을 한다.

8 ⑤ 같은 경로를 반복해서 왕복 운동 하는 것은 진자 운동이다.

비스듬히 던져 올린 물체에 작용하는 힘은 연직 방향으로 작용하는 중력이다. 따라서 물체는 수평 방향으로는 등속 운동을 하고, 연직 방향으로는 등가속도 운동을 한다.

1일 내신 기출 베스트

12~13쪽

• 1. 여러 가지 운동

1 ⑤ **2** ⑤ **3** (1) 등속 직선 운동 (2) 10 m **4** ⑤
5 ③ **6** ③ **7** (1) 연직 아래 방향 (2) 등속 운동 (3) 등가속도
운동 **8** ②, ④

1 ㄱ, ㄴ. 이동 거리는 물체가 실제로 이동한 경로의 총 길이로, A>C>B 순으로 크다.
ㄷ. 변위는 처음 위치에서 나중 위치까지 직선 방향의 변화량이다. A, B, C 모두 처음 위치와 나중 위치가 같으므로 변위는 모두 같다.

2 위치-시간 그래프의 기울기는 속도(속력)를 나타낸다.
ㄴ. B의 기울기는 일정하므로 B는 속력이 일정한 운동을 한다.
ㄷ. 0~10초 동안 위치 변화, 즉 이동 거리가 같으므로 속력은 모두 같다.

ㄱ. A의 기울기는 점점 작아진다. 따라서 A는 속력이 점점 작아지는 운동을 한다.

3 (1) 물체는 직선상에서 속도가 일정한 등속 직선 운동을 한다.
(2) 속도-시간 그래프 아래의 넓이는 변위(이동 거리)를 나타내므로 0~5초 동안 물체가 이동한 거리는
$2 \text{ m/s} \times 5 \text{ s} = 10 \text{ m}$이다.

4 위치-시간 그래프의 기울기는 속도를 나타낸다.
⑤ 1초일 때 A의 기울기가 B보다 작으므로 A의 속력은 B의 속력보다 작다.

①, ③ A, B 모두 그래프의 기울기가 일정하므로 직선상에서 속도가 일정한 등속 직선 운동을 한다.
② A의 평균 속력은 그래프의 기울기와 같은 $\frac{2 \text{ m}}{2 \text{ s}} = 1 \text{ m/s}$이다.
④ 0~2초 동안 B의 위치가 4 m만큼 변했으므로 이동 거리도 4 m이다.

5 속도-시간 그래프에서 기울기는 가속도를 나타내고, 그래프 아래의 넓이는 변위를 나타낸다.
ㄱ. A의 가속도는 그래프의 기울기와 같은
$$\frac{0-2 \text{ m/s}}{2 \text{ s}} = -1 \text{ m/s}^2$$이다.
ㄷ. 정지할 때까지 A가 0~2초 동안 이동한 거리와 B가 0~4초 동안 이동한 거리는 2 m로 같다.

ㄴ. B의 가속도는 그래프의 기울기와 같은
$$\frac{0-1 \text{ m/s}}{4 \text{ s}} = -0.25 \text{ m/s}^2$$이다.

자료 분석 ✚ 속도-시간 그래프의 해석

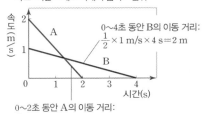

속도-시간 그래프의 기울기=가속도
속도-시간 그래프 아래의 넓이=변위

0~4초 동안 B의 이동 거리:
$\frac{1}{2} \times 1 \text{ m/s} \times 4 \text{ s} = 2 \text{ m}$

0~2초 동안 A의 이동 거리:
$\frac{1}{2} \times 2 \text{ m/s} \times 2 \text{ s} = 2 \text{ m}$

6 ㄱ. 0.2초당 공과 공 사이의 간격을 보면 0.3 m, 0.5 m, 0.7 m, 0.9 m로 시간에 따라 일정하게 증가한다. 일정한 시간 간격(0.2초)당 공 사이의 간격은 공의 속력을 의미하므로 공의 속력은 시간에 따라 일정하게 증가한다는 것을 알 수 있다.
ㄴ. 일정한 시간 간격(0.2초)당 공의 속력 변화는 가속도를 의미한다. 공의 속력이 일정하게 변하므로 공의 가속도는 일정하다.

ㄷ. 공은 빗면 방향으로 속도가 빨라지므로 수평 방향과 연직 방향의 속도가 모두 빨라지는 운동을 한다. 따라서 수평 방향으로 등속 운동을 하지 않는다.

7 (1) 농구공에 작용하는 힘은 중력으로 연직 아래 방향으로 작용한다.
(2) 수평 방향으로는 작용하는 힘이 없으므로 등속 운동을 한다.
(3) 연직 방향으로는 중력이 작용하므로 등가속도 운동을 한다.

8 ②, ④ 단진자 운동은 일정한 경로를 주기적으로 반복하는 왕복 운동으로, 속력과 운동 방향이 모두 변하는 운동을 한다.

선택지 바로 보기

① 등가속도 운동을 한다. (×)

→ 단진자 운동 하는 물체에는 줄의 장력과 중력이 작용한다. 줄의 장력이 계속 변하므로 단진자 운동은 가속도가 계속 변하는 운동으로 등가속도 운동이 아니다.

② 주기적으로 왕복 운동을 한다. (○)

③ 수평 방향으로는 등속 운동을 한다. (×)

→ 단진자 운동 하는 물체는 수평 방향과 연직 방향의 속도가 모두 변한다.

④ 속력과 운동 방향이 모두 변하는 운동을 한다. (○)

⑤ 속력은 일정하고 방향만 변하는 운동을 한다. (×)

→ 단진자는 속력과 운동 방향이 모두 변하는 운동을 한다.

2일 기초 확인 문제

17, 19쪽

● 2. 뉴턴 운동 법칙

1 (1) ○ (2) ○ (3) ○ (4) × **2** ⑤ **3** (1) 속력 (2) 비례, 반비례 (3) 같다 (4) 증가, 감소 **4** (1) ○ (2) ○ (3) × **5** (1) × (2) ○ (3) × (4) ○ (5) ○ **6** (1) F_2 (2) F_4 (3) F_4 **7** ⑤ **8** (1) 6 (2) 12 (3) 18 (4) 12

1 (4) 물체에 작용하는 알짜힘이 0이면 정지해 있던 물체는 계속 정지해 있고, 운동하던 물체는 등속 직선 운동을 계속 한다.

2 ⑤ (가)는 정지해 있는 동전이 계속 정지해 있으려는 관성을, (나)는 운동하는 망치 머리가 계속 운동하려는 관성을 나타내는 예이다.

선택지 바로 보기

① (가)에서 종이가 갑자기 움직일 때 동전은 정지해 있으려고 한다. (○)

② (가)에서 종이가 빠져나간 후 공중에 뜬 동전은 중력을 받아 컵 속으로 떨어진다. (○)

→ (가)에서 종이가 갑자기 움직이면 정지해 있던 동전은 계속 정지해 있다가 종이가 없으므로 컵 속으로 떨어진다.

③ (나)에서 자루가 바닥에 부딪혀 멈출 때 망치 머리는 계속 운동하려고 한다. (○)

④ (나)에서 자루를 여러 번 바닥에 내리치면 망치 머리는 자루에 더 깊숙히 박힌다. (○)

→ (나)에서 망치 머리와 자루가 함께 운동하다가 자루가 바닥에 부딪쳐 멈출 때 망치 머리는 계속 운동하려고 하므로 자루 깊숙이 박힌다.

⑤ (가)와 (나)는 운동하는 물체가 계속 운동하려는 관성을 나타내는 예이다. (×)

3 (1) 물체에 알짜힘이 작용하면 물체의 운동 상태가 변한다. 즉, 물체의 운동 방향이나 속력이 변한다.

(2) 뉴턴 운동 제2법칙(가속도 법칙)에 따르면 물체의 가속도는 물체에 작용하는 알짜힘에 비례하고, 물체의 질량에 반비례한다.

(3) 가속도의 방향은 물체에 작용하는 알짜힘의 방향과 같다.

(4) 가속도의 방향이 운동 방향과 같으면 속력이 증가하고, 반대이면 속력이 감소한다. 운동 방향과 반대 방향으로 가속도가 계속 작용하면 물체의 속력이 점점 감소하다가 순간적으로 정지한 후 운동 방향이 바뀐다.

4 (1) (가)에서 물체의 가속도는 알짜힘에 비례한다는 것을 알 수 있다.

(2) (나)에서 물체의 가속도는 질량에 반비례한다는 것을 알 수 있다.

(3) 가속도는 알짜힘에 비례하고 질량에 반비례한다.

자료 분석 ➕ **힘과 질량 및 가속도의 관계**

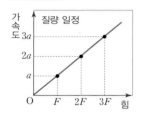

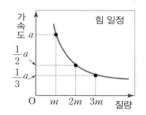

가속도─힘 그래프에서 기울기가 일정하므로 가속도는 힘에 비례한다.

가속도─질량 그래프에서 질량이 2배, 3배가 되면 가속도는 $\frac{1}{2}$배, $\frac{1}{3}$배가 되므로 가속도는 질량에 반비례한다.

➡ 가속도는 알짜힘에 비례하고 질량에 반비례한다.

5 (1), (2) 작용과 반작용의 크기는 같고, 방향은 서로 반대이다.

(3) 작용과 반작용은 작용점이 서로 다른 물체에 있어서 합성할 수 없다.

(5) 두 물체 사이에서 작용하는 힘은 서로 상호 작용 하는 힘으로, 반드시 쌍으로 작용한다.

6 (1) 지구가 책을 당기는 힘인 F_1과 작용 반작용 관계에 있는 힘은 책이 지구를 당기는 힘인 F_2이다.

(2) 책이 책상을 누르는 힘 F_3과 작용 반작용 관계에 있는 힘은 책상이 책을 떠받치는 힘인 F_4이다.

(3) 힘의 평형을 이루는 힘은 같은 물체에 작용한다. 따라서 책에 작용하는 두 힘 F_1과 F_4가 힘의 평형을 이룬다.

7 실로 연결되어 있는 두 물체의 운동을 다룰 때에는 한 덩어리로 생각하고 운동 방정식을 적용해 가속도를 구한다.

⑤ B에 작용하는 알짜힘은 F에서 A가 B를 당기는 힘을 뺀 것이다.

8 (1) 두 물체는 용수철저울에 연결되어 함께 운동하므로 한 덩어리로 생각하여 가속도를 구한다.

두 물체의 질량의 합이 5 kg이고, 30 N의 힘이 작용하므로 두 물체의 가속도는 $a=\dfrac{F}{m}=\dfrac{30\text{ N}}{5\text{ kg}}=6\text{ m/s}^2$이다.

(2) A에 작용하는 알짜힘의 크기는
$F_A=m_A a=2\text{ kg}\times6\text{ m/s}^2=12\text{ N}$이다.

(3) B에 작용하는 알짜힘의 크기는
$F_B=m_B a=3\text{ kg}\times6\text{ m/s}^2=18\text{ N}$이다.

(4) 용수철저울에 측정되는 힘의 크기는 A에 작용하는 알짜힘의 크기와 같으므로 12 N이다.

2일 내신 기출 베스트

• 2. 뉴턴 운동 법칙

1 ② **2** ③ **3** ㄱ, ㄴ, ㄷ **4** (1) 8 N (2) 2 m/s²
5 ㄱ, ㄴ, ㄷ **6** ㄱ, ㄴ, ㄷ **7** ② **8** ㄱ, ㄴ

1 F_1과 F_2는 크기가 같고 방향이 반대이므로 F_1과 F_2의 합은 0이고, F_3과 F_4의 합은 오른쪽으로 2 N이다.

2 ㄱ, ㄴ. 막대로 옷을 두드리면 옷은 힘을 받아 뒤로 밀려나고 옷 위에 있던 먼지는 정지해 있으려는 관성 때문에 제자리에 있으므로 옷과 분리된다.

오답 풀이

ㄷ. 달리는 사람은 계속 운동하려는 관성에 의해 앞으로 나아가려 하는데, 돌부리에 걸린 발은 정지하므로 몸이 앞으로 나아가면서 넘어진다.

3 ㄱ. 물체에는 왼쪽으로 10 N, 오른쪽으로 20 N의 힘이 작용하고 있으므로 물체에 작용하는 알짜힘은 오른쪽으로 10 N이다.

ㄴ, ㄷ 물체의 질량이 2 kg이고 알짜힘이 오른쪽으로 10 N이므로 가속도는 오른쪽으로 $\dfrac{10\text{ N}}{2\text{ kg}}=5\text{ m/s}^2$이다. 따라서 물체는 오른쪽으로 운동한다.

4 (1) 속력-시간 그래프의 기울기는 가속도를 나타내므로 A의 경우 가속도는 $\dfrac{12\text{ m/s}}{3\text{ s}}=4\text{ m/s}^2$이다. 따라서 A의 경우 수레에 작용하는 알짜힘의 크기는 2 kg × 4 m/s² = 8 N이다.

(2) B의 경우 가속도는 속력-시간 그래프의 기울기와 같은 $\dfrac{6\text{ m/s}}{3\text{ s}}=2\text{ m/s}^2$이다.

5 ㄱ. A가 B에 작용하는 힘과 B가 A에 작용하는 힘은 작용 반작용 관계로 크기는 같고, 방향은 반대이다.

ㄴ. A가 정지해 있으므로 A에 작용하는 힘은 평형을 이루고 있다. 따라서 B가 A에 작용하는 힘과 p가 A에 작용하는 힘(=A가 p에 작용하는 힘)의 크기는 같다. 마찬가지로 A가 B에 작용하는 힘과 q가 B에 작용하는 힘(= B가 q에 작용하는 힘)의 크기는 같다. 따라서 p에 작용하는 힘과 q에 작용하는 힘의 크기는 같다.

ㄷ. B에 작용하는 힘이 평형을 이루어 B가 정지해 있으므로 B에 작용하는 알짜힘은 0이다.

자료 분석 ➕ 작용 반작용과 힘의 평형

- A가 B를 당기는 힘과 B가 A를 당기는 힘의 관계: 작용 반작용
- A가 p를 당기는 힘과 p가 A를 당기는 힘의 관계: 작용 반작용
- B가 q를 당기는 힘과 q가 B를 당기는 힘의 관계: 작용 반작용
- B가 A를 당기는 힘과 p가 A를 당기는 힘의 관계: 두 힘의 평형
- A가 B를 당기는 힘과 q가 B를 당기는 힘의 관계: 두 힘의 평형
➡ A, B 모두 정지해 있으므로 이 힘들의 크기는 모두 같다.

6 ㄱ. 공이 손가락을 미는 힘 F_1과 손가락이 공을 미는 힘 F_2는 작용 반작용 관계에 있다.

ㄴ. 벽이 공을 미는 힘 F_3과 공이 벽을 미는 힘 F_4는 작용 반작용 관계에 있다.

ㄷ. F_2는 손가락이 공에 작용하는 힘이므로 이 힘과 평형을 이루는 힘은 공에 작용하는 다른 힘이다. F_3은 벽이 공을 밀고 있는 힘이고 공이 움직이지 않으므로 F_2와 평형을 이루는 힘이다.

7 두 물체가 연결되어 있으므로 두 물체의 가속도는 같고, A의 눈금이 10 N을 가리키므로 한 물체마다 10 N의 알짜힘이 작용하고 있는 것이다. 따라서 두 물체에 작용하는 알짜힘을 나타내는 B의 눈금은 20 N을 가리킨다.

8 ㄱ. A, B는 연결되어 한 덩어리처럼 운동하므로 두 물체의 가속도는 같다. 두 물체의 질량의 합은 3 kg+2 kg=5 kg, 두 물체에 작용하는 알짜힘은 B에 작용하는 중력인 20 N이므로 두 물체의 가속도는 $\dfrac{20\ \text{N}}{5\ \text{kg}}$=4 m/s²이다.

ㄴ. B에 작용하는 중력은 2 kg×10 m/s²=20 N이다.

오답 풀이

ㄷ. B의 가속도가 4 m/s²이므로 B에 작용하는 알짜힘은 2 kg×4 m/s²=8 N이다.

자료 분석 ➕ 연결된 두 물체의 운동

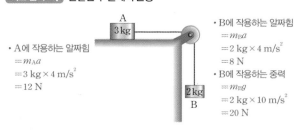

- A에 작용하는 알짜힘
  =$m_A a$
  =3 kg×4 m/s²
  =12 N

- B에 작용하는 알짜힘
  =$m_B a$
  =2 kg×4 m/s²
  =8 N
- B에 작용하는 중력
  =$m_B g$
  =2 kg×10 m/s²
  =20 N

• 3. 운동량과 충격량

1 ③　**2** (1) 충격량 (2) 6 (3) 7 (4) 힘　**3** (1) 충격량 (2) 힘
(3) 충격량　**4** (1) ○ (2) ○ (3) ○　**5** (1) 같다 (2) 작다
(3) 크다　**6** ⑤　**7** (1) ○ (2) × (3) ○　**8** ⑤

1 운동량은 물체의 질량과 속도의 곱이므로
$p = mv = 0.2 \text{ kg} \times 20 \text{ m/s} = 4 \text{ kg·m/s}$이다.

2 (1) 힘-시간 그래프 아래의 넓이는 힘과 시간의 곱으로 충격량을 나타낸다.
(2) 0초에서 2초까지 물체가 받은 충격량은 그래프 아래의 넓이와 같은 $3 \text{ N} \times 2 \text{ s} = 6 \text{ N·s}$이다.
(3) 0초에서 3초까지 물체가 받은 충격량은 그래프 아래의 넓이와 같은 $3 \text{ N} \times 2 \text{ s} + 1 \text{ N} \times 1 \text{ s} = 7 \text{ N·s}$이다.
(4) 충격량의 방향은 힘의 방향과 같다.

3 (1) 충돌 시 물체의 운동량의 변화량은 충격량과 같다.
(2) 운동량-시간 그래프에서 그래프의 기울기는 물체에 작용한 힘을 나타낸다.
(3) 힘-시간 그래프에서 그래프 아래의 넓이는 물체가 받은 충격량을 나타낸다.

4 (1) 충돌 전 속력이 v일 때 운동량이 p이고 충돌 후 운동량이 $-0.8p$가 되었다. 따라서 충돌 후 속도는 $-0.8v$이므로 속력은 $0.8v$이다.
(2), (3) 충돌 전 p였던 운동량이 충돌 후 $-0.8p$가 되었으므로 물체의 운동량의 변화량은 $-0.8p - p = -1.8p$이고, 충격량은 운동량의 변화량과 같으므로 $-1.8p$이다.

5 (1) 질량이 같은 달걀을 같은 높이에서 떨어뜨렸으므로 충돌 직전 달걀의 속도는 같고 운동량도 같다.
(2) 충돌 시간은 딱딱한 나무 바닥인 (가)에서가 부드러운 방석인 (나)에서보다 더 작다.
(3) 운동량의 변화량, 즉 충격량이 같은데 충돌 시간은 (가)에서가 더 작다. 따라서 충격력 $= \dfrac{충격량}{충돌 시간}$에 의해 (가)에서의 충격력이 더 크다.

6 ⑤ 충격력이 같을 때 포신이 길면 힘을 받는 시간이 더 길어지므로 충격량이 커진다.

7 (1), (2) 분리 전 A, B는 모두 정지해 있었으므로 운동량의 합은 0이다. 운동량 보존 법칙에 의해 운동량은 보존되므로 분리 후 운동량의 합도 0이다.
(3) 운동량이 보존되므로 분리 후 A, B의 운동량의 합은 0이어야 한다. 운동량의 합이 0이 되려면 운동량의 크기가 같고 방향이 반대여야 한다.

8 운동량 보존 법칙에 의해 충돌 전후 운동량은 보존된다. 충돌 전 나무 도막은 정지해 있으므로 충돌 전 총 운동량은 총알의 운동량과 같은 $0.2 \text{ kg} \times 200 \text{ m/s} = 40 \text{ kg·m/s}$이다. 충돌 후 총 운동량은 두 물체가 함께 운동하므로 $2V$이고, 이는 충돌 전 운동량과 같으므로 $2V = 40$에서 $V = 20 \text{ m/s}$이다.

• 3. 운동량과 충격량

1 ②　**2** ③　**3** ①, ②　**4** ㄱ, ㄴ　**5** ③　**6** ⑤
7 ③　**8** ④

1 ㄱ. 운동량은 물체의 운동 정도를 나타내는 양으로, 질량과 속도의 곱으로 구한다.
ㄴ. 운동량은 질량과 속도의 곱이므로 질량이 클수록, 속력이 클수록 크다.

오답 풀이
ㄷ. 힘과 힘이 작용한 시간의 곱은 충격량이다.

2 충격량은 힘과 힘이 작용한 시간의 곱이므로
$I = Ft = 500 \text{ N} \times 0.02 \text{ s} = 10 \text{ N·s}$이다.

3 ① 힘-시간 그래프에서 그래프 아래의 넓이는 물체가 받은 충격량을 나타낸다. 따라서 0~5초 동안 물체가 받은 충격량은 $\dfrac{1}{2} \times 20 \text{ N} \times 5 \text{ s} = 50 \text{ N·s}$이다.
② 0~5초 동안 물체가 받은 충격량이 50 N·s이고, 충격량은 운동량의 변화량과 같으므로 0~5초 동안 운동량의 변화량은 50 kg·m/s이다. 따라서 5초일 때 속력은
$v = \dfrac{p}{m} = \dfrac{50 \text{ kg·m/s}}{5 \text{ kg}} = 10 \text{ m/s}$이다.

① 0~5초 동안 물체가 받은 충격량은 50 N·s이다. (○)

② 5초일 때 물체의 속력은 10 m/s이다. (○)

③ 5초일 때 물체의 운동량은 100 kg·m/s이다. (×)

→ 0~5초 동안 운동량의 변화량이 50 kg·m/s이고, 물체는 처음에 정지해 있었으므로 5초일 때 물체의 운동량은 50 kg·m/s이다.

④ 0~5초 동안 물체의 가속도는 일정하다. (×)

→ 0~5초 동안 물체에 작용하는 힘이 계속 변하였으므로 물체의 가속도도 계속 변한다.

⑤ 힘-시간 그래프의 기울기는 가속도를 나타낸다. (×)

→ 속도-시간 그래프에서 그래프의 기울기가 가속도를 나타낸다.

---

4 ㄱ. 오른쪽을 (+)로 하면 A가 받은 충격량은 운동량의 변화량과 같은 $\Delta p = -mv - 2mv = -3mv$이다. 따라서 A가 받은 충격량의 크기는 $3mv$이다.

ㄴ. 오른쪽을 (+)로 하면 B가 받은 충격량은 운동량의 변화량과 같은 $\Delta p = -2mv - 2mv = -4mv$이다. 따라서 B가 받은 충격량의 크기는 $4mv$이다.

오답 풀이

ㄷ. 벽의 충돌 전후 B의 운동량의 방향이 변하였다. 이때 B의 운동량의 변화량의 크기는 $4mv$이다.

5 충격량이 같을 때 충돌 시간을 길게 하면 충격력이 감소한다.

ㄱ. 높은 곳에서 뛰어 내릴 때 무릎을 구부리면 충돌 시간이 증가하므로 충격력은 감소한다.

ㄴ. 유리병을 포장할 때 에어캡을 사용하면 충격이 있을 때 충돌 시간이 길어져 충격력이 감소한다.

오답 풀이

ㄷ. 테니스를 칠 때 테니스 채를 끝까지 휘두르면 충돌 시간이 길어져서 충격량이 커지고 공의 속도가 빨라진다. 이처럼 충격력이 일정할 때 충돌 시간을 길게 하면 충격량이 증가한다.

6 ⑤는 충돌 시간을 늘려서 충격량을 증가시키는 예이다.

오답 풀이

①, ②, ③, ④ 충돌 시간을 늘려서 충격력을 감소시키는 예이다.

7 충돌 전 운동량의 합은 $2\ kg \times 8\ m/s + 4\ kg \times (-2\ m/s)$ $= 8\ kg·m/s$이고, 충돌 후 운동량의 합은 $-8\ kg·m/s$ $+ 4v$이다. 운동량 보존 법칙에 의해 충돌 전후 운동량은 같으므로 $8 = -8 + 4v$에서 $v = 4\ m/s$이다.

8 충돌 전 B가 정지해 있었으므로 충돌 전 운동량의 합은 mv이고, 충돌 후 두 물체가 함께 붙어서 운동하므로 충돌 후 속도를 V라고 하면 충돌 후 운동량의 합은 $3mV$이다. 운동량 보존 법칙에 의해 충돌 전후 운동량은 같으므로 $mv = 3mV$에서 $V = \frac{1}{3}v$이다.

자료 분석 ➕ 완전 비탄성 충돌

A의 운동량: mv B의 운동량: 0 A, B의 운동량: $(m+2m)V$

충돌 전   충돌 후

➡ 충돌 후 두 물체가 붙어서 함께 운동하므로 완전 비탄성 충돌이다.

4 _일 기초 확인 문제

• 4. 열과 역학적 에너지

1 ④ **2** (1) 운동 (2) 일 (3) 중력 퍼텐셜 (4) 감소 **3** ③

4 $\frac{1}{4}$배 **5** (1) B, A (2) 30 **6** ①, ② **7** ②

8 (1) 0.25 (2) 250 J (3) W

---

1 ④ 5 m 이동했을 때 물체의 운동 에너지는 5 m 이동하는 동안 물체에 해 준 일과 같은 75 J이다.

선택지 바로 보기

① 힘이 물체에 한 일은 15 J이다. (×)

→ 힘이 물체에 한 일은 힘과 이동 거리의 곱이므로
$W = Fs = 15 \, N \times 5 \, m = 75 \, J$이다.

② 물체의 역학적 에너지는 처음과 같다. (×)

→ 물체에 일을 해 주면 해 준 일의 양만큼 물체의 역학적 에너지가 증가한다.

③ 마찰이 없으므로 물체에 한 일은 없다. (×)

→ 마찰이 없으므로 마찰력에 대해 한 일은 없고 한 일은 모두 물체의 운동 에너지로 전환된다.

④ 5 m 이동했을 때 물체의 운동 에너지는 75 J이다. (○)

⑤ 바닥의 마찰을 고려하면 물체의 운동 에너지는 지금보다 증가한다. (×)

→ 바닥의 마찰이 있다면 마찰력에 대해 한 일만큼 물체의 운동 에너지가 감소한다.

---

2 (1) 물체가 내려오는 동안 물체의 높이는 감소하고 물체의 속력은 증가한다. 따라서 중력 퍼텐셜 에너지가 운동 에너지로 전환된다.

(2) C점에서 운동하는 쇠구슬은 나무 도막을 밀고 가는 일을 한다.

(3) 마찰은 무시하면 역학적 에너지는 보존되므로 쇠구슬이 나무 도막에 한 일은 A점에서 중력 퍼텐셜 에너지와 같다.

(4) 쇠구슬을 B점에 놓으면 처음 가진 중력 퍼텐셜 에너지가 감소하므로 C점에서 운동 에너지도 감소한다. 따라서 나무 도막의 이동 거리는 s보다 감소한다.

---

3 공기 저항을 무시하면 역학적 에너지는 보존되므로 A, B, C, D점에서 역학적 에너지는 모두 같다.

③ 역학적 에너지가 보존되고 C점에서 중력 퍼텐셜 에너지가 A점에서 중력 퍼텐셜 에너지의 $\frac{1}{3}$배이므로 C점에서 운동 에너지는 A점에서 중력 퍼텐셜 에너지의 $\frac{2}{3}$배이다.

선택지 바로 보기

① A점에서 운동 에너지는 0이다. (○)

→ A점에서 물체를 가만히 놓았으므로 속도가 0이고, 따라서 운동 에너지도 0이다.

② B점에서 물체의 역학적 에너지는 A점에서와 같다. (○)

→ 역학적 에너지가 보존되므로 B점에서 물체의 역학적 에너지는 A점에서와 같다.

③ C점에서 운동 에너지는 A점에서 중력 퍼텐셜 에너지의 $\frac{1}{3}$배이다. (×)

④ D점에서 운동 에너지는 A점에서 중력 퍼텐셜 에너지와 같다. (○)

→ 역학적 에너지가 보존되고 A점에서 중력 퍼텐셜 에너지는 D점에서 모두 운동 에너지로 전환된다. 따라서 D점에서 운동 에너지는 A점에서 중력 퍼텐셜 에너지와 같다.

⑤ B점에서 중력 퍼텐셜 에너지는 C점에서 중력 퍼텐셜 에너지의 2배이다. (○)

→ 중력 퍼텐셜 에너지는 높이에 비례하므로 B점에서 중력 퍼텐셜 에너지는 C점에서의 2배이다.

---

4 탄성 퍼텐셜 에너지는 $\frac{1}{2}kx^2$으로 용수철이 변형된 길이의 제곱에 비례한다. 따라서 진동 폭이 $\frac{1}{2}$배가 되면 탄성 퍼텐셜 에너지는 $\frac{1}{4}$배가 되고, 역학적 에너지도 $\frac{1}{4}$배가 된다.

---

5 (1) 열은 온도가 높은 물체에서 낮은 물체로 이동하므로 B에서 A로 이동한다.

(2) 열평형 온도는 두 물체의 온도가 같아져 일정하게 유지되는 온도이므로 그래프에서 30 °C이다.

---

6 ① 열역학 제1법칙은 $Q = \Delta U + W$로 열에너지를 포함한 에너지 보존 법칙이다.

② 열역학 제1법칙에 의해 기체에 가해 준 열에너지는 내부 에너지 변화량과 외부에 한 일의 합과 같다.

선택지 바로 보기

① 열역학 제1법칙은 열에너지를 포함한 에너지 보존 법칙이다. (○)

② 기체에 가해 준 열에너지는 내부 에너지 변화량과 외부에 한 일의 합과 같다. (○)

③ 외력이 작용하면 열역학 제1법칙은 성립하지 않는다. (×)

→ 외부에서 열을 공급하거나 일을 해 주어도 열역학 제1법칙은 성립한다.

④ 기체가 일을 하면 내부 에너지가 증가하고, 기체가 일을 받으면 내부 에너지가 감소한다. (×)

→ 외부에서 열의 출입이 없다면 기체가 일을 하면 내부 에너지가 감소하고 일을 받으면 내부 에너지가 증가한다.

⑤ 기체에 열을 가할 때 부피 변화가 없으면 내부 에너지가 감소한다. (×)

→ 기체에 열을 가할 때 부피 변화가 없으면 외부에 한 일이 없으므로 가해 준 열은 전부 내부 에너지 증가에 이용된다. 따라서 내부 에너지가 증가한다.

7 열역학 제2법칙은 자연에서 스스로 일어나는 현상의 방향성을 나타낸 법칙이다.

② 열효율이 100 %인 열기관은 존재하지 않으며, 카르노 기관은 고온과 저온의 두 열원 사이에서 효율이 가장 높은 이상적인 열기관이다.

8 (1) 카르노 기관의 열효율은

$$e=1-\frac{저열원의 온도}{고열원의 온도}=1-\frac{300\text{ K}}{400\text{ K}}=0.25\text{이다.}$$

(2) 카르노 기관의 열효율이 0.25이므로 Q_1이 1000 J일 때 한 일은 $W=e\times Q_1=0.25\times1000\text{ J}=250\text{ J이다.}$

(3) 압력-부피 그래프에서 그래프로 둘러싸인 부분의 넓이는 기체가 한 일과 같다. 카르노 기관이 한 번 순환하는 동안 기체가 한 일은 W이다.

4일 내신 기출 베스트   36~37쪽

• 4. 열과 역학적 에너지

1 (1) 120 J (2) 210 J   **2** ⑤   **3** ㄱ, ㄴ, ㄷ   **4** $\sqrt{\dfrac{2mgh}{k}}$
5 ⑤   **6** (1) 에너지 보존 (2) 내부 에너지 증가량   **7** ③
8 ㄱ, ㄴ

1 (1) 힘-이동 거리 그래프에서 그래프의 아래의 넓이는 힘이 한 일을 나타낸다. 따라서 물체를 6 m 이동시켰을 때 한 일은 20 N×6 m=120 J이다.

(2) 물체는 처음에 정지해 있었으므로 물체에 해 준 일이 모두 운동 에너지로 전환된다. 따라서 15 m 이동시켰을 때 물체의 운동 에너지는 15 m 이동시킬 동안 한 일과 같은 120 J+90 J=210 J이다.

2 ㄱ. 물체를 일정한 속력으로 들어 올리는 데 드는 힘은 물체의 중력과 같다. 물체의 질량이 2 kg이므로 물체에 작용하는 중력은 2 kg×10 m/s²=20 N이다.

ㄴ. 물체에 한 일은 작용한 힘과 힘의 방향으로 이동한 거리의 곱이므로 20 N×2 m=40 J이다.

ㄷ. 물체의 중력 퍼텐셜 에너지의 증가량은 물체에 한 일과 같으므로 40 J이다.

3 ㄱ. 물체의 운동 에너지는 평형점인 O에서 가장 크고, A, B에서 0이다.

ㄴ. 탄성 퍼텐셜 에너지는 변형된 길이가 가장 큰 A, B에서 가장 크다. 이때 변형된 길이가 같으므로 A, B에서 탄성 퍼텐셜 에너지는 같다.

ㄷ. A에서 O로 갈 때 용수철이 변형된 길이가 감소하므로 탄성 퍼텐셜 에너지가 운동 에너지로 전환된다.

4 마찰을 무시하면 역학적 에너지는 보존되므로 h인 곳에서의 중력 퍼텐셜 에너지가 운동 에너지로 전환되었다가 용수철의 탄성 퍼텐셜 에너지로 전환된다. 처음 중력 퍼텐셜 에너지는 mgh이고, 용수철이 최대로 압축되었을 때 탄성 퍼텐셜 에너지는 $\frac{1}{2}kx^2$이므로 $mgh=\frac{1}{2}kx^2$에서 $x=\sqrt{\dfrac{2mgh}{k}}$ 이다.

자료 분석 ➕ 역학적 에너지 전환과 보존

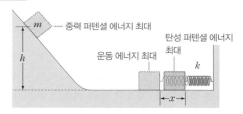

➡ 모든 지점에서 역학적 에너지는 보존된다.

5 ㄱ. 기체의 압력이 일정하고 부피가 증가하므로 기체는 외부에 일을 한다.

ㄴ. 기체의 압력-부피 그래프에서 그래프 아래의 넓이는 기체가 외부에 한 일을 나타낸다.

ㄷ. 기체의 압력이 일정하게 유지되면서 부피가 증가하므로 기체는 외부에 일을 하고 내부 에너지도 증가한다. 따라서 내부 에너지 증가량과 외부에 한 일에 해당하는 열을 외부에서 공급받아야 한다.

6 (1) 열역학 제1법칙은 열에너지를 포함한 에너지 보존 법칙이다.

(2) 기체에 가해 준 열에너지는 내부 에너지 증가량과 외부에 한 일의 합과 같다.

7 열역학 제2법칙은 자연 현상이 일어나는 방향성을 설명하는 법칙이다.

ㄱ. 열은 스스로 온도가 높은 곳에서 낮은 곳으로만 이동한다.

ㄴ. 열이 모두 일로 전환될 수 없으므로 열효율이 100 %인 열기관은 존재하지 않는다.

오답 풀이

ㄷ. 기체에 가해 준 열 에너지는 내부 에너지 변화량과 외부에 한 일의 합과 같다. 이것은 열역학 제1법칙에 해당한다.

8 ㄱ. 기체가 외부에 한 일은 압력–부피 그래프에서 그래프로 둘러 쌓인 부분의 넓이와 같다. 따라서 외부에 한 일은 $2 \times 10^5 \, \text{N/m}^2 \times 3 \times 10^{-3} \, \text{m}^3 = 600 \, \text{J}$이다.

ㄴ. 외부에서 공급한 열이 3000 J이고, 외부에 한 일이 600 J이므로 이 열기관의 열효율은

$$e = \frac{\text{외부에 한 일}}{\text{공급한 열}} = \frac{600 \, \text{J}}{3000 \, \text{J}} = 0.2,\ \text{즉 20 %이다.}$$

오답 풀이

ㄷ. 한번 순환하면 열기관은 원래 상태로 돌아오며, 이때 내부 에너지와 온도는 변하지 않는다.

• 5. 특수 상대성 이론

1 (1) ○ (2) ○ (3) × **2** ②, ③ **3** (1) 다르다 (2) 같다 (3) 길다 **4** (1) ○ (2) ○ (3) ○ **5** (1) × (2) ○ (3) ○ **6** ② **7** ③ **8** (1) 헬륨 원자핵 (2) 질량 결손 (3) 안정한

1 (1) 이 실험은 빛은 에테르를 통해 전파된다고 생각하고 에테르의 존재를 확인하려고 설계한 실험이다.

(2) 에테르가 존재한다면 빛이 에테르의 흐름에 나란한 방향으로 진행할 때와 수직인 방향으로 진행할 때 속도가 다를 것이다. 이를 확인하기 위해 에테르 흐름에 나란한 빛과 수직인 빛의 속도를 비교하려고 하였다.

(3) 실험 결과 빛은 모든 방향에서 속도가 같았다. 따라서 에테르의 존재는 확인할 수 없었다.

2 특수 상대성 이론의 두 가지 가정은 상대성 원리와 광속 불변의 원리이다.

② 상대성 원리는 '모든 관성계에서 물리 법칙은 동일하게 성립한다'는 것이다.

③ 광속 불변의 원리는 '모든 관성계에서 관찰자나 광원의 속도와 관계없이 진공에서 빛의 속도는 일정하다'는 것이다.

3 (1) 은수가 정지해 있는 관성계라면, 민호는 광속에 가까운 속도로 운동하는 관성계에 있다. 따라서 민호와 은수의 좌표계는 서로 다르다.

(2) 광속 불변의 원리에 따라 어떤 좌표계에서도 빛의 속도는 같다.

(3) 은수가 측정한 빛이 거울 사이를 왕복한 시간은 민호가 측정한 것보다 길다.

자료 분석 ➕ 관성계에 따른 시간 측정

광속에 가까운 속도로 등속 운동 하는 우주선 안에서 빛이 왕복하는 데 걸리는 시간을 우주선 안(민호)과 밖(은수)에서 각각 측정하였다.

① 우주선 안(민호)에서 측정한 시간: $\Delta t_{고유} = \dfrac{2l}{c}$

② 우주선 밖(은수)에서 측정한 시간: $\Delta t = \dfrac{2l'}{c}$

➡ $l < l'$이므로 $\Delta t_{고유} < \Delta t$이다.

1학기 중간·기말

4 (1) 운동은 상대적이므로 철수는 자신은 정지해 있고 영희가 빠르게 운동하는 것처럼 보인다.

(2) 고유 거리는 같은 관성계에 있는 관찰자가 측정한 거리이므로 영희가 측정한 A, B 사이의 거리가 고유 거리이다.

(3) 빠르게 운동하는 관성계에서 측정하면 길이 수축이 일어나 고유 거리보다 짧게 측정된다.

5 (1) 속력이 작을 때에도 질량의 변화가 있지만 변화량이 작아서 크게 드러나지 않을 뿐이다.

(2), (3) 그래프에서 볼 수 있듯이 질량은 속력에 따라 변하고, 물체의 속력이 빛의 속력에 가까워지면 급격히 증가하는 것을 알 수 있다.

6 질량·에너지 등가성에 따라 질량과 에너지는 서로 전환될 수 있다. 질량 결손은 핵반응이 일어날 때 발생하며, 그만큼 에너지가 생성된다.

② 석탄이 빛과 열을 내면서 연소하는 것은 화학 결합이 변하는 것으로 질량 결손은 일어나지 않는다.

선택지 바로 보기

① 핵발전소에서 플루토늄이 원자핵 분열을 한다. (○)
→ 핵발전소에서 플루토늄이 원자핵 분열을 하면서 질량 결손이 일어나고 그만큼 에너지가 발생한다.

② 석탄이 빛과 열을 내면서 연소한다. (×)

③ 원자로에서 우라늄이 붕괴되면서 열을 낸다. (○)
→ 원자로에서 우라늄이 붕괴되면서 질량 결손이 일어나고 그만큼 열에너지가 발생한다.

④ 토카막 안에서 중수소와 삼중수소가 충돌하여 헬륨으로 변한다. (○)
→ 토카막 안에서 중수소와 삼중수소가 충돌하여 헬륨으로 변하면서 질량 결손이 일어나고 많은 에너지가 발생한다.

⑤ 태양 중심부에서 수소 원자핵이 충돌하여 헬륨 원자핵으로 변한다. (○)
→ 태양 중심부에서 수소 원자핵이 충돌하여 헬륨 원자핵으로 변하면서 질량 결손이 일어나고 그만큼 에너지가 발생한다.

7 ③ 원자핵 분열 과정에서 질량수와 전하량은 보존된다.

선택지 바로 보기

① 큰 원자핵이 작은 원자핵으로 분열한다. (○)
→ 원자로에서는 큰 원자핵인 우라늄이 작은 원자핵인 바륨과 크립톤으로 분열한다.

② 원자핵 분열 과정에서 많은 에너지가 발생한다. (○)
→ 원자핵 분열 과정에서 질량 결손이 생기고 이에 해당하는 많은 에너지가 발생한다.

③ 원자핵 분열 과정에서 질량수가 감소한다. (×)

④ 원자핵 분열 과정에서 질량 결손이 일어난다. (○)
→ 원자핵 분열 과정에서 질량 결손이 일어나 많은 에너지가 발생한다.

⑤ 원자핵 분열 과정에서 중성자 수가 증가하여 연쇄 반응을 한다. (○)
→ 원자핵 분열 과정에서 하나의 중성자가 우라늄에 흡수되면 3개의 중성자가 생성된다. 이렇게 중성자의 수가 증가하면서 연쇄 반응을 일으키게 된다.

8 (1) 중수소와 삼중수소가 핵융합하여 헬륨 원자핵을 만든다.

(2) 핵융합 과정에서 질량 결손이 일어나고, 이에 해당하는 에너지가 발생한다.

(3) 원자핵이 융합하면서 좀 더 안정한 원자핵으로 변한다.

5일 내신 기출 베스트
44~45쪽

• 5. 특수 상대성 이론

1 ㄱ, ㄴ, ㄷ **2** ③ **3** (1) 같은 (2) 고유 길이 (3) 느리게
4 ㄱ, ㄴ **5** ③ **6** ④ **7** ③ **8** ㄱ, ㄴ

1 마이컬슨과 몰리는 빛은 파동이며, 매질인 에테르 속에서 전파된다고 생각하고 이를 확인하기 위하여 실험을 설계하였다.

ㄱ, ㄷ. 빛은 에테르 속에서 전파된다고 가정하였다. 그러면 빠르게 운동하는 태양계와 지구에 의해 만들어지는 에테르의 흐름에 따라 빛의 속도가 달라질 것이므로 그 속도 차이를 검출하고자 하였다.

ㄴ. 흐르는 강물에서 수영을 할 때 강물에 수직으로 가는 것과 나란하게 가는 속도가 다르듯이 에테르 흐름에 나란한 빛과 수직인 빛의 속력은 다를 것이다.

2 특수 상대성 이론의 가정은 상대성 원리와 광속 불변의 원리이다.

ㄱ. 모든 관성계에서 물리 법칙은 동일하게 성립한다.
➡ 상대성 원리

ㄷ. 진공에서 빛의 속력은 모든 관성계에서 동일하게 측정된다. ➡ 광속 불변의 원리

오답 풀이

ㄴ. 고유 길이는 물체와 같은 관성계에 있는 관측자가 측정할 때 길이이다. 고유 길이는 특수 상대성 이론의 가정이 아니다.

3 (1) 특수 상대성 이론에 따르면 관찰자에 따라 시간도 다르게 관찰된다. 고유 시간은 사건과 관찰자가 같은 관성 좌표계에 있을 때 관찰한 시간이다.

(2) 특수 상대성 이론에 따르면 관찰자에 따라 길이도 다르게 관찰된다. 고유 길이는 두 위치와 관찰자가 같은 관성 좌표계에 있을 때 측정한 길이이다.

(3) 정지한 관성 좌표계에서 빠르게 운동하는 관성 좌표계의 시간을 관찰하면 느리게 흐른다.

4 뮤온은 지구 상공 높은 곳에서 발생하고 수명이 극히 짧아서 지표면에 도달하지 못할 것으로 생각되었으나 지표면에서 관찰되었다. 이는 특수 상대성 이론의 증거이다.

ㄱ. 지상의 관찰자가 보면 광속에 가까운 속도로 운동하는 뮤온에서 시간이 느리게 가므로 뮤온의 수명이 길어진다.

ㄴ. 빠르게 운동하는 뮤온 좌표계에서 관찰하면 지면까지의 거리가 길이 수축에 의해 짧아진다.

ㄷ. 뮤온의 수명은 공기와의 충돌과는 상관없다.

5 원자로에서는 핵분열 반응으로 질량 결손이 일어나고, 그에 해당하는 막대한 에너지가 발생한다. 질량·에너지 등가성에 따라 에너지를 계산해 보면 다음과 같다.
$$E = \Delta m c^2 = 1 \times 10^{-3}\,\text{kg} \times (3 \times 10^8\,\text{m/s})^2 = 9 \times 10^{13}\,\text{J}$$

6 ④ 원자핵은 핵분열하여 안정된 원소가 되는 경우도 있고, 핵융합하여 안정된 원소가 되는 경우도 있다.

7 ③ 핵분열 반응 시 질량 결손이 발생하고, 질량 결손에 해당하는 에너지가 방출된다.

① 감속재는 중성자의 속도를 크게 한다. (×)
→ 중성자의 속도가 너무 빠르면 우라늄과 잘 반응하지 않으므로 감속재를 사용해 고속 중성자의 속도를 작게 한다.
② 핵분열 반응을 할수록 자유롭게 움직일 수 있는 중성자 수는 감소한다. (×)
→ 중성자 하나가 우라늄 원자핵과 충돌하여 핵분열 반응을 하면 3개의 중성자가 나온다. 따라서 핵분열 반응을 할수록 자유롭게 움직일 수 있는 중성자 수는 증가한다.
③ 핵분열 반응 시 질량 결손이 일어난다. (○)
④ 제어봉은 중성자를 방출하는 곳이다. (×)
→ 중성자가 많으면 한꺼번에 많은 원자핵이 반응을 하므로 제어봉으로 중성자를 흡수하여 중성자의 수를 조절한다.
⑤ 우라늄은 중성자와 충돌하여 핵융합한다. (×)
→ 우라늄은 중성자와 충돌하여 핵분열한다.

8 ㄱ. (가)에 들어갈 원자핵은 질량수가 4이고, 전하량이 2이므로 $_2^4\text{He}$이다.

ㄴ. 이 핵반응에서 많은 에너지가 발생하는데, 이는 그만큼의 질량 결손이 있기 때문이다.

ㄷ. 핵반응 전후 전하량은 보존된다.

• 범위 | I. 역학과 에너지

1 ⑤   **2** ④   **3** ②   **4** ㄱ, ㄴ   **5** ①   **6** ④   **7** ⑤
8 해설 참조   **9** ④   **10** ②

---

1 B: 속도는 크기와 방향을 가지는 물리량이고, 속력은 크기
만 가지는 물리량이다.
C: 평균 속도는 어느 시간 동안 전체 변위를 걸린 시간으로
나누어 구한다.

> **오답 풀이**
> A: 속력과 속도의 크기가 같은 경우는 일직선상에서 운동 방향이
> 바뀌지 않고 운동할 때 뿐이고, 운동 방향이 바뀌면 속력과 속도의
> 크기는 같지 않다.

2 ㄱ. 위치-시간 그래프의 기울기는 속력을 나타내므로 물체
의 속력은 $\frac{10\ m}{5\ s}=2\ m/s$이다.

ㄷ. 물체는 일정한 속도로 등속 직선 운동 하므로 물체의
이동 거리는 시간에 비례하여 증가한다.

> **오답 풀이**
> ㄴ. 그래프의 기울기가 일정하므로 물체는 속도가 일정한 등속 직선
> 운동을 한다.

3 속도-시간 그래프의 기울기는 가속도를 나타내고, 그래프
아래의 넓이는 변위(이동 거리)를 나타낸다.
② B의 기울기가 $\frac{0-2\ m/s}{8\ s}=-0.25\ m/s^2$이므로 가속도
의 크기는 $0.25\ m/s^2$이다.

> **선택지 바로 보기**
> ① A의 가속도의 크기는 $1\ m/s^2$이다. (○)
> → A의 기울기가 $\frac{0-4\ m/s}{4\ s}=-1\ m/s^2$이므로 가속도의 크기는
> $1\ m/s^2$이다.
> ② B의 가속도의 크기는 $1\ m/s^2$이다. (×)
> ③ 0~4초 동안 A의 이동 거리는 8 m이다. (○)
> → 그래프 아래의 넓이는 이동 거리를 나타내므로 0~4초 동안 A의 이동 거
>   리는 $\frac{1}{2}\times4\ m/s\times4\ s=8\ m$이다.
> ④ 0~8초 동안 B의 이동 거리는 8 m이다. (○)
> → 그래프 아래의 넓이는 이동 거리를 나타내므로 0~8초 동안 B의 이동 거
>   리는 $\frac{1}{2}\times2\ m/s\times8\ s=8\ m$이다.
> ⑤ 두 물체는 서로 다른 가속도로 운동하다가 정지한다. (○)
> → A, B의 기울기가 다르므로 두 물체의 가속도는 서로 다르고 두 물체 모두
>   최종 속도가 0이다. 따라서 두 물체는 서로 다른 가속도로 운동하다가 정
>   지한다.

> **자료 분석 ╋ 속도-시간 그래프의 해석**

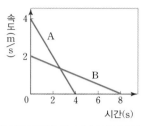

A, B 모두 가속도의
부호는 (−)이고 가
속도의 크기는 A가
B보다 크다.

• 속도-시간 그래프에서 기울기는 가속도를 나타낸다.
➡ 기울기가 크면 가속도가 크다.
➡ 속도의 부호가 (+)인 경우, 기울기가 (+)이면 가속도의 방향이
물체의 운동 방향과 같고, 기울기가 (−)이면 가속도의 방향이 물
체의 운동 방향과 반대이다.

---

4 ㄱ. 바이킹은 같은 경로를 계속 반복해서 운동하는 진자 운
동을 한다.
ㄴ. 바이킹의 운동 방향은 매 순간마다 변한다.

> **오답 풀이**
> ㄷ. 바이킹은 운동하는 동안 가운데에서는 속력이 가장 빠르며 양끝
> 으로 갈수록 점점 느려지다가 운동 방향을 바꿀 때 순간적으로 정지
> 한다. 이처럼 운동하는 동안 속력이 계속 변한다.

5 ① 정지해 있으려는 관성에 의해 정지해 있던 먼지는 계속
정지해 있으려고 한다.

> **선택지 바로 보기**
> ① 먼지는 정지해 있으려고 한다. (○)
> ② 막대는 정지해 있으려고 한다. (×)
> → 운동하려는 관성에 의해 운동하던 막대는 계속 운동하려고 한다.
> ③ 먼지는 막대기에 맞아서 날아간다. (×)
> → 먼지는 정지해 있으려고 하고 막대기에 맞은 이불은 움직이므로 먼지가 이
>   불에서 떨어지는 것이다.
> ④ 이불의 막대를 맞은 부분은 정지해 있으려고 한다. (×)
> → 이불의 막대를 맞은 부분은 막대로부터 힘을 받아 운동한다.
> ⑤ 망치 자루를 쳐 머리를 박는 것과 같은 관성에 의한 현상이다. (×)
> → 망치 자루를 바닥에 치면 운동하던 머리는 계속 운동하려고 하고 자루는 갑
>   자기 멈추므로 망치 머리가 자루 깊이 박힌다. 따라서 이는 운동 관성에 의한
>   현상이고, 막대기로 이불의 먼지를 터는 것은 정지 관성에 의한 현상이다.

6 ㄱ. (가)에서 기울기가 일정하므로 가속도는 가한 힘에 비
례하여 증가한다는 것을 알 수 있다.

ㄴ. (나)에서 질량이 2배가 되면 가속도는 $\frac{1}{2}$배가 되고, 질

량이 3배가 되면 가속도는 $\frac{1}{3}$배가 된다. 따라서 가속도는

물체의 질량에 반비례하여 감소한다는 것을 알 수 있다.

ㄷ. 가속도는 가한 힘에 비례하므로 가한 힘이 일정하면 가속도는 변하지 않는다. 가속도가 일정하면 속도는 시간에 따라 일정하게 변한다.

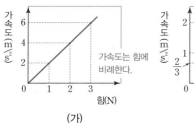 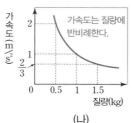

(가)   (나)

• (가)에서 기울기가 일정하므로 가속도는 힘에 비례한다.
• (나)에서 질량이 증가하면 가속도는 감소한다.
• 가속도는 힘에 비례하고 질량에 반비례한다.

7 ㄱ. F_{AB}와 F_{BA}는 작용 반작용 관계의 두 힘이므로 크기가 같다.
ㄴ. 작용 반작용 관계의 두 힘은 같은 작용선상에서 작용한다.
ㄷ. 작용 반작용 관계의 두 힘은 서로 다른 물체에 작용하는 힘으로 항상 쌍으로 나타난다.

8 ✏️모범 답안 두 물체는 줄로 연결되어 함께 운동하므로 전체 질량이 m_A+m_B인 물체에 A의 중력($m_A g$)이 작용하는 것과 같다. 따라서 두 물체의 가속도는 $a=\dfrac{m_A g}{m_A+m_B}$이다.

채점 기준	배점(%)
두 물체가 함께 운동한다는 것을 서술한 경우	30
가속도를 옳게 구한 경우	70

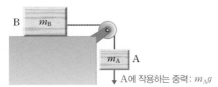

A에 작용하는 중력: $m_A g$

• 두 물체가 줄로 연결되어 있거나 붙어서 운동하면 두 물체를 한 덩어리로 생각하고 문제를 풀어야 한다. 즉 그림에서 A, B가 줄로 연결되어 있으므로 물체 A에 작용하는 중력은 물체 A 뿐만 아니라 B에도 함께 작용한다.

9 물체의 운동량은 물체의 질량과 속도의 곱이다. 따라서 질량이 0.2 kg인 공이 30 m/s의 속력으로 운동할 때 공의 운동량은 $p=mv=0.2$ kg$\times30$ m/s$=6$ kg·m/s이다.

10 그래프는 충격량이 같을 때 충돌 시간에 따른 충격력의 크기를 보여준다.
② 동일한 컵을 같은 높이에서 떨어뜨렸으므로 충돌 직전 컵의 운동량은 같고, 충돌 후 정지했으므로 충돌 후 운동량은 A, B에서 모두 0이다. 따라서 충돌 시 운동량의 변화량은 A, B가 같다.

① 충돌 시 컵이 받은 충격량은 A, B가 같다. (○)
→ 운동량의 변화량은 충격량과 같으므로 충돌 시 컵이 받은 충격량은 A, B가 같다.
② 충돌 시 운동량의 변화량은 A가 더 크다. (×)
③ 충돌 시 충격력은 A가 더 크다. (○)
→ 그래프에서 보면 충돌 시 충격력은 A가 B보다 크다는 것을 알 수 있다.
④ 단단한 바닥에 떨어진 경우가 A이다. (○)
→ 단단한 바닥에 떨어진 경우 충돌 시간이 짧으므로 단단한 바닥에 떨어진 경우가 A이다.
⑤ 충돌 전 두 컵의 운동량은 같다. (○)
→ 동일한 컵을 같은 높이에서 떨어뜨렸으므로 충돌 전 질량과 속도가 같다. 따라서 충돌 전 두 컵의 운동량은 같다.

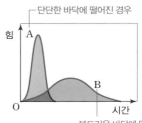

• 충격력은 A가 B보다 더 크다.
• 충돌 시간은 A가 B보다 더 작다.
• 그래프 아래의 넓이는 충격량으로 A, B가 같다.

6일 **누구나 100점 테스트 2회**   48~49쪽

• 범위 | I. 역학과 에너지

1 40 m/s **2** 해설 참조 **3** 10 m/s **4** ③ **5** ①
6 ② **7** ④ **8** ①, ③ **9** ④ **10** ④

1 충돌 전 나무 도막은 정지해 있으므로 충돌 전 운동량은 총알의 운동량과 같은 $0.5v$이다.

충돌 후 총알과 나무 도막은 함께 운동하므로 충돌 후 운동량은 $(0.5 \text{ kg} + 1.5 \text{ kg}) \times 10 \text{ m/s} = 20 \text{ kg·m/s}$이다.

운동량 보존 법칙에 의해 충돌 전후 운동량은 보존되므로 $0.5v = 20$에서 $v = 40 \text{ m/s}$이다.

2 분리 전 운동량의 총합은
$(3 \text{ kg} + 2 \text{ kg}) \times 4 \text{ m/s} = 20 \text{ kg·m/s}$이고,
분리 후 운동량의 총합은 $3 \text{ kg} \times (-2 \text{ m/s}) + 2 \text{ kg} \times v$이다. 운동량 보존 법칙에 의해 분리 전후 운동량의 총합은 같으므로 $20 = -6 + 2v$에서 분리 후 B의 속도는 $v = 13 \text{ m/s}$이다. 즉, B는 오른쪽으로 13 m/s의 속력으로 운동한다.

✎ **모범 답안** **오른쪽으로 13 m/s의 속력으로 운동한다.**

채점 기준	배점(%)
B의 운동 방향을 옳게 서술한 경우	50
B의 속력을 옳게 서술한 경우	50

3 마찰을 무시하면 역학적 에너지는 보존되므로 높이 5 m인 곳에서의 중력 퍼텐셜 에너지와 지면에 도달했을 때의 운동 에너지는 같다. 따라서
$2 \text{ kg} \times 10 \text{ m/s}^2 \times 5 \text{ m} = \dfrac{1}{2} \times 2 \text{ kg} \times v^2$ 에서 $v = 10 \text{ m/s}$이다.

4 ㄱ. 물체를 일정한 속력으로 끌어올렸으므로 물체를 끌어올리는 힘은 물체에 작용하는 중력과 크기가 같다. 따라서 물체를 끌어올리는 힘의 크기는 $F = mg = 3 \text{ kg} \times 10 \text{ m/s}^2 = 30 \text{ N}$이다.
ㄴ. 전동기가 물체에 한 일은 물체의 무게와 물체를 끌어올린 높이의 곱이다. 따라서 $W = Fs = 30 \text{ N} \times 2 \text{ m} = 60 \text{ J}$이다.

오답 풀이
ㄷ. 물체에 한 일만큼 물체의 중력 퍼텐셜 에너지가 증가한다. 물체에 한 일이 60 J이므로 중력 퍼텐셜 에너지는 60 J 증가한다.

5 ㄱ. 1회 순환하는 동안 기체가 외부에 한 일은 그래프 내부의 넓이와 같으므로 $200 \text{ N/m}^2 \times 2 \text{ m}^3 = 400 \text{ J}$이다.

오답 풀이
ㄴ. 1회 순환하면 기체는 처음 상태로 되돌아오므로 1회 순환하는 동안 기체의 내부 에너지는 변하지 않는다.
ㄷ. 1회 순환하는 동안 외부에서 기체에 가해 준 열은 기체가 외부에 한 일과 외부로 방출한 열의 합과 같으므로 400 J보다 크다.

6 1회 순환하는 동안 기체가 외부에 한 일은 그래프 내부의 넓이와 같으므로 $W = 1 \times 10^5 \text{ N/m}^2 \times 3 \times 10^{-3} \text{ m}^3 = 300 \text{ J}$이다.

외부에서 공급한 열은 1000 J이고, 한 일은 300 J이므로 열효율은 $e = \dfrac{W}{Q} = \dfrac{300 \text{ J}}{1000 \text{ J}} = 0.3$이다.

자료 분석 ➕ 압력-부피 그래프의 해석 ——————

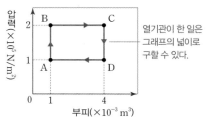

열기관이 한 일은 그래프의 넓이로 구할 수 있다.

- B → C 과정에서는 부피가 증가하므로 외부에 일을 한다. 이때 외부에 한 일은 그래프 아래의 넓이와 같은 600 J이다.
- D → A 과정에서는 부피가 감소하므로 외부에서 일을 받는다. 이때 외부에서 받은 일은 그래프 아래의 넓이와 같은 300 J이다.
- 1회 순환하는 동안 한 일은 그래프 내부의 넓이와 같은 300 J이다.

7 ㄱ. 열역학 제2법칙에 따라 열효율이 100 %인 열기관은 존재하지 않는다.
ㄷ. 열의 이동에는 방향성이 있다. 열은 저절로 온도가 높은 물체에서 낮은 물체로 이동한다.

오답 풀이
ㄴ. 자연 현상은 저절로 무질서도가 증가하는 쪽으로 일어난다.

8 특수 상대성 이론의 두 가지 가정은 상대성 원리와 광속 불변의 원리이다.
① 상대성 원리는 모든 관성계에서 물리 법칙은 동일하게 성립한다는 것이다.
③ 광속 불변의 원리는 진공에서 빛의 속력은 모든 관성계에서 동일하다는 것이다.

9 B: 물체의 질량은 변하지 않는 고유의 양이 아니라 속력이 증가함에 따라 같이 증가한다.
C: 질량·에너지 등가성에 의해 질량은 에너지의 다른 형태로 볼 수 있으며, 질량은 에너지로 전환될 수 있다.

오답 풀이
A: 물체의 질량은 물체가 가진 고유의 양으로 변하지 않는 양이 아니라 물체의 속력이 증가하면 따라서 증가한다.

10 ㄱ. 원자로에서는 큰 원자핵(우라늄 원자핵)이 작은 원자핵 (크립톤 원자핵, 바륨 원자핵)으로 나누어지는 핵분열 반응이 일어난다.

ㄷ. 핵분열 반응 전후 질량수와 전하량은 각각 보존된다.

오답 풀이

ㄴ. 핵분열 시 질량 결손에 의해 많은 에너지가 발생된다. 따라서 반응 전 핵자들의 질량의 합은 반응 후 핵자들의 질량의 합보다 크다.

6일 서술형·사고력 테스트   50~51쪽

• 범위 | I. 역학과 에너지

1 (1) 해설 참조   (2) 해설 참조   **2** 해설 참조   **3** (1) 해설 참조
(2) 해설 참조   (3) 해설 참조   **4** (1) 해설 참조   (2) 해설 참조
(3) 해설 참조   **5** 해설 참조   **6** (1) 해설 참조   (2) 해설 참조

1 (1) ✏️**모범 답안** (가)를 이용하면

$$평균 속력 = \frac{이동 거리}{시간} = \frac{0.2 \text{ m}}{0.4 \text{ s}} = 0.5 \text{ m/s}이고,$$

(나)를 이용하면 등가속도 직선 운동이므로

$$평균 속력 = \frac{처음 속력 + 나중 속력}{2} = \frac{0 + 1 \text{ m/s}}{2} = 0.5 \text{ m/s}이다.$$

(2) ✏️**모범 답안** 속도-시간 그래프의 기울기는 가속도를 나타내므로

$$가속도 = \frac{1 \text{ m/s}}{0.4 \text{ s}} = 2.5 \text{ m/s}^2이다.$$

	채점 기준	배점(%)
(1)	(가)를 이용해 평균 속력을 구한 경우	25
	(나)를 이용해 평균 속력을 구한 경우	25
(2)	가속도를 옳게 구한 경우	50

자료 분석 ➕ 운동 그래프의 분석

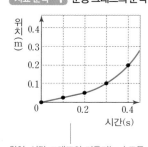

위치-시간 그래프의 기울기는 속도를 나타낸다. ➡ 속도가 점점 커진다.

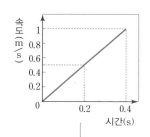

속도-시간 그래프의 기울기는 가속도를 나타낸다. 가속도가 일정하므로 물체는 등가속도 직선 운동을 한다.

2 ✏️**모범 답안** 출발할 때 버스는 앞으로 나아가고 승객은 정지해 있으려고 하므로 승객이 뒤쪽으로 쏠린다. 정지할 때 버스는 정지하고 승객은 계속 앞으로 나아가려고 하므로 승객이 앞쪽으로 쏠린다.

채점 기준	배점(%)
버스가 출발할 때의 운동을 옳게 서술한 경우	50
버스가 정지할 때의 운동을 옳게 서술한 경우	50

3 (1) ✏️**모범 답안** 포신이 길수록 힘을 받는 시간이 길어지므로 포탄의 충격량이 커진다. 충격량은 운동량의 변화량과 같으므로 포신이 긴 경우 포탄의 운동량이 커서 포탄이 더 멀리 날아간다.

(2) ✏️**모범 답안** (나)에서 테니스 채를 끝까지 밀어 쳐서 공을 치는 시간을 길게 하면 충격량이 커져서 공의 속도가 빨라진다. (다)에서 손을 뒤로 빼면서 받으면 충격을 받는 시간이 길어져서 손이 받는 충격력이 작아진다.

(3) ✏️**모범 답안** 자동차가 충돌로 인해 갑자기 정지할 때 안전띠를 매고 있으면 몸이 앞으로 나아가는 것을 잡아주어 차에 충돌하지 않는다. 또한 에어백이 있으면 충돌 시간을 길게 해 주어 사람이 받는 충격력을 감소시킨다.

	채점 기준	배점(%)
(1)	까닭을 충격량과 운동량의 관계를 이용해 옳게 서술한 경우	30
(2)	충격력과 충돌 시간의 관계를 이용해 옳게 서술한 경우	30
(3)	안전띠와 에어백의 역할을 충격과 관련지어 옳게 서술한 경우	40

4 (1) ✏️**모범 답안** 모든 마찰을 무시할 때 역학적 에너지는 보존되므로 $mgh = \frac{1}{2}mv^2$에서 $v = \sqrt{2gh}$이다.

(2) ✏️**모범 답안** 모든 마찰을 무시할 때 역학적 에너지는 보존되므로 두 지점에서 역학적 에너지는 같다.

(3) ✏️**모범 답안** 역학적 에너지는 보존되므로 속력을 크게 하기 위해서는 처음 출발하는 높이를 높게 설계해야 한다.

	채점 기준	배점(%)
(1)	역학적 에너지 보존을 이용하여 속력을 옳게 구한 경우	30
(2)	역학적 에너지 보존을 이용해 같다고 서술한 경우	30
(3)	역학적 에너지 보존을 이용하여 설계를 제안한 경우	40

자료 분석 ➕ 역학적 에너지 보존

5 (1) ✎ **모범 답안** 이상 기체가 외부에 한 일(W)은
$W = P\Delta V = 10^5 \text{ N/m}^2 \times 0.02 \text{ m}^3 = 2 \times 10^3 \text{ J이다.}$

채점 기준	배점(%)
식을 옳게 세우고 외부에 한 일을 옳게 구한 경우	100
외부에 한 일만 옳게 쓴 경우	50

6 (1) ✎ **모범 답안** 길이 수축이 일어나 L보다 짧게 측정된다.

(2) ✎ **모범 답안** 빠르게 운동하는 물체를 관찰할 때 시간 지연이 일어나므로 철수가 측정한 시간이 영희가 측정한 시간보다 길다.

	채점 기준	배점(%)
(1)	길이 수축을 언급하여 L보다 짧다고 서술한 경우	50
	L보다 짧다고만 쓴 경우	30
(2)	시간 지연을 언급하여 걸리는 시간을 옳게 서술한 경우	50
	철수가 측정한 시간이 영희가 측정한 시간보다 길다고만 서술한 경우	30

6일 창의·융합·코딩 테스트

52~53쪽

• 범위 | I. 역학과 에너지

1 (1) 해설 참조 (2) 해설 참조 (3) 해설 참조 **2** (1) 해설 참조
(2) 해설 참조 (3) 해설 참조 **3** (1) 해설 참조 (2) 해설 참조
4 해설 참조 **5** (1) 해설 참조 (2) 해설 참조

1 (1) ✎ **모범 답안** (가)와 (마), 등속 원운동을 하므로 속력은 일정하고 운동 방향은 계속 변한다.

(2) ✎ **모범 답안** 공통점: 직선 운동을 한다.
차이점: (나)는 등속 운동을 하고, (다)는 등가속 운동을 한다.

(3) ✎ **모범 답안** (라)와 (바) 모두 운동 방향과 속력이 모두 변하는 운동을 한다.

	채점 기준	배점(%)
(1)	(가), (마)를 옳게 찾은 경우	10
	운동의 특징을 옳게 서술한 경우	20
(2)	공통점을 옳게 서술한 경우	15
	차이점을 옳게 서술한 경우	15
(3)	(라) 운동의 특징을 옳게 서술한 경우	20
	(바) 운동의 특징을 옳게 서술한 경우	20

2 (1) ✎ **모범 답안** A, B는 정지해 있으므로 작용하는 알짜힘은 각각 0이다.

(2) ✎ **모범 답안** A가 B를 당기는 힘과 B가 A를 당기는 힘은 작용 반작용 관계이므로 크기가 같고 방향이 반대이다.

(3) ✎ **모범 답안** A가 B를 당기는 힘과 B가 A를 당기는 힘은 작용 반작용 관계로 크기가 같고, A, B가 각각 정지해 있으므로 작용하는 알짜힘은 0이다. 따라서 B가 A를 당기는 힘과 p가 A를 당기는 힘이 평형을 이루어 크기가 같고, A가 B를 당기는 힘과 q가 B를 당기는 힘이 평형을 이루어 크기가 같다. 그러므로 p가 A를 당기는 힘은 q가 B를 당기는 힘과 크기가 같다.

	채점 기준	배점(%)
(1)	A, B의 알짜힘이 모두 0이라고 서술한 경우	20
(2)	작용 반작용 관계임을 이용해 힘의 크기와 방향을 옳게 비교한 경우	30
	힘의 크기가 같다고만 서술한 경우	10
(3)	작용 반작용 관계를 이용하여 옳게 서술한 경우	50
	힘의 크기가 같다고만 서술한 경우	30

3 (1) ✎ **모범 답안** 운동량 보존 법칙에 의해 충돌 전후 운동량은 보존되므로 $1 \text{ kg} \times 4 \text{ m/s} + 2 \text{ kg} \times (-1 \text{ m/s}) = 1 \text{ kg} \times v + 2 \text{ kg} \times 2 \text{ m/s}$에서 $v = -2 \text{ m/s}$이다. 따라서 충돌 후 A의 속력은 2 m/s이다.

(2) ✎ **모범 답안** A가 받은 충격량은 충돌 전후 운동량의 변화량과 같으므로 $1 \text{ kg} \times (-2 \text{ m/s}) - 1 \text{ kg} \times 4 \text{ m/s} = -6 \text{ kg} \cdot \text{m/s}$이다. 따라서 충격량의 크기는 $6 \text{ kg} \cdot \text{m/s}$이고, 방향은 왼쪽 방향이다.

	채점 기준	배점(%)
(1)	운동량 보존 법칙을 이용하여 속력을 옳게 구한 경우	50
(2)	충격량과 운동량의 변화량 관계를 이용하여 충격량을 옳게 구한 경우	50

4 ✎ **모범 답안** 카르노 기관의 열효율이
$e = 1 - \dfrac{T_2}{T_1} = 1 - \dfrac{200 \text{ K}}{400 \text{ K}} = 0.5$이므로 카르노 기관이 한 일은
$W = Q_1 \times e = 1000 \text{ kJ} \times 0.5 = 500 \text{ kJ이다.}$

채점 기준	배점(%)
열효율을 옳게 구한 경우	50
열효율을 이용하여 한 일을 옳게 구한 경우	50

5 (1) ✎ **모범 답안** 질량 결손은 양성자 2개와 중성자 2개의 질량의 합과 헬륨 원자핵의 질량의 차이이다. 따라서
$\Delta m = 2 \times 1.0078 \text{ u} + 2 \times 1.0087 \text{ u} - 4.0026 \text{ u} = 0.0304 \text{ u}$
$= 5.0464 \times 10^{-29} \text{ kg이다.}$

(2) ✎ **모범 답안** 질량·에너지 등가성에 따라
$E = \Delta mc^2 = 5.0464 \times 10^{-29} \text{ kg} \times (3 \times 10^8 \text{ m/s})^2$
$= 4.54176 \times 10^{-12} \text{ J이다.}$

	채점 기준	배점(%)
(1)	질량 결손을 옳게 구한 경우	50
(2)	질량·에너지 등가성을 이용해 발생한 에너지를 옳게 구한 경우	50

• 범위 | I. 역학과 에너지

1 ④ **2** ③ **3** 2 m/s² **4** ③ **5** ① **6** ⑤ **7** ③
8 ④ **9** ② **10** 같다. **11** ③ **12** ④ **13** 0.8 N
14 20 m/s **15** ⑤ **16** ⑤ **17** ② **18** 해설 참조
19 ⑤ **20** ⑤

---

1 ㄱ. 위치-시간 그래프의 기울기는 속도를 나타낸다. 0초에서 3초까지 그래프의 기울기가 계속 증가하므로 물체의 속력은 증가한다.

ㄷ. 물체의 위치가 12초일 때 0이므로 물체는 12초일 때 제자리로 돌아온 것이다. 따라서 0~12초 동안 물체의 변위가 0이므로 평균 속도도 0이다.

오답 풀이

ㄴ. 5초일 때 운동 방향이 바뀌므로 이때의 속력은 0이다.

자료 분석 ➕ 위치-시간 그래프의 해석

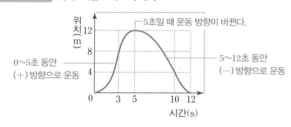

0~5초 동안 (+) 방향으로 운동
5초일 때 운동 방향이 바뀐다.
5~12초 동안 (−) 방향으로 운동

2 속도-시간 그래프의 기울기는 가속도를 나타내고, 그래프 아래의 넓이는 변위(이동 거리)를 나타낸다.
③ 그래프의 기울기는 가속도를 나타내므로

A의 가속도는 $\dfrac{3\,\text{m/s}-1\,\text{m/s}}{4\,\text{s}}=\dfrac{1}{2}\,\text{m/s}^2$이고,

B의 가속도는 $\dfrac{3\,\text{m/s}-0}{4\,\text{s}}=\dfrac{3}{4}\,\text{m/s}^2$이다. 따라서 A의 가속도의 크기는 B의 가속도의 크기보다 작다.

선택지 바로 보기

① A는 등가속도 직선 운동을 한다. (○)
② B는 등가속도 직선 운동을 한다. (○)
→ 그래프의 기울기는 가속도를 나타내는데, A, B의 기울기가 일정하므로 A, B는 모두 등가속도 직선 운동을 한다.
③ A의 가속도의 크기는 B의 가속도의 크기보다 크다. (×)
④ 0~4초 동안 이동 거리는 A가 B보다 크다. (○)
→ 그래프 아래의 넓이는 이동 거리를 나타내므로 0~4초 동안 이동 거리는 A가 B보다 크다.
⑤ 4초일 때 A, B의 속도는 같다. (○)
→ 4초일 때 A, B의 속도는 3 m/s로 같다.

자료 분석 ➕ 속도-시간 그래프의 해석

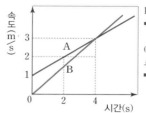

B의 기울기가 A보다 크다.
➡ B의 가속도가 A보다 크다.

0~4초 동안 그래프 아래의 넓이는 A가 B보다 크다.
➡ A의 이동 거리가 B보다 크다.

• 속도-시간 그래프의 기울기는 가속도를 나타낸다.
• 속도-시간 그래프 아래의 넓이는 이동 거리를 나타낸다.
• 처음 속도는 A가 B보다 크고, 4초일 때 A와 B의 속도는 같다.

3 공이 5번 찍히는 동안 걸린 시간이 0.02초×5=0.1초이므로

공의 속력은 0.1초마다 $\dfrac{0.01\,\text{m}}{0.1\,\text{s}}=0.1\,\text{m/s}$,

$\dfrac{0.03\,\text{m}}{0.1\,\text{s}}=0.3\,\text{m/s}$, 0.5 m/s, 0.7 m/s…로 증가한다.

따라서 공의 가속도는

$\dfrac{\text{속도 변화량}}{\text{시간}}=\dfrac{0.3\,\text{m/s}-0.1\,\text{m/s}}{0.1\,\text{s}}=2\,\text{m/s}^2$이다.

4 ㄱ, ㄴ. 회전 그네는 일정한 속력으로 원운동을 계속하므로 운동 방향은 계속 변한다.

오답 풀이

ㄷ. 그네의 운동 방향이 계속 변하므로 가속도는 0이 아니다.

5 뉴턴 운동 제1법칙(관성 법칙)에 의해 운동하던 물체는 계속 등속 직선 운동을 하려고 하고, 정지해 있던 물체는 계속 정지해 있으려고 한다.
① 휴지를 재빠르게 당기면 끊어지는 것은 정지해 있던 휴지 뭉치가 계속 정지해 있으려는 관성 때문이다.

선택지 바로 보기

① 휴지를 재빠르게 당기면 끊어진다. (정지 관성)
② 달리던 사람이 돌에 걸리면 넘어진다. (운동 관성)
→ 달리던 사람이 돌에 걸리면 계속 운동하려는 관성에 의해 몸은 앞으로 넘어진다.
③ 달리던 버스가 멈추면 몸이 앞으로 쏠린다. (운동 관성)
→ 달리던 버스가 멈추면 승객은 계속 운동하려는 관성에 의해 몸이 앞으로 쏠린다.
④ 망치 자루를 바닥에 쳐서 머리를 박는다. (운동 관성)
→ 망치 자루를 바닥에 치면 망치 머리가 계속 운동하려는 관성에 의해 머리가 자루에 단단히 박힌다.
⑤ 자동차가 고속도로를 운행할 때 모든 승객이 안전띠를 맨다.
(운동 관성)
→ 관성에 의해 몸이 앞으로 나가 다치는 것을 방지하기 위해서이다.

6 50 N의 힘이 오른쪽으로 작용하고 30 N의 힘이 왼쪽으로 작용하므로 물체에 작용하는 알짜힘은 오른쪽으로 20 N이다. 따라서 물체는 5 m/s^{2}의 가속도로 등가속도 직선 운동을 한다.

⑤ 물체는 등가속도 직선 운동을 하므로 5초 동안 물체의 이동 거리는

$$s=\frac{1}{2}at^2=\frac{1}{2}\times5\ \text{m/s}^2\times(5\ \text{s})^2=62.5\ \text{m이다.}$$

선택지 바로 보기

① 물체는 등가속도 운동을 한다. (○)
→ 물체에 작용하는 알짜힘이 20 N으로 일정하므로 물체는 등가속도 운동을 한다.
② 물체의 가속도의 크기는 5 m/s^{2}이다. (○)
→ 물체의 질량이 4 kg이고 물체에 작용하는 알짜힘이 20 N이므로 물체의 가속도는 $a=\frac{F}{m}=\frac{20\ \text{N}}{4\ \text{kg}}=5\ \text{m/s}^2$이다.
③ 5초 후 물체의 속도의 크기는 25 m/s이다. (○)
→ 물체는 5 m/s^{2}의 가속도로 등가속도 직선 운동을 하므로 5초 후 속도는 $v=at=5\ \text{m/s}^2\times5\ \text{s}=25\ \text{m/s이다.}$
④ 물체에 작용하는 알짜힘의 크기는 20 N이다. (○)
→ 50 N의 힘이 오른쪽으로, 30 N의 힘이 왼쪽으로 작용하므로 물체에 작용하는 알짜힘은 오른쪽으로 20 N이다.
⑤ 5초 동안 물체의 이동 거리는 80 m이다. (×)

7 이 실험은 일정한 힘으로 질량이 다른 물체를 당길 때 가속도의 크기를 알아보는 실험이다. 따라서 질량과 가속도의 관계를 나타내는 해석이 따라야 한다.
③ (수레+추)의 질량이 커질수록 속도-시간 그래프의 기울기가 작아진다. 속도-시간 그래프의 기울기는 가속도를 나타내므로 질량이 클수록 수레의 가속도는 작아진다는 것을 알 수 있다.

자료 분석 ➕ 가속도와 질량의 관계

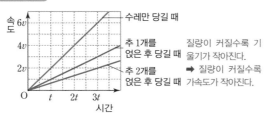

• 속도-시간 그래프의 기울기는 가속도를 나타낸다.
• 추를 1개 얹으면 질량이 2배가 된다.
• 추를 2개 얹으면 질량이 3배가 된다.
• 질량이 2배, 3배가 되면 가속도는 $\frac{1}{2}$배, $\frac{1}{3}$배가 된다.
• 수레의 가속도는 수레의 질량에 반비례한다.

8 ④ 정지해 있는 수레에 힘을 주면 앞으로 나아간다는 것은 뉴턴 운동 제2법칙으로 설명할 수 있는 예이다.

선택지 바로 보기

① 노를 뒤로 저으면 배가 앞으로 나아간다. (○)
→ 노를 뒤로 저으면(작용) 배가 앞으로 나아간다(반작용).
② 샌드백을 힘껏 치면 내 주먹도 아프다. (○)
→ 샌드백을 힘껏 치면(작용) 내 주먹도 아프다(반작용).
③ 로켓이 가스를 분출하면서 앞으로 날아간다. (○)
→ 로켓이 가스를 분출하면서(작용) 앞으로 날아간다(반작용).
④ 정지해 있는 수레에 힘을 주면 앞으로 나아간다. (×)
⑤ 달리다가 설 때 발을 앞으로 내밀면서 땅을 민다. (○)
→ 달리다가 설 때 발을 앞으로 내밀면서 땅을 밀면(작용) 땅이 발을 밀어서 멈춘다(반작용).

9 ㄴ. 1초일 때 물체의 속도는 $\frac{4\ \text{m}}{2\ \text{s}}=2\ \text{m/s이고}$, 물체의 질량이 10 kg이므로 물체의 운동량은
$p=mv=10\ \text{kg}\times2\ \text{m/s}=20\ \text{kg·m/s이다.}$

오답 풀이

ㄱ. 이동 거리-시간 그래프의 기울기는 속력을 나타낸다. 0~2초 동안 물체의 속도는 일정하므로 물체는 등속 직선 운동을 한 것이다. 등속 직선 운동 하는 물체에는 힘이 작용하지 않는다.
ㄷ. 3초일 때 물체의 이동 거리는 변하지 않으므로 물체의 속도는 0이다. 따라서 운동량도 0이다.

자료 분석 ➕ 이동 거리-시간 그래프의 해석

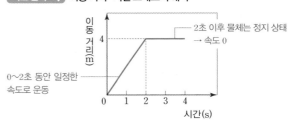

10 물체의 처음 높이와 질량이 같으므로 물체의 운동량의 변화량은 같고, 충격량은 운동량의 변화량과 같으므로 A와 B에서 충격량도 같다.
힘-시간 그래프 아래의 넓이는 충격량을 나타내므로 그래프 아랫부분의 넓이도 같다.

11 운동량 보존 법칙에 의해 충돌 전후 운동량의 총합은 같다. 따라서 2 kg×10 m/s+0=(2 kg+3 kg)×v에서 충돌 후 물체의 속력 $v=4$ m/s이다.

12 ㄱ. 분열 전 운동량은 0이고 분열 전후 운동량은 보존되므로 분열 후 운동량의 총합은 0이다.

ㄴ. 분열 후 운동량이 0이므로 A와 B의 운동량은 같고 방향은 반대이다. A의 운동량이 왼쪽으로 3 kg·m/s이므로 B의 운동량은 오른쪽으로 3 kg·m/s이다. 따라서 질량이 1 kg인 B의 속력은 3 m/s이다.

오답 풀이

ㄷ. 작용 반작용 법칙에 의해 분열 시 받은 충격량의 크기는 A와 B가 같다.

13 물체가 10 m 이동하는 동안 힘 F가 물체에 해 준 일은

$W = Fs = 10F$이고,

B점에서 물체의 운동 에너지는

$E_k = \frac{1}{2}mv^2 = \frac{1}{2} \times 1 \text{ kg} \times (4 \text{ m/s})^2 = 8$ J이다.

일-운동 에너지 정리에 의해 마찰 없는 수평면에서 물체에 해 준 일은 물체의 운동 에너지와 같으므로 $10F = 8$에서 $F = 0.8$ N이다.

자료 분석 ✚ 일–운동 에너지 정리

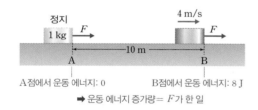

A점에서 운동 에너지: 0   B점에서 운동 에너지: 8 J

➡ 운동 에너지 증가량= F가 한 일

14 마찰을 무시하면 역학적 에너지는 보존되므로 처음 중력 퍼텐셜 에너지와 수면에 닿는 순간 운동 에너지는 같다.

따라서 $mgh = \frac{1}{2}mv^2$에서

$v = \sqrt{2gh} = \sqrt{2 \times 10 \text{ m/s}^2 \times 20 \text{ m}} = 20$ m/s이다.

자료 분석 ✚ 역학적 에너지 전환

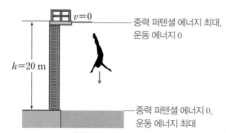

중력 퍼텐셜 에너지 최대, 운동 에너지 0

중력 퍼텐셜 에너지 0, 운동 에너지 최대

• 모든 지점에서 역학적 에너지는 같다.

15 ⑤ 압력이 일정한 등압 과정에서는 외부에서 열을 흡수한다. 외부에서 흡수한 열은 기체가 한 일과 내부 에너지 증가량의 합과 같다. 기체가 한 일과 내부 에너지 변화량은 같은 경우는 외부와의 열 출입이 없는 단열 과정이다.

선택지 바로 보기

① 기체가 외부에 한 일은 $P\Delta V$이다. (○)

→ 기체의 부피가 증가하면 외부에 일을 하는데, 이때 기체가 외부에 한 일은 $P\Delta V$이다.

② 기체가 피스톤을 미는 힘은 PA이다. (○)

→ 기체가 피스톤을 미는 힘은 압력과 면적의 곱인 PA이다.

③ 기체의 내부 에너지는 증가한다. (○)

→ 압력이 일정한데 부피가 증가하므로 내부 온도는 올라간다. 따라서 기체의 내부 에너지도 증가한다.

④ 기체는 외부에서 열을 흡수한다. (○)

→ 기체의 내부 에너지도 증가하고 외부에 일을 하므로 열역학 제1법칙에 따라 기체는 외부에서 열을 흡수한다.

⑤ 기체가 한 일과 내부 에너지 변화량은 같다. (✕)

16 열역학 제2법칙은 자발적으로 일어나는 자연 현상에는 방향성이 있음을 알려 주는 법칙이다.

철수: 열은 스스로 고온의 물체에서 저온의 물체로 이동한다.

영희: 자연에서 자발적으로 일어나는 현상은 엔트로피(무질서도)가 증가하는 방향으로만 일어난다.

오답 풀이

민수: 열을 전부 일로 전환하는 열기관은 존재할 수 없다.

17 ② 열기관의 열효율은 공급한 열 중에서 일로 전환된 비율이다. 따라서 이 카르노 기관의 열효율은

$e = \frac{W}{Q_1} = \frac{Q_1 - Q_2}{Q_1} = \frac{10 \text{ kJ} - 6 \text{ kJ}}{10 \text{ kJ}} = 0.4$이다.

선택지 바로 보기

① 카르노 기관이 한 일은 400 J이다. (✕)

→ 카르노 기관은 고열원에서 10 kJ의 열을 받아 일을 하고 저열원으로 6 kJ의 열을 내보내므로 한 일은 10 kJ − 6 kJ = 4 kJ이다.

② 카르노 기관의 열효율은 0.4이다. (○)

③ 저열원의 온도를 높이면 열효율이 높아진다. (✕)

→ 저열원의 온도를 높이면 저열원으로 내보내는 열이 증가하므로 한 일의 감소한다. 따라서 열기관의 열효율은 낮아진다.

④ 흡수한 열량이 많아지면 열효율이 높아진다. (✕)

→ 흡수한 열량이 많아지면 많은 일을 할 수 있지만 열효율이 높아지는 것은 아니다. 열효율은 그대로이다.

⑤ 고열원의 온도가 1000 K라면 저열원의 온도는 500 K이다. (✕)

→ 이 카르노 기관의 열효율이 0.4이므로 고열원의 온도가 1000 K라면 저열원의 온도는 600 K이다.

18 ✍️ 모범 답안 지상의 정지한 관찰자가 빠르게 움직이는 뮤온을 관찰할 때 시간 지연에 의해 뮤온의 수명이 길어진다. 따라서 뮤온이 먼 거리를 운동하여 지표면에서 발견될 수 있다. 또는 뮤온의 계에서 관찰하면 길이 수축이 일어나므로 지면까지의 거리가 짧아져 고유 수명 시간 안에 지면에 도달할 수 있다.

19 ㄱ. 충돌 전 입자들의 질량의 합은
$7.0160 \text{ u} + 1.0078 \text{ u} = 8.0238 \text{ u}$이고
충돌 후 입자들의 질량의 합은
$4.0026 \text{ u} + 4.0026 \text{ u} = 8.0052 \text{ u}$이다. 따라서 충돌 전 입자들의 질량의 합이 더 크므로 충돌 과정에서 질량 결손이 일어난 것을 확인할 수 있다.
ㄴ. 충돌 전 운동 에너지와 충돌 후 운동 에너지를 비교하면 충돌 후 입자들의 운동 에너지는 증가한 것을 알 수 있다.
ㄷ. 핵반응 과정에서 질량 결손에 해당하는 많은 에너지가 발생한다.

20 ㄴ. 핵반응 과정에서 많은 에너지가 발생하는데, 이는 질량 결손에 의한 것이다.
ㄷ. 핵반응 과정에서 질량수는 보존된다.

오답 풀이
ㄱ. 핵반응 과정에서 전하량은 보존된다.

7일 학교시험 기본 테스트 2회   58~61쪽

• 범위 | I. 역학과 에너지

1 ⑤ **2** ⑤ **3** ① **4** ④ **5** ④ **6** ㄱ, ㄷ **7** ①
8 B가 A로부터 받는 힘 **9** ② **10** ⑤ **11** $-\dfrac{m_2}{m_1}v$
12 ③ **13** ⑤ **14** ② **15** 해설 참조 **16** ④ **17** ④
18 해설 참조 **19** ⑤ **20** ⑤

1 ㄱ. A는 직선상에서 속도가 일정한 운동을 하므로 등속 직선 운동을 한다.

ㄴ. B는 속도가 감소하다가 3초일 때 (＋)에서 (－)로 값이 변한다. 즉 3초일 때 운동 방향이 반대로 바뀐다.
ㄷ. 0~6초 동안 변위의 크기는 A가 6 m이고, B는 0~3초까지 4.5 m 갔다가 다시 3~6초까지 4.5 m를 되돌아오므로 변위는 0이다.

자료 분석 ➕ 속도-시간 그래프의 해석

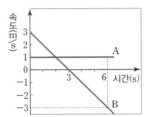

A는 속도가 일정하므로 등속 직선 운동을 한다.

B는 3초일 때 속도가 (＋)에서 (－)로 바뀌므로 운동 방향이 바뀐다.

• 속도-시간 그래프의 기울기는 가속도를 나타내고, 그래프와 시간축이 이루는 넓이는 변위를 나타낸다.

2 ㄱ. 등가속도 직선 운동을 하는 경우 평균 속도는 다음과 같다.

$$\text{평균 속도} = \frac{\text{처음 속도} + \text{나중 속도}}{2}$$

따라서 자동차의 평균 속력은 $\dfrac{30 \text{ m/s} + 20 \text{ m/s}}{2} = 25 \text{ m/s}$이다.

ㄴ. 10초 동안 자동차의 속력이 10 m/s 감소하였으므로 자동차의 가속도는 -1 m/s^2이다.
ㄷ. 자동차는 -1 m/s^2의 일정한 가속도로 A에서 B까지 이동하였다. 따라서 등가속도 직선 운동 식 $2as = v^2 - v_0^2$을 적용하면 $2 \times (-1) \times s = 20^2 - 30^2$에서 $s = 250 \text{ m}$이다.

자료 분석 ➕ 등가속도 직선 운동

A에서 B까지 이동하는 동안 가속도:
$$\frac{20 \text{ m/s} - 30 \text{ m/s}}{10 \text{ s}} = -1 \text{ m/s}^2$$

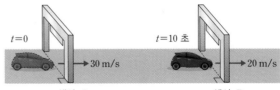

$t = 0$ →30 m/s $t = 10$ 초 →20 m/s
센서 A   센서 B

• 처음 속도가 v_0인 물체가 일정한 가속도 a로 운동하여 t초 후 속도가 v가 되었을 때 물체의 변위는 s이다.
➡ $v = v_0 + at$
➡ $s = v_0 t + \dfrac{1}{2} at^2$
➡ $2as = v^2 - v_0^2$

3 ① 공기 저항과 마찰을 무시하면 축구공에 수평 방향으로 작용하는 힘이 없으므로 축구공은 수평 방향으로는 등속 운동을 계속 한다. 따라서 O에서도 수평 방향의 속도가 0이 아니다.

① O에서 속도는 0이다. (×)
② 축구공에 작용하는 힘은 일정하다. (○)
→ 공기 저항과 마찰을 무시하면 축구공에 작용하는 힘은 중력으로 일정하다.
③ A에서 O까지 운동하는 동안 속력이 감소한다. (○)
→ 중력의 방향이 아래쪽이므로 가속도의 방향도 아래 방향이다. 따라서 위쪽으로 운동하는 A에서 O까지는 가속도의 방향과 운동 방향이 반대이므로 연직 방향 성분의 속도가 감소한다.
④ O에서 B까지 운동하는 동안 속력이 증가한다. (○)
→ 중력의 방향이 아래쪽이므로 가속도의 방향도 아래 방향이다. 따라서 아래쪽으로 운동하는 O에서 B까지는 가속도의 방향과 운동 방향이 같으므로 연직 방향 성분의 속도가 증가한다.
⑤ A에서 B까지 운동하는 동안 수평 방향 속력은 일정하다. (○)
→ 수평 방향으로는 작용하는 힘이 없으므로 A에서 B까지 운동하는 동안 수평 방향 속력은 일정하다.

4 ④ 바이킹은 진자 운동을 한다. 즉 속력과 운동 방향이 모두 변하는 운동을 한다.

①, ②, ③ 선풍기 날개, 회전목마, 대관람차는 속력이 일정하고 운동 방향만 변하는 운동을 한다.
⑤ 에스컬레이터는 속력과 운동 방향이 모두 일정한 운동을 한다.

5 철수, 영희: 운동 제1법칙은 알짜힘이 0일 때 관성에 의해 물체가 현재의 운동 상태를 계속 유지한다는 것이다. 따라서 운동하는 물체는 계속 등속 직선 운동을 하고, 정지해 있는 물체는 계속 정지해 있는다.

민수: 물체의 질량이 크면 관성도 크다.

6 ㄱ. A로 당겼을 때 수레의 가속도는
$a = \dfrac{\varDelta v}{t} = \dfrac{6\,\text{m/s}}{3\,\text{s}} = 2\,\text{m/s}^2$이다.
ㄷ. 뉴턴 운동 제2법칙에 의해 수레의 가속도는 수레에 작용한 힘의 크기에 비례한다.

ㄴ. B로 당겼을 때 수레의 가속도가 $\dfrac{3\,\text{m/s}}{3\,\text{s}} = 1\,\text{m/s}^2$이므로 B의 크기는 $F = ma = 2\,\text{kg} \times 1\,\text{m/s}^2 = 2\,\text{N}$이다.

수레의 가속도는 작용한 힘에 비례하고, 수레의 질량에 반비례한다.

속력-시간 그래프의 기울기로 수레의 가속도를 구할 수 있다.

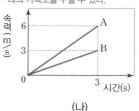

(가)　　　　　　　　(나)

• 힘 A가 작용할 때 수레의 가속도는 $2\,\text{m/s}^2$이고, 힘 B가 작용할 때 수레의 가속도는 $1\,\text{m/s}^2$이다.
➡ 수레의 질량이 2 kg이므로 A의 크기는 4 N이고, B의 크기는 2 N이다.

---

7 ① 뉴턴 운동 제2법칙에 의해 물체의 가속도는 알짜힘에 비례하고 질량에 반비례한다.

① 물체의 가속도는 알짜힘에 비례한다. (○)
② 물체의 가속도는 질량에 비례한다. (×)
→ 물체의 가속도는 질량에 반비례한다.
③ 알짜힘이 0이면 가속도는 일정하다. (×)
→ 알짜힘이 0이면 가속도는 0이다.
④ 두 물체 사이에는 힘이 쌍으로 작용한다. (×)
→ 두 물체 사이에는 힘이 쌍으로 작용한다는 것은 뉴턴 운동 제3법칙에 대한 설명이다.
⑤ 물체에 힘을 작용하면 물체는 등속도 운동을 한다. (×)
→ 물체에 힘을 작용하면 물체는 가속도 운동을 한다. 물체에 힘이 작용하지 않아야 등속도 운동을 한다.

8 A가 B로부터 받는 힘의 반작용은 B가 A로부터 받는 힘이다.

9 운동량-시간 그래프에서 기울기는 힘을 나타낸다. 따라서 물체에 작용한 힘은 $\dfrac{6\,\text{kg}\cdot\text{m/s}}{2\,\text{s}} = 3\,\text{N}$이다.

10 ㄱ. 힘-시간 그래프 아래의 넓이는 충격량을 나타내고, 충격량은 운동량의 변화량과 같으므로 A의 운동량의 변화량이 B의 2배이다.
충돌 전 A와 B의 속력이 같으므로 질량은 A가 B의 2배이다.
ㄴ. 충격력$= \dfrac{\text{충격량}}{\text{충돌 시간}}$이므로 물체가 받은 충격력은 충격량이 크고 충돌 시간이 짧은 A가 B보다 더 크다.

ㄷ. 그래프 아래의 넓이는 충격량을 나타내므로 A의 충격량이 B의 2배이다.
운동량의 변화량은 충격량과 같으므로 충돌 직전 운동량은 A가 B의 2배이다.

11 분열 전 운동량의 합은 0이고, 운동량 보존 법칙에 의해 분열 후 운동량의 합도 0이다.
따라서 A의 속도를 V라고 하면
$0 = m_1 V + m_2 v$에서 $V = -\dfrac{m_2}{m_1} v$이다.

12 운동량 보존 법칙에 의해 충돌 전후 운동량의 총합은 보존된다. 또한 충돌 시 두 물체가 받는 충격량과 충격력의 크기는 같다.
③ 충돌 전 B의 운동량은 1 kg×1 m/s＝1 kg·m/s이고, 충돌할 때 B가 받은 충격량은 오른쪽으로 4 N·s이다. 충격량은 운동량의 변화량과 같으므로 충돌 후 B의 운동량은 1 kg·m/s＋4 kg·m/s＝5 kg·m/s이다.

선택지 바로 보기

① 충돌할 때 B가 받은 충격량의 크기는 4 N·s이다. (○)
→ (나)의 힘─시간 그래프 아래의 넓이는 충격량을 나타낸다. 충돌할 때 A가 받은 충격량은 4 N·s이고 작용 반작용에 의해 충돌할 때 A와 B가 받은 충격량의 크기는 같다. 따라서 충돌할 때 B가 받은 충격량의 크기는 4 N·s이다.
② 충돌 후 A의 운동량의 크기는 4 kg·m/s이다. (○)
→ 충돌 전 A의 운동량은 2 kg×4 m/s＝8 kg·m/s이고, 충돌할 때 A가 B로부터 받은 충격량은 왼쪽으로 4 N·s이다. 충격량은 운동량의 변화량과 같으므로 충돌 후 A의 운동량은 8 kg·m/s─4 kg·m/s＝4 kg·m/s이다.
③ 충돌 후 B의 운동량의 크기는 4 kg·m/s이다. (×)
④ 충돌 후 A의 속도의 크기는 2 m/s이다. (○)
→ 충돌 후 A의 운동량은 오른쪽으로 4 kg·m/s이므로 충돌 후 A의 속도는 오른쪽으로 2 m/s이다.
⑤ 충돌 후 B의 속도의 크기는 5 m/s이다. (○)
→ 충돌 후 B의 운동량은 오른쪽으로 5 kg·m/s이므로 충돌 후 B의 속도는 오른쪽으로 5 m/s이다.

13 모든 마찰을 무시하므로 역학적 에너지 보존 법칙에 의해 물체의 운동 에너지 $\dfrac{1}{2} \times 2$ kg×(4 m/s)^2＝16 J이 탄성 퍼텐셜 에너지로 모두 전환된다.

자료 분석 ➕ 역학적 에너지 전환과 보존

물체의 운동 에너지는 16 J이다.

물체의 운동 에너지가 용수철을 압축시키면서 탄성 퍼텐셜 에너지로 전환된다.

• 용수철이 최대로 압축되었을 때: 운동 에너지는 0이고 탄성 퍼텐셜 에너지는 최대이다.

14 모든 마찰을 무시하면 역학적 에너지는 보존되므로 A점에서 역학적 에너지와 B점, C점에서 역학적 에너지는 같다.
따라서 $mgh + \dfrac{1}{2} mv^2 = \dfrac{1}{2} m(2v)^2 = mgH$이다.
이 식에서 $\dfrac{1}{2} mv^2 = \dfrac{1}{3} mgh$이므로
$mgh + \dfrac{1}{3} mgh = mgH$에서 $H = \dfrac{4}{3} h$이다.

15 🖉 모범 답안 **열역학 제1법칙** $Q = \varDelta U + W$에 의해 **내부 에너지는** $\varDelta U = Q - W = Q - P\varDelta V$**이다.**

채점 기준	배점(%)
열역학 제1법칙의 식을 언급한 경우	50
내부 에너지를 옳게 서술한 경우	50

16 열역학 제2법칙은 에너지 흐름의 방향성에 대해 설명한 법칙이다.
④ 일은 전부 열로 바꿀 수 있지만 열은 전부 일로 바꿀 수 없다. 즉 열을 전부 역학적 에너지로 바꿀 수 있는 열기관은 없다.

17 ㄱ. A → B 과정에서 부피는 일정한데 압력이 증가한다. 따라서 온도는 상승하고 내부 에너지도 증가한다.
ㄴ. B → C 과정에서 부피가 증가하므로 외부에 일을 한다.

오답 풀이

ㄷ. A에서 순환 과정을 거쳐 다시 A로 돌아오면 기체의 상태는 처음과 같으므로 온도와 내부 에너지의 변화는 없다.

18 🖉 모범 답안 • **상대성 원리**: 모든 관성 좌표계에서 물리 법칙은 동일하게 성립한다.
• **광속 불변의 원리**: 모든 관성 좌표계에서 진공 중에서 빛의 속도는 같다.

채점 기준	배점(%)
상대성 원리를 옳게 서술한 경우	50
광속 불변 원리를 옳게 서술한 경우	50

19 ⑤ 광속 불변의 원리에 따라 모든 관성계에서 빛의 속도는 같다.

① 민호가 측정한 지구에서 목성까지 거리는 은수가 측정한 것보다 작다. (○)

→ 길이 수축에 의해 민호가 측정한 지구에서 목성까지 거리는 은수가 측정한 것보다 작다.

② 은수가 보면 민호의 시간이 느리게 가는 것으로 보인다. (○)

→ 은수가 보면 시간 지연에 의해 빠르게 운동하는 민호의 시간이 느리게 가는 것으로 보인다.

③ 민호가 보면 은수의 시간이 느리게 가는 것으로 보인다. (○)

→ 민호가 볼 때 상대적으로 은수가 빠르게 운동하는 것으로 보인다. 따라서 민호가 보면 시간 지연에 의해 은수의 시간이 느리게 가는 것으로 보인다.

④ 민호가 관찰할 때 은수가 지구 쪽으로 **빠르게** 운동하는 것처럼 관찰된다. (○)

→ 물체의 운동은 상대적이다. 따라서 민호가 관찰할 때 은수가 지구 쪽으로 빠르게 운동하는 것처럼 관찰된다.

⑤ 민호가 측정한 빛의 속도는 은수가 측정한 빛의 속도보다 크다. (×)

20 ㄱ. 이 핵융합 반응에서 발생한 많은 양의 에너지는 질량 결손에 의한 것이다.

ㄴ, ㄷ. 반응 전후 질량수와 전하량은 보존된다.

Memo

핵심정리 01 이동 거리와 변위

- **이동 거리**: 물체가 실제로 움직인 경로를 따라 측정한 거리로, ❶◻◻◻만 갖는다.
- **변위**: 처음 위치에서 나중 위치를 잇는 직선 방향의 변화량으로, 크기와 ❷◻◻◻을 갖는다.

- 이동 거리: 150 m
- 변위: 동쪽으로 50 m
- 이동 거리: 100 m
- 변위의 크기: 80 m

- 직선상에서 물체의 운동 방향이 일정하면 이동 거리와 변위의 크기는 항상 같다.
- 출발점과 도착점이 같으면 경로와 상관없이 변위는 0이다.

답 ❶ 크기 ❷ 방향

핵심정리 02 속력과 속도

- **속력**: 단위 시간 동안 물체의 이동 거리로, 물체의 빠르기를 나타내며 ❶◻◻◻만 갖는다.
  ➡ 속력$=\dfrac{\text{이동 거리}}{\text{시간}}$ [단위: m/s]
- **속도**: 단위 시간 동안 물체의 변위로, 크기와 방향을 갖는다. ➡ 속도$=\dfrac{\text{변위}}{\text{시간}}$ [단위: m/s]
- **등속 직선 운동**: 속도가 일정한 운동으로 물체의 속력과 운동 방향이 변하지 않는다.
- **등속 직선 운동 그래프**

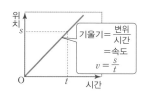 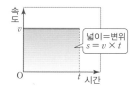

➡ 위치−시간 그래프의 기울기는 ❷◻◻◻를 나타내고, 속도−시간 그래프 아래의 넓이는 변위를 나타낸다.

답 ❶ 크기 ❷ 속도

핵심정리 03 가속도

- **가속도**: 단위 시간당 물체의 속도 변화량으로, 물체의 ❶◻◻◻가 얼마나 빨리 변하는지를 나타내며 크기와 방향을 갖는다. ➡ 가속도$=\dfrac{\text{속도 변화량}}{\text{걸린 시간}}$ [단위: m/s²]
- **평균 가속도와 순간 가속도**: 일정 시간 동안의 속도 변화를 평균 가속도, 어느 한 순간의 가속도를 순간 가속도라고 한다.

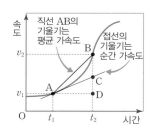

· $t_1 \sim t_2$ 동안 물체의 평균 가속도
$=\dfrac{\overline{BD}}{\overline{AD}}=\dfrac{v_2-v_1}{t_2-t_1}$

· t_1일 때 물체의 순간 가속도 $=\dfrac{\overline{CD}}{\overline{AD}}$

- **가속도의 방향과 속력 변화**: 가속도의 방향이 운동 방향과 같으면 속력이 ❷◻◻◻하고, 가속도의 방향이 운동 방향과 반대이면 속력이 감소한다.

답 ❶ 속도 ❷ 증가

핵심정리 04 등가속도 직선 운동과 여러 가지 운동

○ **등가속도 직선 운동**

- **등가속도 직선 운동**: 직선상에서 속도가 일정하게 변하는 운동, 즉 ❶◻◻◻가 일정한 직선 운동이다.
  예 자유 낙하 운동, 빗면을 내려오는 물체의 운동
- **등가속도 직선 운동 하는 물체의 평균 속도**: 평균 속도는 처음 속도와 나중 속도의 ❷◻◻◻ 값이다.
- **등가속도 직선 운동의 식**: 처음 속도가 v_0인 물체가 일정한 가속도 a로 운동하여 t초 후 속도가 v가 되었을 때 물체의 변위는 s이다.
  ➡ $v=v_0+at,\ s=v_0t+\dfrac{1}{2}at^2,\ 2as=v^2-v_0^2$

○ **여러 가지 운동**

구분	속력 일정	속력 변함
운동 방향 일정	등속 직선 운동	자유 낙하 운동, 빗면 운동
운동 방향 변함	등속 원운동	진자 운동, 포물선 운동

답 ❶ 가속도 ❷ 중간

02 이것만은 꼭! 속력과 속도

[예제] 그림은 직선상에 운동하는 어떤 두 물체의 이동 거리─시간 그래프, 속력─시간 그래프를 각각 나타낸 것이다.

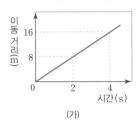 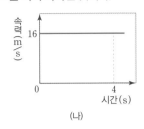

(가)   (나)

이에 대한 설명으로 옳은 것만을 〈보기〉에서 있는 대로 고르시오.

┌─────────────────────────────── 보기 ───┐
│ ✓ㄱ. (가), (나) 모두 물체는 등속 직선 운동을 한다.   │
│ ✓ㄴ. (가)에서 물체의 속력은 4 m/s이다.   │
│   ㄷ. (나)에서 0~4초 동안 이동한 거리는 16 m이다.   │
└─────────────────────────────────────┘

★기억해요! ----------

이동 거리─시간 그래프의 기울기는 물체의 □□□을 나타내고, 속력─시간 그래프 아래의 넓이는 물체의 □□□□를 나타낸다.

답 속력, 이동 거리

---

01 이것만은 꼭! 이동 거리와 변위

[예제] 그림은 A, B, C가 점 P에서 점 Q까지 각각 이동한 경로를 나타낸 것이다.

15 m
A
6 m
B
Q
C
9 m
P

이에 대한 설명으로 옳은 것은?

① 이동 거리는 모두 같다.
✓② 변위의 크기는 모두 같다.
③ 변위의 크기는 A가 가장 크다.
④ 변위의 크기는 B가 가장 작다.
⑤ 이동 거리를 비교하면 B>C>A 순이다.

★기억해요! ----------

변위의 크기는 □□ 위치와 □□ 위치 사이의 직선 거리이며, 이동 거리는 물체가 실제로 이동한 경로이다.

답 처음, 나중

---

04 이것만은 꼭! 등가속도 직선 운동과 여러 가지 운동

[예제] 그림은 직선상에서 운동하고 있는 어떤 물체의 속도를 시간에 따라 나타낸 것이다.
이에 대한 설명으로 옳지 않은 것은?

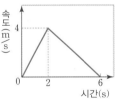

① 0~2초 동안 물체는 등가속도 직선 운동을 하였다.
② 0~2초 동안 물체의 평균 속력은 2 m/s이다.
③ 2~6초 동안 물체는 등가속도 직선 운동을 하였다.
④ 2~6초 동안 물체의 평균 속력은 2 m/s이다.
✓⑤ 2초일 때 물체의 운동 방향이 바뀌었다.

★기억해요! ----------

등가속도 직선 운동 하는 물체의 평균 속도는 □□ 속도와 □□ 속도의 중간 값이다.

답 처음, 나중

---

03 이것만은 꼭! 가속도

[예제] 그림은 직선상에서 운동하는 어떤 물체의 속도를 시간에 따라 나타낸 것이다.

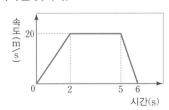

이에 대한 설명으로 옳은 것만을 〈보기〉에서 있는 대로 고르시오.

┌─────────────────────────────── 보기 ───┐
│ ✓ㄱ. 0~2초 동안 가속도의 크기는 10 m/s²이다.   │
│ ✓ㄴ. 0~2초 동안 운동 방향과 가속도의 방향은 같다.   │
│   ㄷ. 5~6초 동안 운동 방향과 가속도의 방향은 같다.   │
└─────────────────────────────────────┘

★기억해요! ----------

물체의 운동 방향과 가속도의 방향이 같으면 속력이 □□하고, 운동 방향과 가속도의 방향이 반대이면 속력이 □□한다.

답 증가, 감소

핵심정리 05 힘과 뉴턴 운동 제1법칙

○ 힘

- 힘: 물체의 모양이나 운동 상태를 변화시키는 원인
- 알짜힘: 물체에 작용하는 모든 힘의 **❶** [　　　　]
- 힘의 평형: 알짜힘이 0인 경우 물체에 작용하는 힘들이 평형을 이루었다고 한다. 이때 물체의 가속도는 0이다.

○ 뉴턴 운동 제1법칙(관성 법칙)

- 뉴턴 운동 제1법칙: 물체에 작용하는 알짜힘이 0이면 정지해 있는 물체는 계속 정지해 있고, 운동 중인 물체는 등속직선 운동을 계속 한다.
- 관성: 물체가 처음의 운동 상태를 계속 유지하려는 성질로, 물체의 질량이 클수록 관성이 **❷** [　　　　].
- 정지 관성에 의한 현상: 버스가 갑자기 출발하면 승객이 뒤로 넘어진다.
- 운동 관성에 의한 현상: 버스가 갑자기 정지하면 승객이 앞으로 넘어진다.

답 ❶ 합력 ❷ 크다

핵심정리 06 뉴턴 운동 제2법칙

- 힘과 운동: 물체에 알짜힘이 작용하면 물체의 속도 변화, 즉 가속도가 생긴다.
- 힘과 가속도의 관계: 물체의 질량이 일정할 때 물체의 가속도는 물체에 작용한 알짜힘에 **❶** [　　　　]한다.
- 질량과 가속도의 관계: 물체에 작용하는 알짜힘이 일정할 때 물체의 가속도는 물체의 질량에 **❷** [　　　　]한다.
- 뉴턴 운동 제2법칙(가속도 법칙): 물체의 가속도 a는 물체에 작용하는 알짜힘 F에 비례하고, 물체의 질량 m에 반비례한다. ➡ $a = \dfrac{F}{m}$, $F = ma$

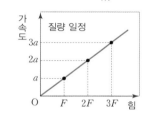
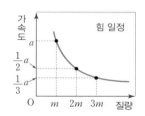

답 ❶ 비례 ❷ 반비례

핵심정리 07 뉴턴 운동 제3법칙

- 힘의 상호 작용: 두 물체 사이에 작용하는 힘으로 항상 쌍으로 존재한다.
- 뉴턴 운동 제3법칙(작용 반작용 법칙): 두 물체 사이의 상호 작용으로 물체 A가 물체 B에 힘을 작용하면, 물체 B도 물체 A에 **❶** [　　　　] 크기의 힘을 **❷** [　　　　] 방향으로 작용한다.
- 힘의 평형과 작용 반작용

구분	힘의 평형	작용 반작용
공통점	두 힘의 크기가 같고 방향이 반대이다.	
다른점	두 힘이 한 물체에 작용한다. ➡ 작용점이 같으므로 두 힘은 합성할 수 있다. 이때 합력은 0이다.	두 힘이 서로 다른 두 물체에 작용한다. ➡ 작용점이 다르므로 두 힘은 합성할 수 없다.

답 ❶ 같은 ❷ 반대

핵심정리 08 운동 법칙 적용하기

- 운동 법칙 적용하기: 연결되어 있는 두 물체는 함께 운동하므로 **❶** [　　　　]로 생각하여 운동 방정식을 적용한다.

두 물체에 힘이 작용할 때

$F \rightarrow$ A(m_A) B(m_B) A와 B가 함께 운동한다.	두 물체에 작용하는 합력이 F이고 힘이 작용하는 질량이 $M = m_A + m_B$일 때 가속도는 $a = \dfrac{F}{M}$이다.

도르래로 연결되어 서로 힘을 작용할 때

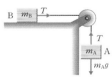 A와 B가 실로 연결되어 함께 운동한다.	A와 B 사이에 주고받는 힘인 장력(T)은 상쇄되므로 두 물체에 작용하는 합력이 $m_A g$이고 힘이 작용하는 질량이 $M = m_A + m_B$일 때 가속도는 $a = \dfrac{m_A}{M}g$이다.

답 ❶ 한 덩어리

예제 그림과 같이 마찰이 없는 수평면에 정지해 있는 질량이 2 kg인 물체에 왼쪽으로 6 N, 오른쪽으로 10 N의 힘이 수평면과 나란하게 작용하였다.

이 물체의 운동에 대한 설명으로 옳은 것만을 〈보기〉에서 있는 대로 고르시오.

> ● 보기 ●
> ㄱ. 물체에 작용하는 두 힘은 힘의 평형을 이룬다.
> ㄴ. 물체에 작용하는 알짜힘의 크기는 16 N이다.
> ✓ㄷ. 물체의 가속도는 오른쪽으로 2 m/s²이다.

★기억해요!

물체의 가속도는 물체에 작용하는 알짜힘에 [ ]하고, 물체의 질량에 [ ]한다.

답 비례, 반비례

예제 그림 (가)는 정지해 있던 버스가 갑자기 출발하는 모습을, (나)는 달리던 버스가 갑자기 정지하는 모습을 나타낸 것이다.

(가)   (나)

이에 대한 설명으로 옳은 것만을 〈보기〉에서 있는 대로 고르시오.

> ● 보기 ●
> ✓ㄱ. (가)에서 승객은 뒤로 쏠린다.
> ✓ㄴ. (나)에서 승객은 계속 운동하려는 관성을 가진다.
> ㄷ. (가)와 (나)에서 관성이 작용하는 방향은 같다.

★기억해요!

그림 (가)에서는 관성이 [ ]으로 작용하고, (나)에서는 관성이 [ ]으로 작용한다.

답 뒤쪽, 앞쪽

예제 그림은 마찰이 없는 수평면 위에 질량이 각각 1 kg, 2 kg인 물체 A, B를 붙여 놓고, A의 왼쪽에서 수평 방향으로 크기가 6 N인 힘을 작용하는 것을 나타낸 것이다. 이에 대한 설명으로 옳지 <u>않은</u> 것은?

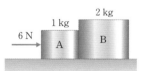

① A의 가속도의 크기는 2 m/s²이다.
② B의 가속도의 크기는 2 m/s²이다.
③ A에 작용하는 알짜힘의 크기는 2 N이다.
✓④ B에 작용하는 알짜힘의 크기는 2 N이다.
⑤ A가 B를 미는 힘의 크기는 B가 A를 미는 힘의 크기와 같다.

★기억해요!

연결된 두 물체는 [ ]처럼 운동하므로 두 물체의 가속도는 [ ].

답 한 덩어리, 같다

예제 작용 반작용 관계에 있는 두 힘에 대한 설명으로 옳은 것은?

① 두 힘은 합력은 0이다.
② 두 힘의 작용점은 같은 물체에 있다.
③ 작용 반작용은 한 물체에 두 힘이 작용할 때 발생한다.
④ 두 힘의 크기가 항상 같은 것은 아니다.
✓⑤ 두 힘은 동일한 작용선상에서 서로 반대 방향으로 작용한다.

★기억해요!

작용 반작용 관계에 있는 두 힘은 [ ] 물체에 작용하고, 평형을 이루는 두 힘은 [ ] 물체에 작용한다.

답 다른, 같은

핵심정리 09 운동량과 충격량

○ 운동량

- **운동량**: 운동하는 물체의 운동 정도를 나타내며, 크기와 방향을 가진다.
- **운동량의 크기**: 물체의 질량과 속도의 곱으로 구한다.
  ➡ 운동량＝질량×속도, $p = mv$
- **운동량의 방향**: 속도의 방향과 같다.

○ 충격량

- **충격량**: 물체가 받은 충격의 정도를 나타내며, 크기와 방향을 가진다.
- **충격량의 크기**: 물체에 작용한 힘과 힘을 작용한 시간의 곱으로 구한다. ➡ 충격량＝힘×시간, $I = F \varDelta t$
- **충격량의 방향**: ❶ [　　　]의 방향과 같다.

○ 운동량과 충격량의 관계

- **운동량과 충격량의 관계**: 물체가 받은 충격량은 물체의 ❷ [　　　]의 변화량과 같다. ➡ $I = F \varDelta t = mv - mv_0$

답 ❶ 힘 ❷ 운동량

핵심정리 10 충격력과 충돌 시간의 관계

- **힘(충격력)−시간 그래프의 해석**: 그래프 아래의 넓이는 물체가 받은 ❶ [　　　]을 나타낸다.

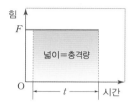 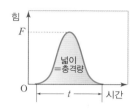

- **충돌할 때 받는 힘과 충돌 시간의 관계**: 충격량이 같을 때 충돌 시간이 ❷ [　　　] 물체가 받는 충격력은 작아진다.

- **충돌 시간을 길게 하여 물체가 받는 힘을 줄이는 경우 (단, 충격량은 일정)**: 자동차가 충돌했을 때 에어백이 작동한다. 포수가 공을 받을 때 손을 뒤로 빼면서 받는다. 등

- **충돌 시간을 길게 하여 충격량을 크게 하는 경우(단, 충격력은 일정)**: 대포의 포신이 길수록 포탄이 더 멀리 날아간다. 야구 방망이를 끝까지 휘두르면 공이 더 멀리 날아간다. 등

답 ❶ 충격량 ❷ 길수록

핵심정리 11 운동량 보존 법칙

○ 운동량 보존 법칙

- **운동량 보존 법칙**: 외력이 작용하지 않으면 물체들 사이에 상호 작용(충돌, 분열, 융합) 전후 ❶ [　　　]의 총합은 보존된다.

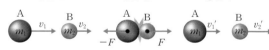

➡ $m_1 v_1 + m_2 v_2 = m_1 v_1' + m_2 v_2'$

- 두 물체가 충돌할 때 두 물체가 주고받는 힘은 작용 반작용 관계이다. ➡ 두 힘의 크기는 ❷ [　　　], 방향은 반대이다.

- 충돌 과정에서 두 물체가 받은 충격량의 크기는 같고, 방향은 반대이다.

답 ❶ 운동량 ❷ 같고

핵심정리 12 역학적 에너지

- **일**: 물체에 힘을 작용하여 물체가 힘의 방향으로 이동했을 때 힘이 일을 했다고 한다.
  ➡ 일＝힘×힘의 방향으로 이동한 거리, $W = Fs$

- **에너지**: ❶ [　　　]을 할 수 있는 능력

- **운동 에너지**: 운동하는 물체가 가진 에너지로, 운동하는 물체가 정지할 때까지 일을 할 수 있는 능력이다.
  ➡ 운동 에너지＝$\frac{1}{2}$×질량×속도^2, $E_k = \frac{1}{2} mv^2$

- **일·운동 에너지 정리**: 물체에 작용한 알짜힘이 한 일은 물체의 운동 에너지 ❷ [　　　]과 같다.

- **중력 퍼텐셜 에너지**: 질량이 m인 물체가 기준점으로부터 높이 h인 곳에 있을 때 가지는 중력 퍼텐셜 에너지는 $E_p = mgh$(g: 중력 가속도)이다.

- **탄성 퍼텐셜 에너지**: 탄성을 가진 물체를 변형시켰을 때 가지는 에너지로, 용수철 상수가 k인 용수철이 x만큼 변형되었을 때 탄성 퍼텐셜 에너지는 $E_p = \frac{1}{2} kx^2$이다.

답 ❶ 일 ❷ 변화량

[예제] 충격력을 감소시키기 위해 충돌 시간을 증가시킨 예로 적절하지 <u>않은</u> 것은?

① 자동차가 충돌할 때 에어백이 작동한다.

② 높은 곳에서 뛰어내릴 때 무릎을 구부린다.

③ 야구공을 받을 때 손을 뒤로 빼면서 받는다.

④ 달걀이 스펀지 위에 떨어지면 깨지지 않는다.

✓⑤ 테니스를 칠 때 테니스 채를 끝까지 길게 휘두른다.

★기억해요! ----

충격량은 충격력과 충돌 □□□ 의 곱으로 구하고, 충격량이 같을 때 충돌 시간이 길면 충격력이 □□□ 진다.

답 시간, 작아

[예제] 그림은 마찰이 없는 수평면에 놓인 정지해 있는 물체에 일정한 힘이 작용했을 때, 물체의 운동량을 시간에 따라 나타낸 것이다.

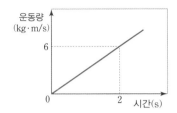

0~2초 동안 물체가 받은 충격량의 크기는?

① 1 N·s ② 2 N·s

③ 3 N·s ✓④ 6 N·s

⑤ 12 N·s

★기억해요! ----

운동량의 변화량은 나중 운동량에서 □□□ 운동량을 뺀 값으로, 운동량의 변화량은 □□□ 과 같다.

답 처음, 충격량

[예제] 그림은 마찰이 없는 수평면 위에 정지해 있는 질량이 1 kg인 물체에 수평 방향으로 작용한 힘을 이동 거리에 따라 나타낸 것이다. 이에 대한 설명으로 옳지 <u>않은</u> 것은?

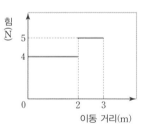

① 0~2 m 구간에서 힘이 한 일은 8 J이다.

② 2 m 지점에서 물체의 운동 에너지는 8 J이다.

③ 2 m 지점에서 물체의 속력은 4 m/s이다.

④ 2~3 m 구간에서 힘이 한 일은 5 J이다.

✓⑤ 3 m 지점에서 물체의 운동 에너지는 5 J이다.

★기억해요! ----

물체에 한 일은 물체에 작용한 □□□ 과 □□□ 의 방향으로 이동한 거리의 곱으로 구한다.

답 힘, 힘

[예제] 그림과 같이 마찰이 없는 수평면에서 물체 A가 일정한 속도로 운동하다가 정지해 있는 물체 B에 충돌한 후 한 덩어리가 되어 운동하였다.

정지

이에 대한 설명으로 옳은 것만을 〈보기〉에서 있는 대로 고르시오.

● 보기 ●
✓ㄱ. 충돌 전 A의 운동량은 충돌 후 함께 운동하는 A, B의 운동량의 합과 같다.

✓ㄴ. 충돌 과정에서 A와 B가 받은 충격력의 크기는 서로 같다.

ㄷ. 충돌 과정에서 A가 받은 충격량의 크기는 B가 받은 충격량의 크기보다 크다.

★기억해요! ----

물체가 충돌할 때 두 물체가 주고받는 힘은 □□□ 관계이므로 두 힘의 크기는 □□□ .

답 작용 반작용, 같다

핵심정리 13 역학적 에너지 보존

- 역학적 에너지: ❶ [   ] 에너지와 퍼텐셜 에너지의 합

- 역학적 에너지 보존 법칙: 마찰이나 공기 저항이 없으면 물체의 역학적 에너지는 항상 일정하게 보존된다.

- 중력에 의한 역학적 에너지 보존: 중력이 작용하여 운동하는 물체의 각 지점에서의 운동 에너지와 중력 퍼텐셜 에너지의 ❷ [   ] 은 항상 같다.

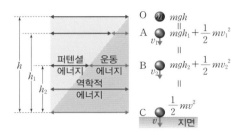

- 역학적 에너지가 보존되지 않는 경우: 물체가 운동할 때 마찰이나 공기 저항과 같이 운동을 방해하는 힘을 받으면 역학적 에너지는 보존되지 않는다.

답 ❶ 운동 ❷ 합

핵심정리 14 열역학 법칙과 열기관

○ 열역학 제1법칙

- 열역학 제1법칙: 기체에 가해 준 열에너지 Q는 내부 에너지 변화량($\varDelta U$)과 외부에 한 일(W)의 합과 같다.
  ➡ $Q = \varDelta U + W$

- 열역학 제1법칙은 열이 일과 내부 에너지로 전환되어 그 양이 보존된다는 것으로, 에너지가 전환되어도 총량은 변하지 않는다는 에너지 보존 법칙이다.

○ 열역학 제2법칙

- 열역학 제2법칙: 자발적으로 일어나는 비가역 현상에는 ❶ [   ] 이 있음을 나타낸 법칙이다.

- 일은 전부 열로 바꿀 수 있지만 열은 전부 일로 바꿀 수 없다.

- 열효율이 100 %인 열기관은 존재하지 않는다.

○ 열기관

- 열기관의 열효율: 열기관에 공급된 열에너지 중 일로 전환된 비율로, Q_1의 열을 공급 받아 W의 일을 하고 Q_2의 열을 방출할 때 열효율은 $e = \dfrac{W}{Q_1} = \dfrac{Q_1 - Q_2}{Q_1}$이다.

답 ❶ 방향성

핵심정리 15 특수 상대성 이론

○ 특수 상대성 이론의 두 가지 가정

- 상대성 원리: 모든 관성 좌표계에서 물리 법칙은 동일하게 성립한다.

- 광속 불변의 원리: 모든 관성 좌표계에서 보았을 때, 진공 중에서 진행하는 ❶ [   ] 의 속도는 관찰자나 광원의 속도에 관계없이 일정하다.

○ 특수 상대성 이론에 의한 현상

- 시간 지연: 정지한 관찰자가 운동하는 관찰자를 보면 상대방의 시간이 ❷ [   ] 가는 현상

- 길이 수축: 매우 빠르게 움직이는 물체에서 시간 지연과 함께 길이가 수축되는 현상

○ 특수 상대성 이론의 증거–뮤온

- 지표면에 정지한 관찰자는 뮤온의 수명이 늘어나서, 뮤온과 함께 움직이는 좌표계에서는 지표면까지의 거리가 줄어들어서 뮤온이 지표면에 도달한다고 해석한다.

답 ❶ 빛 ❷ 느리게

핵심정리 16 질량·에너지 등가성과 핵반응

○ 질량·에너지 등가성

- 상대론적 질량: 질량은 변하지 않는 고유의 양이 아니라 속력이 증가함에 따라 증가하는 상대적인 물리량이다.

- 질량·에너지 등가성: 질량과 ❶ [   ] 는 서로 전환될 수 있다. ➡ 질량 m에 해당하는 에너지는 $E = mc^2$(c: 진공 중에서 빛의 속도)이다.

○ 핵반응

- 핵분열: 무거운 원자핵이 원래 원자핵보다 가벼운 두 개 이상의 원자핵으로 분열하는 반응

- 핵융합: 두 개 이상의 원자핵이 결합하여 무거운 원자핵이 되는 반응

- 질량 결손과 에너지: 핵반응 후 질량의 총합이 핵반응 전보다 줄어드는 질량 결손이 발생한다. 이때 질량·에너지 등가성에 따라 ❷ [   ] 에 해당하는 만큼의 에너지가 생성된다. ➡ $E = \varDelta mc^2$ ($\varDelta m$: 질량 결손)

답 ❶ 에너지 ❷ 질량 결손

[예제] 열역학 제2법칙에 대한 설명으로 옳은 것은?

① 역학적 일은 전부 열로 바꿀 수 없지만, 열은 전부 일로 바꿀 수 있다.

② 열역학 제2법칙은 자발적인 가역 과정에 방향성이 있다는 것을 나타내는 법칙이다.

③ 자연 현상은 대부분 가역 과정이며, 무질서도가 감소하는 방향으로 일어난다.

✓④ 열기관이 일을 하는 과정에서 열은 온도가 낮은 쪽으로 이동하기 때문에 열효율이 100 %인 열기관은 존재할 수 없다.

⑤ 열은 스스로 온도가 낮은 물체에서 온도가 높은 물체로 흐른다.

★기억해요!

자연 현상은 대부분 [　　　] 과정이며, 무질서도가 [　　　] 하는 방향으로 일어난다.

답 비가역, 증가

[예제] 그림은 영희가 그네를 타고 점 a, b, c 사이를 왕복하는 모습을 나타낸 것이다.
이에 대한 설명으로 옳은 것만을 〈보기〉에서 있는 대로 고르시오. (단, 모든 마찰과 공기 저항은 무시한다.)

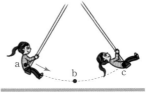

━━━━━━▶ 보기 ◀

✓ㄱ. a에서 b로 이동하는 동안 영희의 중력 퍼텐셜 에너지는 감소한다.

ㄴ. b에서 c로 이동하는 동안 영희의 운동 에너지는 증가한다.

✓ㄷ. a, b, c에서 영희의 역학적 에너지는 같다.

★기억해요!

마찰이나 공기 저항을 무시하면 물체의 역학적 에너지는 [　　　] 된다. 따라서 높이가 변함에 따라 중력 퍼텐셜 에너지와 운동 에너지가 서로 [　　　] 된다.

답 보존, 전환

[예제] 다음은 우라늄이 중성자를 흡수하여 바륨과 크립톤으로 분열하는 핵반응을 나타낸 것이다.

$$^{235}_{92}\text{U} + ^{1}_{0}\text{n} \longrightarrow ^{141}_{56}\text{Ba} + ^{92}_{36}\text{Kr} + 3^{1}_{0}\text{n} + \text{에너지}$$

이에 대한 설명으로 옳지 않은 것은?

① 총 양성자수는 보존된다.

② 총 질량수는 보존된다.

✓③ 총 질량의 합은 보존된다.

④ 총 중성자수는 보존된다.

⑤ 많은 에너지가 발생한다.

★기억해요!

핵반응 전후 양성자수, 중성자수, 전하량은 [　　　], 질량은 [　　　].

답 보존되며, 보존되지 않는다

[예제] 그림은 매우 빠른 속력으로 운동하는 우주선을 탄 철수와 우주선 밖에 정지한 상태로 있는 영희를 나타낸 것이다.
이에 대한 설명으로 옳은 것만을 〈보기〉에서 있는 대로 고르시오.

━━━━━━▶ 보기 ◀

✓ㄱ. 영희가 측정한 A, B 사이의 거리는 고유 거리이다.

ㄴ. 철수가 측정한 A와 B 사이의 거리는 우주선의 속력에 관계없이 항상 일정하다.

✓ㄷ. 철수가 측정한 A와 B 사이의 거리는 영희가 측정한 A와 B 사이의 거리보다 짧다.

★기억해요!

고유 길이는 물체가 [　　　] 상태에서 동시에 물체의 앞과 뒤를 측정한 거리로, 운동하는 관찰자가 운동 방향과 나란한 방향의 거리를 측정하면 고유 길이보다 [　　　] 측정된다.

답 정지한, 짧게

자르는 선 ✂

중간·기말 대비, 7일이면 충분해!

7일 끝 시리즈

초단기 시험 대비

시험에 꼭 나오는 핵심만 콕콕!
학습량은 줄이고 효율은 높여
7일 안에 중간·기말고사 최적 대비!

중하위권 기초 다지기

시험이 두려운 중하위권들을 위해
쉽지만 꼭 풀어 봐야 할 문제들만 모아
기초를 확실하게 다져 주는 교재!

다양한 기출·예상 문제

학교 내신 빈출 문제는 물론,
창의·융합형, 서술형, 신유형 등
다양한 문제 수록으로 철저한 시험 대비!

내신 대비, 늦었다고 생각할 때가 제일 빠르다!

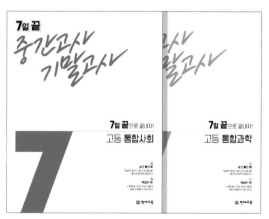

국어: 고1~3 / 저자별 총 6권(국어(상), 국어(하), 문학, 독서, 화법과 작문, 언어와 매체)

수학: 고1~2 / 총 4권(수학(상), 수학(하), 수학Ⅰ, 수학Ⅱ)

영어: 어법·구문 / 총 2권(내신 기반 다지기)

사회: 고1~3 / 총 5권(한국사, 통합사회, 사회·문화, 한국 지리, 생활과 윤리)

※한국사: 고1~2/2022년부터 고3 동일 적용

과학: 고1~3 / 총 5권(통합과학, 물리학Ⅰ, 화학Ⅰ, 생명과학Ⅰ, 지구과학Ⅰ)

book.chunjae.co.kr

교재 내용 문의 ··················	교재 홈페이지 ▶ 고등 ▶ 교재상담
교재 내용 외 문의 ··················	교재 홈페이지 ▶ 고객센터 ▶ 1:1문의
발간 후 발견되는 오류 ··············	교재 홈페이지 ▶ 고등 ▶ 학습지원 ▶ 학습자료실

7일 끝

중간고사 기말고사

7일 끝으로 끝내자!

고등 물리학 I

BOOK 2

천재교육

언제나 만점이고 싶은 친구들 ——————

Welcome!

숨 돌릴 틈 없이 찾아오는 시험과 평가.
성적과 입시 그리고 미래에 대한 걱정.
중·고등학교에서 보내는 6년이란 시간은
때때로 힘들고, 버겁게 느껴지곤 해요.

그런데 여러분, 그거 아세요?
지금 이 시기가 노력의 대가를
가장 잘 확인할 수 있는 시간이라는 걸요.

안 돼, 못하겠어, 해도 안 될 텐데~
어렵게 생각하지 말아요. 천재교육이 있잖아요.
첫 시작의 두려움을 첫 마무리의 뿌듯함으로 바꿔줄게요.

펜을 쥐고 이 책을 펼친 순간
여러분 앞에 무한한 가능성의 길이 열렸어요.

우리와 함께 꽃길을 향해 걸어가 볼까요?

#시험대비
#핵심정복

**7일 끝
중간고사
기말고사**

Chunjae
Makes
Chunjae

개발총괄	김은숙
편집개발	김은송, 김용하, 박준우, 박유미
제작	황성진, 조규영

발행일	2021년 3월 15일 초판 2021년 3월 15일 1쇄
발행인	(주)천재교육
주소	서울시 금천구 가산로9길 54
신고번호	제2001-000018호
고객센터	1577-0902
교재 내용문의	(02)3282-8739

※ 정답 분실 시에는 천재교육 홈페이지에서 내려받으세요.

7일 끝으로 끝내자!

7

고등 물리학 I

BOOK 2

2학기 중간·기말 대비

이 책의 구성과 활용

생각 열기

공부할 내용을 그림과 퀴즈로 가볍게 살펴보며 학습을 준비해 보세요.

❶ 공부할 내용 미리보기 | 학습할 개념을 그림과 만화로 재미있게 알아보세요.

❷ Quiz | 공부할 내용을 그림과 관련된 퀴즈 문제로 확인해 보세요.

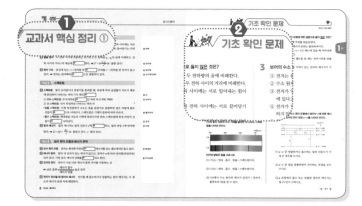

교과서 핵심 정리 + 기초 확인 문제

꼭 알아야 할 교과서 핵심 내용을 익히고 기초 확인 문제를 풀며 제대로 이해했는지 확인해 보세요.

❶ 교과서 핵심 정리 | 빈칸을 채워 보며 교과서 핵심 개념을 다시한번 체크해 보세요.

❷ 기초 확인 문제 | 교과서 핵심 정리와 관련된 문제를 풀며 공부한 내용을 확인해 보세요.

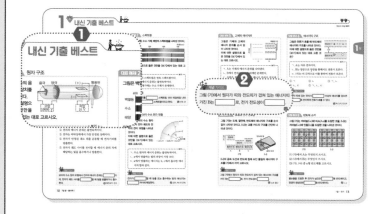

내신 기출 베스트

다양한 유형의 문제를 풀어 보며 공부한 내용을 점검해 보세요.

❶ 대표 예제 | 시험에 자주 나오는 빈출 유형 필수 문제를 풀어 보세요.

❷ 개념 가이드 | 대표 예제와 관련된 핵심 개념을 익혀 보세요.

시험 공부 마무리 테스트

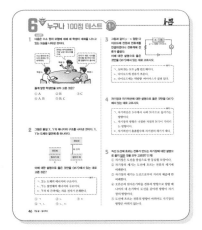

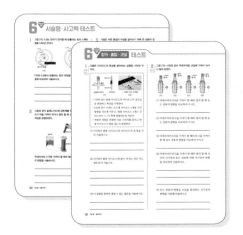

누구나 100점 테스트

5일 동안 공부한 내용을 바탕으로 기초 이해력을 점검해 보세요.

서술형·사고력 테스트
창의·융합·코딩 테스트

서술형·사고력 문제와 창의·융합·코딩 문제를 풀어 보면서 창의력과 문제 해결력을 높여 보세요.

학교시험 기본 테스트

중간·기말고사 예상 문제를 최종으로 풀며 실전에 대비해 보세요.

시험 직전까지 챙겨야 할 부록

♦ 핵심 정리 총집합 카드

시험 직전이나 틈틈이 암기 카드를 휴대하여 활용해 보세요.

♦ 정답과 해설

오답 풀이 및 선택지 바로 보기와 같은 자세한 해설을 보면서 실력을 높여 보세요.

이 책의 차례

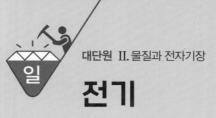

일

대단원 Ⅱ. 물질과 전자기장

전기

공부할 핵심 개념이 무엇인지 퀴즈를 통해 알아보자.

Quiz 보어는 원자핵 주위의 ㅌ ㅈ ㅎ 에너지를 갖는 궤도에서만 전자가 도는 모형을 제안했다.

답 특정한

배울 내용

① 원자 구조
② 스펙트럼
③ 보어 원자 모형과 에너지 준위
④ 고체의 에너지띠와 전기 전도성
⑤ 반도체 소자

Quiz 반도체는 띠 간격이 좁아 전기 전도성이 도체와 절연체의 ㅈㄱ 정도인 물질이다.

절연체는 띠 간격이 매우 넓어서 전자가 전도띠로 이동하는 것이 매우 어려워.

도체는 전도띠가 원자가 띠에 겹쳐 있지.

반도체는 띠 간격이 도체와 절연체의 중간 정도야.

답 중간

Quiz 불순물 반도체는 ㄷㅍ하는 불순물에 따라 p형 반도체나 n형 반도체로 나뉜다.

반도체를 이용한 발광 다이오드는 신호등, 전등, 전광판 등 일상생활에 많이 쓰이고 있지.

반도체 소자는 디지털카메라, CCTV 등 다양한 곳에 쓰이고 있어.

답 도핑

1일 교과서 핵심 정리 ①

개념 1 원자 구조

1 전기력 전하를 띤 물체 사이에서 작용하는 힘으로, 같은 종류의 전하 사이에는 서로 밀어내는 **❶** 이 작용하고, 다른 종류의 전하 사이에는 서로 끌어당기는 인력이 작용한다.

2 쿨롱 법칙 두 전하 사이에 작용하는 전기력 F는 전하량 q_1, q_2의 곱에 비례하고, 전하 사이의 거리 r의 제곱에 **❷** 한다. ➡ $F=k\dfrac{q_1q_2}{r^2}$ (k: 쿨롱 상수)

3 원자 구조 중심에 있는 (+)전하를 띤 **❸** 주위를 (−)전하를 띤 전자가 돌고 있다. ➡ 전자는 원자핵과 **❹** 으로 결합되어 있다.

❶ 척력

❷ 반비례

❸ 원자핵
❹ 전기력(인력)

개념 2 스펙트럼

1 스펙트럼 빛이 프리즘이나 분광기를 통과할 때, 파장에 따라 굴절률이 다르기 때문에 분산되어 나타나는 여러 가지 색의 **❺**

① 연속 스펙트럼: 무지개처럼 **❻** 인 색의 띠 ⓔ 햇빛, 백열등

② 선 스펙트럼: 선이 띄엄띄엄 나타나는 색의 띠

• 방출 스펙트럼: 기체 방전관에서 나오는 빛을 분광기로 관찰하면 검은 바탕에 밝은 선들이 **❼** 으로 나타난다. 스펙트럼은 기체의 종류에 따라 다르다.

• 흡수 스펙트럼: 백색광을 저온의 기체에 통과시키면 연속 스펙트럼에 특정 파장의 선들이 **❽** 나타난다.

2 빛의 에너지 빛의 에너지는 빛의 진동수 f에 **❾** 하고, 빛의 파장 λ에 반비례한다. ➡ $E=hf=\dfrac{hc}{\lambda}$ (h: 플랑크 상수, c: 빛의 속도)

❺ 띠
❻ 연속적

❼ 불연속적

❽ 검게
❾ 비례

개념 3 보어 원자 모형과 에너지 준위

1 보어 원자 모형 전자는 원자핵 주위의 **❿** 에너지를 갖는 궤도에서만 돌고 있다.

2 에너지 준위 원자 내 전자가 갖는 에너지 값으로, 양자수 n에 따라 양자화(띄엄띄엄)되어 있다. 가장 낮은 에너지 상태를 **⓫** 라고 한다.

3 전자의 전이 전자가 서로 다른 에너지 준위 사이를 이동하는 것

➡ 낮은 준위 $\xrightarrow[\text{에너지 방출}]{\text{에너지 흡수}}$ 높은 준위

4 전자가 전이할 때 광자의 에너지 전이할 때 흡수하거나 방출하는 빛의 에너지는 두 궤도의 에너지 준위 차에 해당한다.

❿ 특정한

⓫ 바닥상태

1 전기력에 대한 설명으로 옳지 <u>않은</u> 것은?

① 전기력의 크기는 두 전하량의 곱에 비례한다.

② 전기력의 크기는 두 전하 사이의 거리에 비례한다.

③ 같은 종류의 전하 사이에는 서로 밀어내는 힘이 작용한다.

④ 서로 다른 종류의 전하 사이에는 서로 끌어당기는 힘이 작용한다.

⑤ 원자핵과 전자 사이에는 전기력이 작용하여 전자가 원자핵에 속박되어 있다.

2 그림 (가)는 백열등에서 나오는 빛의 스펙트럼을, (나)는 (가)의 빛이 저온의 수소 기체를 통과한 뒤 나오는 스펙트럼을 나타낸 것이다.

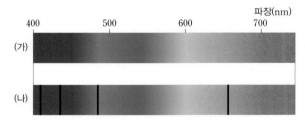

빈칸에 알맞은 말을 고르시오.

(1) (가)는 (연속 , 흡수 , 방출) 스펙트럼이다.

(2) (나)는 (연속 , 흡수 , 방출) 스펙트럼이다.

(3) (나)에서 수소 원자의 에너지 준위가 (연속적 , 불연속적)임을 알 수 있다.

3 보어의 수소 원자 모형에 대한 설명으로 옳지 <u>않은</u> 것은?

① 전자는 원자핵 주위를 원운동한다.

② 수소 원자의 에너지 준위는 불연속적이다.

③ 전자가 양자수 $n=1$인 궤도에 있을 때 바닥상태에 있다고 한다.

④ 전자가 안정된 궤도를 돌 때는 전자기파를 방출하지 않는다.

⑤ 원자핵에 가장 가까이 있는 전자의 에너지가 가장 높다.

4 그림은 보어의 수소 원자 모형에서 양자수 n에 따른 에너지 준위와 전자의 전이 과정 a~e를 나타낸 것이다.

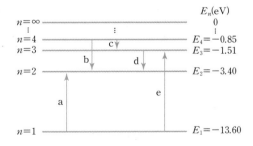

(1) a~e 중 방출하거나 흡수하는 빛의 진동수가 가장 큰 경우를 쓰시오.

(2) a~e 중 빛을 방출하면서 전이하는 과정을 모두 쓰시오.

(3) a 과정에서 흡수 또는 방출한 광자의 에너지는 몇 eV인지 구하시오.

개념 4   고체의 에너지띠와 전기 전도성

1 고체의 에너지띠 고체의 경우 에너지 준위들이 모여 연속적인 띠와 같은 모양을 가지게 되는데, 이를 **❶ [   ]** 라고 한다. – 고체는 수많은 원자가 매우 가까이 있어 인접한 원자들끼리 전자의 궤도에 영향을 준다.

2 에너지띠 구조 전자가 존재할 수 있는 영역을 **❷ [   ]** 라고 하고, 여기에는 원자가 띠와 전도띠가 있다. 띠 간격에는 전자가 존재할 수 **❸ [   ]**.

3 에너지띠와 전기 전도성 **❹ [   ]** 에 전자가 많거나 원자가 띠에 양공이 많을수록 전기 전도성이 좋다.

① 자유 전자: 원자가 띠에서 에너지를 받아 전도띠로 전이한 전자

② 양공: 원자가 띠의 전자가 전도띠로 전이해 생긴 빈자리로, **❺ [   ]** 전하를 띠는 것과 같은 효과를 갖는다.

4 고체의 전기 전도성

도체	원자가 띠와 전도띠가 일부 겹쳐 있다. ➡ 전기 전도성이 좋아서 전류가 잘 흐른다. 예 금, 은, 구리, 알루미늄 등
절연체 (부도체)	원자가 띠와 전도띠 사이의 띠 간격이 매우 넓다. ➡ 전기 전도성이 매우 나빠 전류가 잘 흐르지 않는다. 예 나무, 고무, 유리 등
반도체	원자가 띠와 전도띠 사이의 띠 간격이 좁고, 전기 전도성이 도체와 절연체의 중간이다. 예 규소(Si), 저마늄(Ge) 등 – 경우에 따라 전류가 흐를 수 있다.

에너지

전도띠 — 전자가 채워져 있지 않다.
띠 간격 전자 — 허용된 띠
원자가 띠 — 전자가 채워져 있다.

개념 5   반도체 소자

1 순수 반도체 원자가 전자가 **❻ [   ]** 개인 원소 예 규소(Si), 저마늄(Ge)

2 불순물 반도체 순수 반도체에 소량의 불순물을 **❼ [   ]** 한 반도체

n형 반도체	인(P), 비소(As)와 같이 원자가 전자가 5개인 불순물을 도핑한 반도체 ➡ **❽ [ ]** 가 주요 전하 운반체
p형 반도체	붕소(B), 알루미늄(Al)과 같이 원자가 전자가 3개인 불순물을 도핑한 반도체 ➡ **❾ [ ]** 이 주요 전하 운반체

3 p-n 접합 다이오드 p형 반도체와 n형 반도체를 붙여 양 끝에 전극을 붙인 것으로, **❿ [   ]** 바이어스가 걸렸을 때만 전류가 흐른다.

4 정류 회로 다이오드를 이용해 전류를 한 방향으로만 흐르게 하는 회로

5 발광 다이오드 순방향 바이어스가 걸렸을 때 빛을 방출하는 반도체

❶ 에너지띠

❷ 허용된 띠

❸ 없다

❹ 전도띠

❺ 양(+)

❻ 4

❼ 도핑

❽ 자유 전자

❾ 양공

❿ 순방향

5 다음은 고체의 에너지띠 구조에 대해 대화하는 학생들의 모습을 나타낸 것이다.

옳게 설명한 학생을 모두 고르시오.

6 그림 (가)~(다)는 도체, 절연체, 반도체의 에너지띠 구조를 순서 없이 나타낸 것이다.

이에 대한 설명으로 옳은 것은 ○, 옳지 않은 것은 ×표 하시오.

(1) A는 전자가 존재할 수 없는 띠 간격이다.
( )

(2) (가)는 띠 간격이 넓어 전류가 잘 흐르는 물질이다.
( )

(3) (나)는 전기 전도성이 좋아서 전류가 잘 흐르는 물질이다. ( )

(4) (다)는 반도체의 에너지띠 구조이다. ( )

7 다음은 반도체 소자에 대한 설명이다. 빈칸에 알맞은 말을 쓰시오.

(1) 불순물 반도체는 순수 반도체에 소량의 불순물을 ( )하여 전기 전도성을 바꾼 것이다.

(2) n형 반도체는 순수 반도체에 ( )가 5개인 불순물을 도핑하여 만든다.

(3) n형 반도체는 순수 반도체보다 ( )가 많아서 전기 전도성이 좋다.

(4) p형 반도체는 순수 반도체보다 ( )이 많아서 전기 전도성이 좋다.

8 다이오드에 대한 설명으로 옳은 것은 ○, 옳지 않은 것은 ×표 하시오.

(1) p-n 접합 다이오드는 역방향 바이어스가 걸렸을 때에만 전류가 흐른다. ( )

(2) 다이오드는 전류를 한 방향으로만 흐르게 한다. ( )

(3) 다이오드를 이용하여 교류를 직류로 바꾸는 회로를 정류 회로라고 한다. ( )

(4) 발광 다이오드는 순방향 바이어스가 걸렸을 때에만 빛을 방출한다. ( )

대표 예제 1 · 원자 구조

그림은 톰슨의 음극선 실험 장치를 나타낸 것이다. 이에 대한 설명으로 옳은 것만을 〈보기〉에서 있는 대로 고르시오.

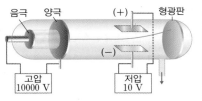

─── 보기 ───
ㄱ. 톰슨은 이 실험을 통하여 전자를 발견하였다.
ㄴ. 음극선은 (−)전하를 띠고 있다.
ㄷ. 톰슨은 전자가 원자의 중심에 있는 원자 구조를 제안하였다.

개념 가이드

톰슨은 [   ] 실험을 통하여 전자를 발견하였고, (+)전하를 띤 구에 [   ]가 고르게 박혀 있는 원자 구조를 제안하였다. **답** 음극선, 전자

대표 예제 2 · 스펙트럼

그림은 백열등, 수소 기체, 태양의 스펙트럼을 나타낸 것이다.

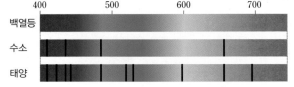

이에 대한 설명으로 옳은 것만을 〈보기〉에서 있는 대로 고르시오.

─── 보기 ───
ㄱ. 백열등의 스펙트럼은 연속 스펙트럼이다.
ㄴ. 수소의 에너지 준위는 불연속적이다.
ㄷ. 태양의 대기에는 수소 기체가 존재한다.

개념 가이드

연속적인 색의 띠를 [   ] 스펙트럼, 선이 띄엄띄엄 나타나는 색의 띠를 [   ] 스펙트럼이라고 한다. **답** 연속, 선

대표 예제 3 · 보어 원자 모형

보어의 원자 모형에 대한 설명으로 옳지 <u>않은</u> 것은?

① 원자핵과 전자 사이에는 전기력이 작용한다.
② 전자의 에너지 준위는 불연속적이다.
③ 전자는 바닥상태에서 가장 안정된 상태이다.
④ 전자가 안정된 궤도 위를 운동할 때 전자기파를 방출한다.
⑤ 전자가 궤도 사이를 전이할 때 에너지 준위 차에 해당하는 빛을 흡수하거나 방출한다.

개념 가이드

보어의 수소 원자 모형에서 전자의 에너지 준위는 [   ]이며, 전자가 궤도 사이를 [   ]할 때 빛을 방출하거나 흡수한다. **답** 불연속적, 전이

대표 예제 4 · 보어 수소 원자 모형

그림은 보어의 수소 원자 모형에서 전자 궤도와 전자의 전이 과정을 나타낸 것이다. 이에 대한 설명으로 옳은 것만을 〈보기〉에서 있는 대로 고르시오.

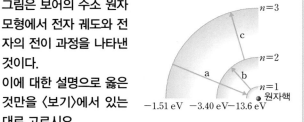

─── 보기 ───
ㄱ. 수소 원자의 에너지 준위는 불연속적이다.
ㄴ. a에서 방출하는 빛의 파장이 가장 크다.
ㄷ. a에서 방출하는 에너지는 b, c에서 흡수한 에너지의 합과 같다.

개념 가이드

전자가 [   ]할 때 방출 또는 흡수하는 빛의 에너지는 [   ] 차이에 해당한다. **답** 전이, 에너지 준위

대표 예제 5 고체의 에너지띠

그림은 기체와 고체의 에너지 준위를 순서 없이 나타낸 것이다.
이에 대한 설명으로 옳은 것만을 〈보기〉에서 있는 대로 고르시오.

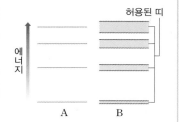

── 보기 ──

ㄱ. A는 기체의 에너지 준위를 나타낸다.

ㄴ. B에서 전자는 허용된 띠에만 존재한다.

ㄷ. 수많은 원자가 인접해서 에너지 준위가 겹치게 되면 B와 같이 띠를 이루게 된다.

개념 가이드

그림에서 A는 [＿＿＿＿＿]의 에너지 준위를 나타낸 것이고, B는 [＿＿＿＿＿]의 에너지 준위를 나타낸 것이다. **답** 기체, 고체

대표 예제 6 에너지띠 구조

그림은 전류가 흐를 때 반도체의 에너지띠 구조를 나타낸 것이다. 이에 대한 설명으로 옳은 것만을 〈보기〉에서 있는 대로 고른 것은?

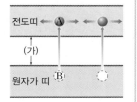

── 보기 ──

ㄱ. A는 자유 전자이다.

ㄴ. B는 양공으로 양공을 통해서도 전류가 흐른다.

ㄷ. (가)는 띠 간격으로 이를 통하여 전류가 흐른다.

① ㄱ   ② ㄴ   ③ ㄱ, ㄴ

④ ㄴ, ㄷ   ⑤ ㄱ, ㄴ, ㄷ

개념 가이드

원자가 띠에 있는 전자가 [＿＿＿＿＿] 이상의 에너지를 얻으면 [＿＿＿＿＿]로 전이하여 전류가 흐를 수 있다. **답** 띠 간격, 전도띠

대표 예제 7 고체의 전기 전도성

그림 (가)는 도체, 절연체, 반도체의 에너지띠 구조를 순서 없이 나타낸 것이고, (나)는 교통 카드의 구조를 간단히 나타낸 것이다.

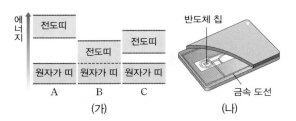

(나)의 금속 도선과 반도체 칩에 쓰인 물질의 에너지띠 구조를 (가)에서 각각 고르시오.

개념 가이드

그림 (가)에서 원자가 띠와 전도띠가 겹쳐 있는 에너지띠 구조를 가진 B는 [＿＿＿＿＿]로, 전기 전도성이 [＿＿＿＿＿]. **답** 도체, 좋다

대표 예제 8 반도체 소자

그림 (가)는 저마늄(Ge)에 비소(As)를 도핑한 것을, (나)는 저마늄(Ge)에 인듐(In)을 도핑한 것을 나타낸 것이다.

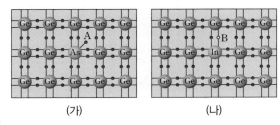

(1) (가)에서 A는 무엇인지 쓰시오.

(2) (나)에서 B는 무엇인지 쓰시오.

(3) (가), (나) 중 n형 반도체를 고르시오.

개념 가이드

불순물을 도핑한 후 전자가 남으면 [＿＿＿＿＿]형 반도체이고, 양공이 생성되면 [＿＿＿＿＿]형 반도체이다. **답** n, p

2일 자기

Quiz 도선에 전류가 흐르면 도선 주위에 자기장이 생기는데, 이때 자기장의 세기는 도선에 흐르는 ㅈ ㄹ ㅇ ㅅ ㄱ 에 비례한다.

📋 전류의 세기

Quiz 자성체는 외부 자기장에 대한 반응에 따라 ㄱ ㅈ ㅅ ㅊ , 상자성체, 반자성체로 나눈다.

액체 자석은 강자성체 가루를 액체에 넣은 것으로 자기장에 따라 기하학적 모양을 만들어.

액체 자석

초전도체

초전도체는 외부 자기장과 반대로 자기장을 형성하여 자석을 밀어내는 반발력이 생겨 떠 있어.

강자성체는 외부 자기장과 같은 방향으로 자기장을 형성하며, 외부 자기장이 없어져도 자화된 상태를 유지해.

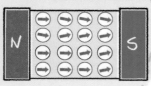

반자성체는 외부 자기장과 반대 방향으로 자기장을 형성하며, 외부 자기장이 없어지면 즉시 자화된 상태가 사라져.

답 강자성체

Quiz 자석과 코일의 상대적 운동으로 코일 내부의 자기 선속이 변하면 코일에 ㅇ ㄷ ㅈ ㄹ 가 흐른다.

바람이 풍력 발전기의 날개를 돌리면 날개와 연결된 축이 회전하면서 발전을 하게 되는 거야.

좌석 뒤에 붙어 있는 자석이 금속판을 지날 때 유도 전류에 의한 자기력이 작용하여 자이로드롭의 속력이 감소하게 돼.

으아악

답 유도 전류

2일 교과서 핵심 정리 ①

개념 1 전류에 의한 자기장

1 자기장 자기력이 미치는 공간으로, 자석 주변이나 전류가 흐르는 **❶**〔　〕주위에 생긴다.

❶ 도선

2 전류에 의한 자기장 ― 자기력선으로 자기장의 모습을 선으로 나타낸다.

직선 전류에 의한 자기장	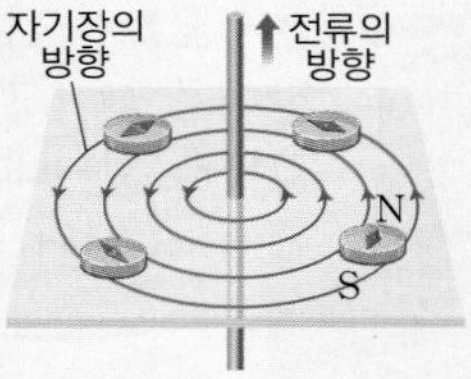	• 도선을 중심으로 하는 **❷**〔　〕모양이다. • 자기장의 세기: 도선에 흐르는 전류의 세기에 비례하고, 도선으로부터의 수직 거리에 **❸**〔　〕한다. • 자기장의 방향: 오른손의 엄지손가락이 **❹**〔　〕의 방향을 향할 때, 나머지 네 손가락이 도선을 감아쥐는 방향이다.
원형 전류에 의한 자기장	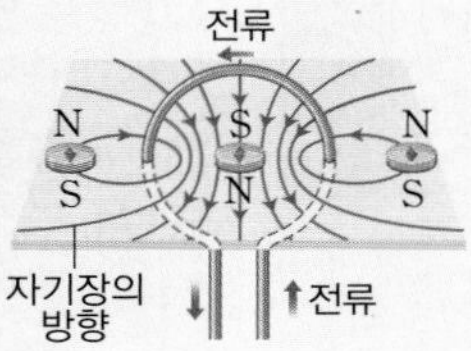	• 원형 도선 중심에서는 **❺**〔　〕모양이고, 도선에 가까울수록 원 모양이다. • 중심에서 자기장의 세기: 도선에 흐르는 전류의 세기에 비례하고, 원형 도선의 반지름에 **❻**〔　〕한다. • 자기장의 방향: 오른손의 엄지손가락이 전류의 방향을 향할 때, 나머지 **❼**〔　〕이 도선을 감아쥐는 방향이다.
솔레노이드에 의한 자기장	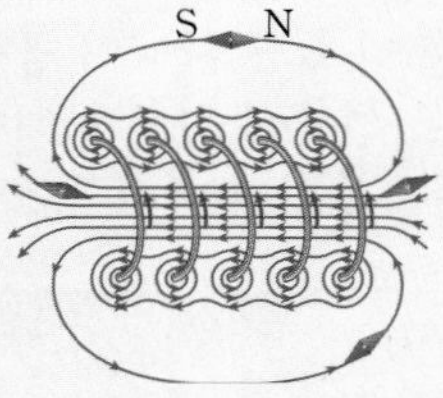	• 솔레노이드 내부에는 중심축과 **❽**〔　〕방향으로 균일한 자기장이 형성되고, 외부는 막대자석의 자기장과 비슷한 모양이다. • 내부에서 자기장의 세기: 도선에 흐르는 전류의 세기와 단위 길이당 도선의 감은 수에 각각 **❾**〔　〕한다. • 내부에서 자기장의 방향: 오른손의 네 손가락을 **❿**〔　〕의 방향으로 감아쥘 때 엄지손가락이 가리키는 방향이다.

❷ 동심원

❸ 반비례

❹ 전류

❺ 직선

❻ 반비례

❼ 네 손가락

❽ 나란한

❾ 비례

❿ 전류

개념 2 전류에 의한 자기장의 이용

1 전자석 솔레노이드 내부에 철심을 넣어 만든 자석으로, 코일에 흐르는 전류의 세기가 셀수록, 코일의 감은 수가 많을수록 전자석의 세기가 **⓫**〔　〕.

⓫ 세다

2 자기 공명 영상 장치(MRI) 솔레노이드에서 강한 자기장을 발생시키면 자기장이 인체 속의 수소 원자핵과 공명하여 신호 영상을 얻는다.

1 직선 도선에 흐르는 전류에 의한 자기장에 대한 설명으로 옳은 것은 ○, 옳지 않은 것은 ×표 하시오.

(1) 도선에 흐르는 전류의 방향과 도선 주위의 자기장의 방향은 같다. ( )

(2) 도선 주위의 자기장의 세기는 도선에 흐르는 전류의 세기에 비례한다. ( )

(3) 도선으로부터 멀어질수록 자기장의 세기는 약해진다. ( )

2 그림은 긴 직선 도선에 일정한 세기의 전류가 흐르는 것을 나타낸 것이다. A점과 도선, 도선과 B점, B점과 C점 사이의 거리는 모두 d만큼 떨어져 있다.

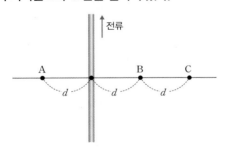

빈칸에 알맞은 말을 쓰시오.

(1) A와 B에서의 자기장의 방향은 ( ).

(2) A와 B에서 자기장의 세기는 ( ).

(3) C에서 자기장의 세기는 B에서 자기장의 세기의 ( )배이다.

3 그림과 같이 화살표 방향으로 전류가 흐르는 직선 도선 아래에 나침반이 놓여 있다. 나침반 자침의 N극이 가리키는 방향을 쓰시오. (단, 지구 자기장은 무시한다.)

4 그림은 솔레노이드에 전류가 흐르는 회로를 나타낸 것이다. P는 솔레노이드 외부의 지점이고 Q는 솔레노이드 내부의 지점이다.

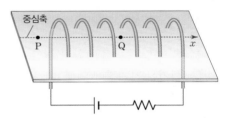

빈칸에 알맞은 말을 고르시오.

(1) P점에서 자기장의 방향은 ($+x$, $-x$) 방향이다.

(2) Q점에서 자기장의 방향은 ($+x$, $-x$) 방향이다.

(3) Q점에서 자기장의 세기는 전류의 세기에 (비례 , 반비례)한다.

5 전류의 자기 작용을 이용한 장치로 옳지 않은 것은?

① 전자석   ② 스피커   ③ 전동기
④ 발전기   ⑤ 자기부상열차

2일 교과서 핵심 정리 ②

개념 3 물질의 자성

1 자성 물질이 자석 또는 외부 자기장에 반응하는 성질을 자성이라고 하는데, 이는 물질을 구성하는 원자가 ❶ [　　　]과 같은 역할을 하기 때문에 나타난다. ― 원자 내 전자의 운동으로 자기장이 발생한다.

❶ 자석

2 자기화 어떤 물질을 자석에 가까이 했을 때 자성을 띠게 되는 현상

3 자성체 자성을 띠는 물질

강자성체	자석에 강하게 달라붙는 성질을 가진 물체로, 외부 자기장을 가할 때 외부 자기장의 방향으로 ❷ [　　　] 자기화되며, 외부 자기장을 제거해도 자성을 오래 유지한다. 예 철, 니켈, 코발트 등
상자성체	강한 자석에 약하게 끌려오는 성질을 가진 물체로, 외부 자기장을 가할 때 외부 자기장의 방향으로 ❸ [　　　] 자기화되며, 외부 자기장을 제거하면 자성의 효과가 바로 사라진다. 예 종이, 알루미늄, 나트륨, 산소 등
반자성체	자석을 가까이 했을 때 약하게 밀려나는 성질을 가진 물체로, 외부 자기장을 가하면 외부 자기장의 ❹ [　　　]으로 약하게 자기화되며, 외부 자기장을 제거하면 자성의 효과가 바로 사라진다. 예 구리, 유리, 물, 탄소 등

❷ 강하게

❸ 약하게

❹ 반대 방향

4 하드 디스크 ❺ [　　　]인 산화 철을 코팅한 얇은 디스크 위에 놓인 헤드에 전류가 흐르면서 생기는 자기장에 의해 디스크에 신호를 저장한다.

❺ 강자성체

5 초전도체 초전도체는 ❻ [　　　]로, 자석 위에 올려놓으면 공중에 뜬다.

❻ 반자성체

개념 4 전자기 유도

1 전자기 유도 자석과 코일의 상대적 운동에 의해 코일을 통과하는 ❼ [　　　]이 변할 때 코일에 유도 전류가 흐르는 현상

자기장에 수직인 단면을 지나는 자기력선의 총 개수

❼ 자기 선속

2 렌츠 법칙 유도 전류는 코일 내부를 통과하는 자기 선속의 변화를 ❽ [　　　] 방향으로 흐른다.

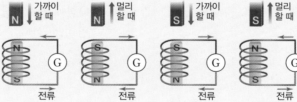

❽ 방해하는

3 패러데이 법칙 전자기 유도에 의한 유도 기전력의 크기는 자기 선속의 시간적 변화율과 코일의 감은 수에 각각 ❾ [　　　]한다. ➡ 자석을 빨리 움직일수록, 자석의 세기가 강할수록, 코일을 많이 감을수록 유도 전류의 세기가 세다.

❾ 비례

4 발전기 자기장 속에서 코일을 회전시키면 코일을 통과하는 자기 선속이 주기적으로 변하여 유도 전류가 주기적으로 흐른다.

6 물질의 자성에 대한 설명으로 옳은 것은 ○, 옳지 않은 것은 ×표 하시오.

(1) 물질이 자성을 나타내는 까닭은 원자가 자석과 같은 역할을 하기 때문이다. ( )

(2) 대부분의 물질은 각 원자의 자기장 방향이 질서 있게 정렬되어 있어서 자성을 나타낸다. ( )

(3) 전자의 궤도 운동에서 전자의 운동 방향과 전류의 방향은 서로 반대이다 ( )

7 그림 (가)는 어떤 물질에 외부 자기장을 가했을 때의 모습을, (나)는 외부 자기장을 제거했을 때의 모습을 나타낸 것이다.

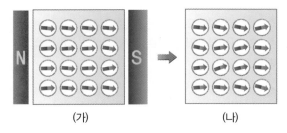

(가)   (나)

빈칸에 들어갈 알맞은 말을 고르시오.

(1) (가)에서 물질의 자기장은 외부 자기장과 (같은 방향 , 반대 방향)이다.

(2) (나)와 같이 외부 자기장을 제거한 경우 물질의 자기장은 (계속 유지된다 , 즉시 사라진다).

(3) 이 물질은 (강자성체 , 상자성체 , 반자성체)이다.

8 그림은 코일 근처에서 자석을 움직일 때 코일에 흐르는 유도 전류의 방향을 알아보는 실험을 나타낸 것이다.

이에 대한 설명으로 옳지 않은 것은?

① N극을 가까이 가져가면 유도 전류의 방향은 a 방향이다.

② S극을 가까이 가져가면 유도 전류의 방향은 a 방향이다.

③ N극을 멀리 하면 유도 전류의 방향은 a 방향이다.

④ S극을 멀리 하면 유도 전류의 방향은 b 방향이다.

⑤ 자석이 코일에 대해 운동하지 않으면 유도 전류는 흐르지 않는다.

9 전자기 유도에 대한 설명으로 옳지 않은 것은?

① 유도 전류의 방향은 코일을 통과하는 자기장의 변화를 방해하는 방향이다.

② 유도 기전력의 크기는 자기 선속의 시간적 변화율에 비례한다.

③ 유도 전류의 세기는 솔레노이드의 감은 수가 많을수록 세다.

④ 유도 전류의 세기는 자석과 솔레노이드의 상대적 운동이 빠를수록 세다.

⑤ 자기장 속에서 코일을 회전시키면 코일을 통과하는 자기 선속이 주기적으로 변하여 유도 전류가 일정하게 흐른다.

대표 예제 1 자기장

자기장에 대한 설명으로 옳은 것만을 〈보기〉에서 있는 대로 고른 것은?

● 보기 ●
ㄱ. 자기장의 방향은 나침반 자침의 N극이 가리키는 방향이다.
ㄴ. 자기력선은 자기장의 모양을 선으로 나타낸 것이다.
ㄷ. 막대자석 주위의 자기력선은 S극에서 나와 N극으로 들어간다.

① ㄱ   ② ㄱ, ㄴ   ③ ㄱ, ㄷ
④ ㄴ, ㄷ   ⑤ ㄱ, ㄴ, ㄷ

개념 가이드

자기력선은 [   ]극에서 나와 [   ]극으로 들어가는 방향이다.   답 N, S

대표 예제 2 직선 전류에 의한 자기장

그림은 수평면에 수직으로 놓인 전류가 흐르는 긴 직선 도선을 나타낸 것이다. a, b 는 수평면 위의 점이고, a가 도선에서 더 멀리 떨어져 있

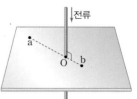

다. 이에 대한 설명으로 옳은 것만을 〈보기〉에서 있는 대로 고르시오. (단, 지구 자기장은 무시한다.)

● 보기 ●
ㄱ. a에서 자기장의 방향은 b에서와 반대이다.
ㄴ. a에서 자기장의 세기는 b에서보다 크다.
ㄷ. 전류의 방향이 반대가 되면 자기장의 방향도 반대가 된다.

개념 가이드

직선 전류에 의한 자기장의 세기는 전류의 세기에 [   ]하고, 도선으로부터의 수직 거리에 [   ]한다.   답 비례, 반비례

대표 예제 3 원형 전류에 의한 자기장

그림은 반지름이 a인 원형 도선에 전류 I가 흐르는 모습을 나타낸 것이다. O점은 원형 도선의 중심이다.
이에 대한 설명으로 옳은 것만을 〈보기〉에서 있는 대로 고르시오.

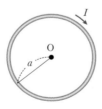

● 보기 ●
ㄱ. O에서 자기장의 방향은 지면에서 수직으로 나오는 방향이다.
ㄴ. 전류의 세기가 2배가 되면 O에서 자기장의 세기도 2배가 된다.
ㄷ. 원형 도선의 지름이 2배가 되어도 O에서 자기장의 세기는 변화 없다.

개념 가이드

원형 도선의 중심에서 자기장의 세기는 전류의 세기에 [   ]하고, 도선의 반지름에 [   ]한다.   답 비례, 반비례

대표 예제 4 자기장의 이용

그림은 스피커의 구조를 간단히 나타낸 것이다.
이에 대한 설명으로 옳은 것만을 〈보기〉에서 있는 대로 고르시오.

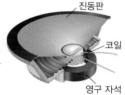

● 보기 ●
ㄱ. 코일에 전류가 흐르면 주위에 자기장이 형성된다.
ㄴ. 코일에 흐르는 전류의 방향에 따라 코일에는 영구 자석과 밀거나 당기는 힘이 작용한다.
ㄷ. 코일의 움직임에 따라 진동판이 진동하면서 소리를 낸다.

개념 가이드

스피커는 코일에 의한 [   ]과 영구 자석의 상호 작용으로 진동판이 [   ]하여 음을 재생한다.   답 자기장, 진동

대표 예제 **5** 물질의 자성

그림 (가)는 어떤 물질에 외부 자기장을 가했을 때, (나)는 외부 자기장을 제거했을 때의 모습을 나타낸 것이다.

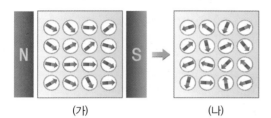

(가)   (나)

이와 같은 성질을 가진 물질로 옳은 것은?

① 철   ② 니켈   ③ 코발트
④ 알루미늄   ⑤ 초전도체

 개념 가이드

자석에 약하게 끌려오지만 외부 자기장을 제거하면 자성이 바로 사라지는 물질은 ⬜⬜⬜ 이다. 외부 자기장을 제거해도 자성을 유지하는 물질은 ⬜⬜⬜ 이다. **답** 상자성체, 강자성체

대표 예제 **6** 초전도체

그림은 자석 위에 자기화되지 않은 물체 A를 올려놓았을 때 모습을 나타낸 것이다. 이에 대한 설명으로 옳은 것만을 〈보기〉에서 있는 대로 고른 것은?

자석

▶ 보기 ◀
ㄱ. A는 반자성을 나타내는 물질이다.
ㄴ. A의 자기장의 방향은 자석의 자기장의 방향과 반대이다.
ㄷ. 자석을 없애도 A의 자기장은 유지된다.

① ㄱ   ② ㄴ   ③ ㄱ, ㄴ
④ ㄴ, ㄷ   ⑤ ㄱ, ㄴ, ㄷ

개념 가이드

외부 자기장과 반대 방향으로 자기화 되는 물질은 ⬜⬜⬜ 이며, 초전도체는 강한 ⬜⬜⬜ 을 나타낸다. **답** 반자성체, 반자성

대표 예제 **7** 전자기 유도

그림은 자석 근처에서 원형 코일을 위아래로 움직일 때 원형 코일의 중심의 위치를 시간에 따라 나타낸 것이다. 이에 대한 설명으로 옳은 것만을 〈보기〉에서 있는 대로 고르시오.

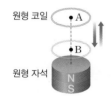
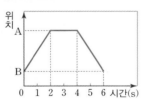

▶ 보기 ◀
ㄱ. 1초일 때 유도 전류의 방향은 시계 방향이다.
ㄴ. 3초일 때 유도 전류가 흐르지 않는다.
ㄷ. 5초일 때 유도 전류의 방향은 시계 방향이다.

개념 가이드

자석과 코일의 상대적 운동으로 코일을 통과하는 ⬜⬜⬜ 이 변할 때 ⬜⬜⬜ 가 흐른다. **답** 자기 선속, 유도 전류

대표 예제 **8** 전자기 유도의 이용

그림은 발전기의 구조를 모식적으로 나타낸 것이다. 이에 대한 설명으로 옳은 것만을 〈보기〉에서 있는 대로 고르시오.

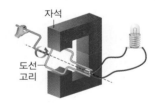
자석
도선 고리

▶ 보기 ◀
ㄱ. 고리를 회전시키면 고리를 통과하는 자기 선속이 주기적으로 변하여 유도 전류가 흐른다.
ㄴ. 고리를 회전시키지 않아도 일정 시간 동안 유도 전류가 흐른다.
ㄷ. 고리의 회전 속도가 빨라지면 전구가 밝아진다.

개념 가이드

코일을 통과하는 ⬜⬜⬜ 의 변화가 없으면 유도 전류는 흐르지 않으며, 자기 선속의 시간적 변화율이 ⬜⬜⬜ 유도 전류의 세기가 세다. **답** 자기 선속, 클수록

3일

파동 (1)

공부할 핵심 개념이 무엇인지 퀴즈를 통해 알아보자.

Quiz 파동은 한곳에서 생긴 ㅈㄷ이 주변으로 퍼져 나가는 현상이다.

매질은 파동을 전파하지만 제자리에서 진동할 뿐 파동과 함께 이동하지 않아.

파동은 에너지에 의해 매질 입자가 진동하고, 진동하는 입자에 의해 에너지만 전달될 뿐이야.

파동이 발생한 곳을 파원이라고 해.

답 진동

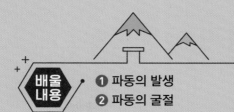

배울 내용
❶ 파동의 발생
❷ 파동의 굴절
❸ 전반사
❹ 광통신

Quiz 파동이 진행하다가 성질이 다른 매질을 만나면 경계면에서 진행 방향이 꺾이는데, 이를 ㄱ ㅈ 이라고 한다.

圄 굴절

Quiz 광통신은 정보 신호를 빛 신호로 전환하여 ㄱ ㅅ ㅇ 를 통하여 주고받는 통신 방식이다.

圄 광섬유

개념 1 파동의 발생

1 파동 한곳에서 발생한 진동이 주위로 퍼져 나가는 현상 ➡ 매질은 제자리에서 **❶** 할 뿐 이동하지 않는다.

❶ 진동

2 파동의 종류 종파는 파동의 진행 방향과 매질의 진동 방향이 나란하고, **❷** 는 파동의 진행 방향과 매질의 진동 방향이 수직이다. – 횡파의 예: 물결파, 전자기파, 지진파의 S파 등
종파의 예: 음파, 초음파, 지진파의 P파 등

❷ 횡파

3 파동의 요소

① 파장(λ): 위상이 동일한 이웃한 두 지점 사이의 거리

② 주기(T): 매질이 한 번 진동하는 데 걸리는 시간 [단위: s]

③ 진동수(f): 매질이 1초 동안 진동한 횟수 [단위: Hz] ➡ 주기와 진동수는 서로 **❸** 관계이다. $f=\dfrac{1}{T}$

❸ 역수

4 파동의 속력

① 파동의 속력$=\dfrac{파장}{주기}=$진동수$\times$**❹**, $v=\dfrac{\lambda}{T}=f\lambda$

❹ 파장

② 파동의 속력은 매질에 따라 다른데, 소리의 속력은 고체>액체>기체 순으로 빠르고, 공기의 온도가 **❺** 을수록 빠르다.

❺ 높

③ 물결파는 수심이 깊을수록 빠르다.

개념 2 파동의 굴절

1 파동의 굴절 파동이 한 매질에서 다른 매질로 진행할 때 **❻** 이 변하여 파동의 진행 방향이 꺾이는 현상

❻ 속력

2 굴절률(n) 매질 속에서 빛의 속력(v)에 대한 진공 중에서 빛의 속력(c)의 **❼**

❼ 비

➡ $n=\dfrac{c}{v}$

3 굴절 법칙 파동이 매질 1에서 매질 2로 진행할 때 입사각(i)과 굴절각(r)의 사인값의 비는 **❽** 하다. 또 두 매질에서 파동의 속력과 파장의 비도 일정하다.

❽ 일정

➡ $\dfrac{\sin i}{\sin r}=\dfrac{v_1}{v_2}=\dfrac{\lambda_1}{\lambda_2}=\dfrac{n_2}{n_1}=$일정

4 생활 속 굴절 현상 물의 수심이 실제보다 **❾** 보인다. 날씨가 좋은 날 소리가 낮에는 위로 굴절하고, 밤에는 **❿** 굴절한다.

❾ 얕아

❿ 아래로

3일

1 그림은 오른쪽으로 진행하는 파동의 어느 순간 모습을 나타낸 것이다.

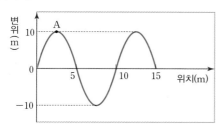

(1) 이 파동의 파장은 몇 m인지 구하시오.

(2) 이 파동의 진폭은 몇 m인지 구하시오.

(3) 이 순간으로부터 $\frac{1}{4}$주기가 지난 후 A점의 변위를 구하시오.

2 그림 (가)는 파동의 어느 순간 위치에 따른 변위를, (나)는 P점의 시간에 따른 변위를 나타낸 것이다.

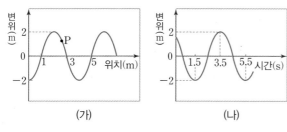

(가)   (나)

(1) 이 파동의 파장은 몇 m인지 구하시오.

(2) 이 파동의 주기는 몇 초인지 구하시오.

(3) 이 파동의 진동수는 몇 Hz인지 구하시오.

(4) 이 파동의 속력은 몇 m/s인지 구하시오.

3 그림은 물결파가 깊은 곳(매질 I)에서 얕은 곳(매질 II)으로 비스듬히 입사할 때 진행하는 모습을 나타낸 것이다.

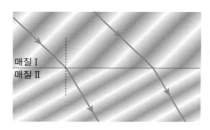

이에 대한 설명으로 옳은 것은 ○, 옳지 않은 것은 ×표 하시오.

(1) 물결파의 진동수는 매질 I과 매질 II에서 같다.
( )

(2) 물결파의 속력은 매질 I과 매질 II에서 같다.
( )

(3) 물결파의 입사각은 굴절각보다 크다. ( )

4 다음은 일상생활에서 경험할 수 있는 굴절 현상에 대한 설명이다. 빈칸에 알맞은 말을 쓰시오.

빛은 진행하는 매질의 성질이 변하면 굴절한다. 하지만 우리는 빛이 직진하여 우리 눈에 도달하였다고 판단하기 때문에 실제 위치가 아닌 곳에 물체가 있는 것처럼 보인다. 따라서 수심이 실제보다 ( ) 보이는 것이다.

3 교과서 핵심 정리 ②

개념 3 전반사

1 빛의 굴절 빛이 굴절률이 작은 매질에서 큰 매질로 진행할 때는 굴절각이 입사각보다 **❶** , 굴절률이 큰 매질에서 작은 매질로 입사할 때는 굴절각이 입사각보다 **❷** .

❶ 작고

❷ 크다

2 전반사 빛이 굴절률이 큰 매질에서 작은 매질로 입사할 때, 입사각이 임계각보다 **❸** 경우, 매질의 경계면에서 굴절하는 빛 없이 모두 반사하는 현상

❸ 큰

3 임계각(i_c) 굴절각이 **❹** °일 때의 입사각 ➡ 굴절률이 n_1인 매질에서 n_2인 매질(단, $n_1 > n_2$)로 빛이 임계각으로 입사할 때 $\sin i_c = \dfrac{n_2}{n_1}$이다.

❹ 90

4 직각 프리즘 빛이 직각 프리즘에 수직으로 입사하면 **❺** 가 일어나 손실 없이 빛의 방향을 바꿀 수 있으므로 쌍안경이나 잠망경 등에 이용한다.

❺ 전반사

▲ 빛의 굴절과 전반사

▲ 직각 프리즘에서의 전반사

개념 4 광통신

┌ 광섬유의 이용: 광통신, 내시경, 조명, 자연 채광 시스템 등

1 광섬유 전반사 현상을 이용하여 빛을 멀리까지 전송시킬 수 있는 유리로 이루어진 섬유 모양의 관

2 광섬유의 구조 굴절률이 큰 코어를 굴절률이 작은 클래딩이 감싸고 있으므로 빛이 코어 내에서 **❻** 하며 진행한다.

❻ 전반사

3 광통신 음성, 영상과 같은 정보를 빛 신호로 전환하여 **❼** 를 통하여 전송하는 통신 방법

❼ 광섬유

➡ 송신부에서 정보를 **❽** 로 바꾸어 광섬유를 통하여 전송한 다음 수신부에서 빛 신호를 전기 신호로 바꾸어 정보를 재생한다.

❽ 빛 신호

① 장점: 광섬유는 구리선에 비해 정보를 멀리, 빠르게, **❾** 보낼 수 있으며, 간섭이나 혼선, 도청의 염려가 없다.

❾ 많이

② 단점: 외부 충격에 약하고 한번 끊어지면 연결하기 힘들다. 연결 부위에 작은 먼지가 끼거나 틈이 생기면 광통신이 불가능해질 수 있다.

5 그림 (가)와 (나)는 단색광을 각각 입사각 θ_1과 θ_2로 물질 A에서 물질 B로 입사시켰을 때 단색광이 진행하는 모습을 나타낸 것이다.

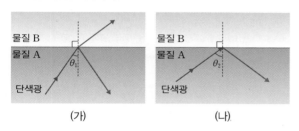

이에 대한 설명으로 옳은 것은 ○, 옳지 않은 것은 ×표 하시오.

(1) A의 굴절률은 B의 굴절률보다 작다. ( )

(2) (가)와 (나)에서 모두 전반사가 일어났다.
( )

(3) A에서 B로 진행할 때 임계각은 θ_1보다 크고, θ_2보다 작다. ( )

(4) 반사광의 세기는 (나)에서가 (가)에서보다 크다.
( )

6 일상생활에서 빛의 전반사 현상을 이용한 것으로 옳지 않은 것은?

① 다이아몬드는 다른 보석보다 밝게 빛난다.

② 쌍안경 속에는 직각 프리즘이 있어 상을 똑바로 보게 해 준다.

③ 잠망경 속에는 직각 프리즘이 있어 물 위의 상을 밝게 볼 수 있다.

④ 내시경을 이용하여 물체의 내부나 인체 내부를 관찰할 수 있다.

⑤ 신용카드나 지폐에는 위조를 방지하는 특수한 무늬가 있다.

7 그림은 광섬유의 구조와 원리를 간단히 나타낸 것이다.

빈칸에 알맞은 말을 쓰시오.

(1) 코어의 굴절률이 코어를 감싸고 있는 클래딩의 굴절률보다 ( ).

(2) 광섬유는 ( )를 이용하여 빛 신호를 전송한다.

(3) 광섬유를 통해 빛 신호를 전송시키기 위해서는 광섬유에 입사한 빛의 입사각이 임계각보다 ( ) 한다.

8 광통신의 특징에 대한 설명으로 옳은 것은 ○, 옳지 않은 것은 ×표 하시오.

(1) 정보를 손실 없이 멀리 보낼 수 있다. ( )

(2) 구리선보다 더 많은 양의 정보를 보낼 수 있다.
( )

(3) 외부 전파에 의한 간섭이나 혼선이 있을 수 있고, 도청이 쉽다. ( )

(4) 화재나 충격에 약하고 한번 끊어지면 연결하기 어렵다. ( )

대표 예제 1 파동의 발생

그림은 주기가 1초로 같은 두 파동의 어느 순간 모습이다.

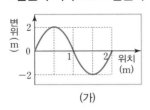 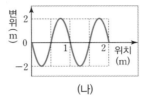

이에 대한 설명으로 옳은 것만을 〈보기〉에서 있는 대로 고르시오.

───── 보기 ─────
ㄱ. (가)의 파장은 (나)의 2배이다.
ㄴ. (가)의 진폭은 (나)의 진폭과 같다.
ㄷ. (가)의 진동수는 (나)의 진동수와 같다.

개념 가이드

진동수는 주기의 [　　　　]이고, 파장은 한 [　　　　] 동안 파동의 진행 거리이다.　　　　**답** 역수, 주기

대표 예제 2 파동의 요소

그림은 오른쪽으로 진행하는 주기가 0.5초인 파동의 어느 순간 모습을 나타낸 것이다. 이에 대한 설명으로 옳은 것만을 〈보기〉에서 있는 대로 고르시오.

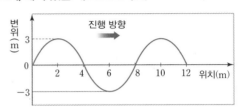

───── 보기 ─────
ㄱ. 이 파동의 진동수는 2 Hz이다.
ㄴ. 이 파동의 파장은 8 m이다.
ㄷ. 이 파동의 속력은 8 m/s이다.

개념 가이드

파동의 속력은 [　　　　]와 [　　　　]의 곱으로 구할 수 있다.　　　　**답** 진동수, 파장

대표 예제 3 파동의 굴절

파동의 굴절에 대한 설명으로 옳은 것만을 〈보기〉에서 있는 대로 고른 것은?

───── 보기 ─────
ㄱ. 물 컵에 담긴 빨대가 꺾인 것처럼 보인다.
ㄴ. 파동이 굴절하는 까닭은 다른 매질로 진행하더라도 파동의 속력이 일정하기 때문이다.
ㄷ. 파동이 진행하다 다른 매질을 만나면 매질의 경계면에서 진행 방향이 바뀐다.

① ㄱ　　　② ㄱ, ㄴ　　　③ ㄱ, ㄷ
④ ㄴ, ㄷ　　　⑤ ㄱ, ㄴ, ㄷ

개념 가이드

파동이 진행하다 성질이 다른 매질을 만나 [　　　　]이 변하여 [　　　　]이 꺾이는 현상을 파동의 굴절이라고 한다.
답 속력, 진행 방향

대표 예제 4 굴절의 이용

그림은 렌즈에 나란하게 입사한 빛이 진행하는 모습을 나타낸 것이다. 이에 대한 설명으로 옳은 것만을 〈보기〉에서 있는 대로 고르시오.

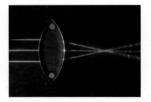

───── 보기 ─────
ㄱ. 나란하게 입사한 빛은 한 점에 모인다.
ㄴ. 빛은 렌즈의 두꺼운 쪽으로 굴절한다.
ㄷ. 유리 속에서 빛의 속력과 공기 중에서 빛의 속력은 같다.

개념 가이드

[　　　　] 렌즈는 렌즈축에 나란하게 입사한 빛을 한 곳에 모으고, [　　　　] 렌즈는 렌즈축에 나란하게 입사한 빛을 퍼지게 한다.　　　　**답** 볼록, 오목

정답과 해설 **70쪽**

대표 예제 **5** 전반사

그림은 빛 A, B, C 가 물에서 공기로 입사할 때 진행하는 모습을 나타낸 것이다. 이에 대한 설명으로 옳은 것만을 〈보기〉에서 있는 대로 고른 것은?

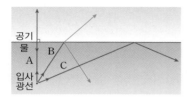

┌─────── 보기 ●
ㄱ. 반사된 빛의 세기는 C가 가장 크다.
ㄴ. C의 입사각은 임계각보다 크다.
ㄷ. 빛의 굴절률은 공기에서가 물에서보다 크다.
└──────────────

① ㄱ　　　② ㄱ, ㄴ　　　③ ㄱ, ㄷ
④ ㄴ, ㄷ　　　⑤ ㄱ, ㄴ, ㄷ

개념 가이드

전반사는 굴절률이 [   ] 매질에서 굴절률이 [   ] 매질로 진행할 때 일어난다.　　**답** 큰, 작은

대표 예제 **6** 전반사의 활용

그림은 쌍안경의 원리에 대해 세 학생이 대화하는 모습을 나타낸 것이다.

쌍안경은 빛의 전반사를 이용하여 빛의 방향을 바꿔.

프리즘에서 전반사가 일어나므로 빛의 세기가 약해져.

프리즘의 임계각은 45°보다 작아.

A　　B　　　　　　　　C

옳은 의견을 말한 학생을 모두 고르시오.

개념 가이드

전반사는 입사각이 임계각보다 [   ] 경우에만 일어나며 임계각은 굴절각이 [   ]일 때의 입사각이다.　　**답** 큰, 90°

대표 예제 **7** 광섬유

그림은 물질 A, B로 이루어진 광섬유 내에서 단색광이 진행하는 모습을 나타낸 것이다.

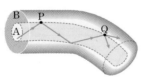

이에 대한 설명으로 옳은 것을 모두 고르면? (2개)

① 광섬유 내에서는 입사각에 상관없이 빛이 항상 전반사하면서 진행한다.
② P점에서 빛은 전반사한다.
③ Q점에서 빛은 전반사한다.
④ A와 B의 굴절률은 같다.
⑤ 단색광의 속력은 B에서가 A에서보다 크다.

개념 가이드

광섬유는 굴절률이 큰 물질인 [   ]를 굴절률이 작은 물질인 [   ]이 감싸고 있는 이중 원기둥 모양이다.
답 코어, 클래딩

대표 예제 **8** 광통신

그림은 광통신 과정을 모식적으로 나타낸 것이다. 이에 대한 설명으로 옳은 것만을 〈보기〉에서 있는 대로 고르시오.

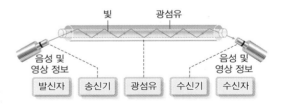

빛　　　광섬유

음성 및 영상 정보　　　　　　　　음성 및 영상 정보

발신자　송신기　광섬유　수신기　수신자

┌─────── 보기 ●
ㄱ. 송신기는 음성 및 영상 정보를 빛 신호로 바꾼다.
ㄴ. 광섬유는 빛 신호를 손실 없이 멀리 보낸다.
ㄷ. 영상은 빛 신호로 보내고, 음성은 전기 신호로 보낸다.
└──────────────

개념 가이드

광통신은 정보를 [   ] 신호로 전환하여 [   ]가 들어 있는 광케이블로 전송하는 통신 방식이다.　　**답** 빛, 광섬유

3_일

4일 파동 (2)

공부할 핵심 개념이 무엇인지 퀴즈를 통해 알아보자.

Quiz 전자기파는 ☐☐ 에 따라 성질이 다르게 나타나며, 비슷한 성질을 가진 구간으로 정하여 구분하고 이용한다.

📖 파장

Quiz 두 파동이 만나 중첩될 때 어느 한 지점에서의 변위는 각 파동의 변위의 ㅎ과 같다.

답 합

Quiz 소음 제거 헤드폰, 여객기 내부 소음 제거 장치, 무반사 코팅 렌즈 등은 ㅅㅅㄱㅅ을 이용한다.

답 상쇄 간섭

4일 교과서 핵심 정리 ①

개념 1 전자기파

1 전자기파 전기장과 **❶** [ ] 이 진동하면서 공간으로 퍼져 나가는 파동이다.

2 전자기파의 전파 전자기파는 매질이 없는 진공에서도 전파된다.

3 전자기파의 진행 전자기파는 전기장과 자기장의 진동 방향에 각각 **❷** [ ] 한 방향으로 진행하는 횡파이다.

4 전자기파의 속력 파장이나 진동수에 관계없이 진공에서 3×10^8 m/s로 **❸** [ ].

5 전자기파의 에너지 전자기파의 에너지는 진동수에 비례한다.

6 전자기파의 분류 전자기파는 파장(또는 진동수)에 따라 전파(라디오파와 마이크로파), 적외선, **❹** [ ], 자외선, X선, 감마(γ)선으로 구분할 수 있다.

❶ 자기장

❷ 수직

❸ 같다

❹ 가시광선

전기장 → 진행 방향 / 자기장 진행 방향
▲ 전자기파의 진행

γ선 X선 자외선 **가시광선** 적외선 마이크로파 라디오파
짧다 ← 파장 → 길다
크다 ← 진동수 → 작다
▲ 전자기파의 분류

개념 2 전자기파의 종류와 이용

라디오파의 파장이 마이크로파보다 길다.

↑ 길다			
	전파	파장이 0.1 mm 이상인 전자기파로 라디오파와 마이크로파로 구분할 수 있으며, 모든 전자기파 중에서 파장이 가장 길고 진동수가 가장 작다. 라디오파는 휴대전화, 라디오, TV 통신에 이용되고, **❺** [ ]는 전자레인지나 레이더, 위성 통신에 이용된다.	**❺ 마이크로파**
	적외선	파장이 750 nm 이상인 전자기파로 강한 열작용을 하여 **❻** [ ]이라고도 부른다. 리모컨, 자동문, 적외선 온도계, 적외선 카메라 등에 이용된다.	**❻ 열선**
파장	가시광선	파장이 대략 380~750 nm인 빛으로 전자기파 중에서 사람의 눈이 감지할 수 있는 영역이다. 조명, 영상 장치, 현미경 등에 이용된다.	
	자외선	파장이 380 nm보다 짧으며 강한 **❼** [ ] 기능이 있고, 물질 속에 포함된 형광 물질에 흡수되면 가시광선을 방출하는 형광 작용을 한다. 식기 소독기, 형광등, 위조지폐 감별 등에 이용된다.	**❼ 살균**
	X선	파장이 대략 0.01~10 nm으로 고속의 전자가 금속과 충돌할 때 전자의 감속 때문에 발생한다. 투과력이 강하여 공항의 수화물 검사, X선 사진 등에 이용된다.	
짧다 ↓	감마(γ)선	전자기파 중에서 파장이 가장 짧고 진동수와 에너지가 가장 **❽** [ ]. 원자핵이 방사성 붕괴를 하는 과정에서 발생하며, 암치료, γ선 우주 관찰용 망원경, 비파괴 검사 등에 이용된다.	**❽ 크다**

1 그림은 전자기파가 진행하는 모습을 모식적으로 나타낸 것이다.

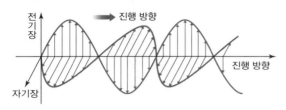

전자기파에 대한 설명으로 옳지 <u>않은</u> 것은?

① 전자기파는 횡파이다.

② 전기장은 진동하면서 공간으로 전파된다.

③ 자기장은 진동하면서 공간으로 전파된다.

④ 진공 중에서 전자기파의 속력은 3×10^8 m/s이다.

⑤ 전자기파는 진폭의 크기에 따라 분류한다.

2 다음에서 설명하는 전자기파는 무엇인지 쓰시오.

> ● 보기
> • 파장이 380nm보다 짧고 에너지가 커서 강한 살균 작용이 있다.
> • 화학 작용이 강해서 이 전자기파에 오래 노출되면 피부가 검게 타고 노화가 촉진된다.
> • 형광 물질에 흡수되면 가시광선을 방출한다.
> • 식기 소독기, 형광등, 위조지폐 감별기 등에 이용된다.

3 그림은 서로 다른 전자기파 A, B, C가 일상생활에서 이용되는 예를 나타낸 것이다.

A. 식기 소독기   B. X선 검색대   C. γ선 암 치료기

(1) A~C 중 가장 파장이 짧은 전자기파를 쓰시오.

(2) A~C 중 가장 에너지가 큰 전자기파를 쓰시오.

(3) A~C를 진동수가 큰 순서대로 나열하시오.

4 그림은 전자레인지를 이용하여 요리하는 모습을 나타낸 것이다.

이에 대한 설명으로 옳은 것은 ○, 옳지 않은 것은 ×표 하시오.

(1) 전자레인지에 이용되는 전자기파의 파장은 가시광선보다 짧다. (   )

(2) 전자레인지에 이용되는 전자기파의 진동수는 물의 고유 진동수와 같다. (   )

(3) 전자레인지에서 발생하는 전자기파는 물에 잘 흡수된다. (   )

4일 교과서 핵심 정리 ②

개념 3 파동의 간섭

1 파동의 중첩 여러 파동이 한 지점에서 서로 겹쳐지는 현상

① 중첩 원리: 중첩되는 지점의 변위는 각 파동의 변위의 **❶**□□□과 같다.

❶ 합

② 파동의 독립성: 중첩 후 각 파동은 원래의 특성을 그대로 유지하면서 독립적으로 진행한다.

2 파동의 간섭 두 개 이상의 파동이 중첩될 때 진폭이 커지거나 작아지는 현상

① 보강 간섭: 두 파동의 변위가 **❷**□□□ 방향이어서 진폭이 커진다.

❷ 같은

② 상쇄 간섭: 두 파동의 변위가 **❸**□□□ 방향이어서 진폭이 작아진다.

❸ 반대

3 물결파의 간섭 두 파원(S_1, S_2)에서 파장과 진폭이 같은 물결파를 같은 위상으로 발생시키면 간섭무늬가 나타난다.

마루
골

① 보강 간섭이 일어나는 지점(P, Q): 두 파원으로부터의 경로차가 반파장의 **❹**□□배인 곳 ➡ 수면의 높이가 계속 변하므로 간섭무늬의 밝기가 계속 변한다.

❹ 짝수

② 상쇄 간섭이 일어나는 지점(R): 두 파원으로부터의 경로차가 반파장의 **❺**□□배인 곳 ➡ 수면의 높이가 변하지 않으므로 간섭무늬의 밝기가 변하지 않는다.

❺ 홀수

개념 4 간섭의 이용

1 소음 제거 기술 파동의 **❻**□□□ 간섭을 이용하여 소음을 제거한다.

❻ 상쇄

① 소음 제거 헤드폰: 마이크로 감지한 소음과 진동수는 같고 위상이 반대인 소리를 발생시킨다. ➡ 상쇄 간섭으로 소음을 제거한다.

② 여객기 내부 소음 제거: 여객기 내부에서 엔진의 소음과 진동수는 같지만 위상이 **❼**□□□인 소리를 발생시킨다. ➡ 상쇄 간섭으로 소음을 제거한다.

❼ 반대

2 얇은 막에서 빛의 간섭 비눗방울 또는 기름막의 윗면에서 반사된 빛과 아랫면에서 반사된 빛이 간섭을 일으켜 다양한 색으로 보인다. 이때 막의 두께와 보는 각도에 따라 보강 간섭 하는 빛의 색깔이 달라져 무지개빛으로 보이는 것이다. 빛이 상쇄 간섭 하는 곳은 검은색으로 보인다.

3 무반사 코팅 렌즈 코팅막의 윗면과 아랫면에서 반사된 빛이 **❽**□□□ 간섭 하게 한다. ➡ 코팅하지 않은 렌즈에 비해 반사하는 빛이 매우 줄어들기 때문에 선명한 시야를 얻을 수 있다.

❽ 상쇄

4 홀로그램 이미지 보는 각도에 따라 색과 문양이 달라져서 입체적인 상을 만든다. 신용카드나 지폐 등에서 복사나 위조 방지를 위해 사용된다.

5 파동의 간섭에 대한 설명으로 옳은 것은 ○, 옳지 않은 것은 ×표 하시오.

(1) 두 파동이 만나 중첩되는 지점의 변위는 각 파동의 변위의 합과 같다. ( )

(2) 파동이 서로 중첩되더라도 각 파동은 전과 동일한 상태로 진행한다. ( )

(3) 파동의 변위의 방향이 같아 진폭이 커지는 현상을 상쇄 간섭이라고 한다. ( )

(4) 두 파원에서 파장과 진폭이 같은 물결파를 발생시키면 두 물결파가 전파하다가 만나서 간섭무늬가 나타난다. ( )

6 그림은 두 파원 S_1, S_2에서 발생한 동일한 물결파가 진행하는 모습을 간단히 나타낸 것이다. 실선은 마루, 점선은 골을 나타낸다.

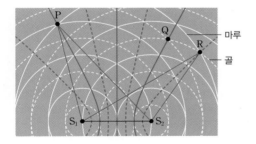

이에 대한 설명으로 옳지 <u>않은</u> 것은?

① 이와 같은 물결무늬를 간섭무늬라고 한다.

② 마루와 마루가 만난 P점에서는 보강 간섭이 일어난다.

③ 골과 골이 만난 Q점에서는 상쇄 간섭이 일어난다.

④ 마루와 골이 만난 R점에서는 상쇄 간섭이 일어난다.

⑤ P점에서 수면의 높이는 R점에서 수면의 높이보다 높다.

7 그림은 소음 제거 헤드폰에서 소음이 제거되는 원리를 간단히 나타낸 것이다.

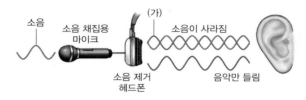

이에 대한 설명으로 옳은 것은?

① (가)는 소음과 위상이 같다.

② (가)는 소음과 상쇄 간섭을 일으킨다.

③ 마이크는 소음을 채집하여 그대로 들려준다.

④ 마이크가 소음을 채집하면 소음의 크기가 줄어든다.

⑤ 마이크가 소음을 흡수하므로 소음의 크기가 줄어든다.

8 그림은 여객기 내부에서 소음을 제거하는 원리를 간단히 나타낸 것이다.

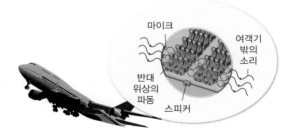

빈칸에 알맞은 말을 고르시오.

(1) 파동의 (보강 , 상쇄) 간섭을 이용한다.

(2) 여객기 내부의 스피커에서는 엔진에서 발생하는 소리와 (같은 , 반대) 위상의 소리를 발생시킨다.

대표 예제 1 전자기파

전자기파에 대한 설명으로 옳은 것만을 〈보기〉에서 있는 대로 고른 것은?

───── 보기 ─────

ㄱ. 전자기파는 매질의 진동을 통해서만 전파된다.
ㄴ. 전자기파의 에너지는 진동수가 클수록 크다.
ㄷ. 전기장의 진동 방향과 전자기파의 진행 방향은 서로 수직이다.

① ㄱ 　　② ㄴ 　　③ ㄱ, ㄷ
④ ㄴ, ㄷ 　　⑤ ㄱ, ㄴ, ㄷ

개념 가이드

전자기파는 전자기파의 진행 방향과 전기장 및 자기장의 진동 방향이 서로 [　　　]인 [　　　]이다.

답 수직, 횡파

대표 예제 2 전자기파의 종류

전자기파 중 파장이 가장 짧은 것과 가장 긴 것을 옳게 짝지은 것은?

	짧은 것	긴 것
①	가시광선	자외선
②	적외선	자외선
③	감마선	라디오파
④	X선	가시광선
⑤	자외선	마이크로파

개념 가이드

전자기파는 파장이 짧을수록, 즉 [　　　]가 클수록 에너지가 [　　　].

답 진동수, 크다

대표 예제 3 전자기파의 이용

그림은 리모컨에서 나오는 전자기파를 관찰하는 모습을 나타낸 것이다.

이 전자기파에 대한 설명으로 옳은 것만을 〈보기〉에서 있는 대로 고르시오.

───── 보기 ─────

ㄱ. 파장이 가시광선보다 길다.
ㄴ. 이 전자기파는 마이크로파이다.
ㄷ. 눈으로는 보이지만 디지털카메라로 찍으면 보이지 않는다.

개념 가이드

전자 기기 리모컨에 이용되는 전자기파는 [　　　]으로, 가시광선보다 파장이 [　　　].

답 적외선, 길다

대표 예제 4 전자기파의 이용

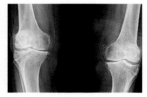

그림은 사진을 이용해 질병을 진단하는 모습을 나타낸 것이다.

이 사진을 촬영할 때 사용하는 전자기파에 대한 설명으로 옳은 것만을 〈보기〉에서 있는 대로 고르시오.

───── 보기 ─────

ㄱ. 고속의 전자가 금속과 충돌하여 감속할 때 발생한다.
ㄴ. 공항에서 수화물을 검사할 때에도 이용한다.
ㄷ. 암치료에도 이용된다.

개념 가이드

자외선보다 파장이 [　　　], 감마(γ)선보다 진동수가 [　　　] X선은 X선 사진을 이용하여 질병을 진단하는 데 이용된다.

답 짧고, 작은

대표 예제 **5** 파동의 중첩

그림 (가), (나)는 파동이 중첩하는 두 가지 경우를 나타낸 것이다. 이에 대한 설명으로 옳지 <u>않은</u> 것은?

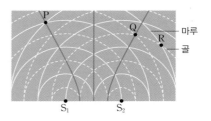

① (가)에서 두 파동의 위상은 같다.

② (가)에서 합성파의 파장은 원래 파장과 같다.

③ (가)에서는 두 파동이 보강 간섭을 일으킨다.

④ (나)에서는 두 파동이 상쇄 간섭을 일으킨다.

⑤ (나)에서는 합성파의 진폭이 가장 크게 나타난다.

개념 가이드

그림 (가)는 [   ] 간섭 하는 경우를, (나)는 [   ] 간섭 하는 경우를 나타낸다. 📖 보강, 상쇄

대표 예제 **6** 파동의 간섭

그림은 두 파원 S_1, S_2에서 발생한 진동수와 위상이 같은 물결파가 진행하는 모습을 간단히 나타낸 것이다. 실선은 마루, 점선은 골을 나타낸다.

P, Q, R중 보강 간섭을 일으키는 지점을 모두 고르시오.

개념 가이드

마루와 마루 또는 골과 골이 만나는 지점에서는 [   ] 간섭이 일어나고, 마루와 골이 만나는 지점에서는 [   ] 간섭이 일어난다. 📖 보강, 상쇄

대표 예제 **7** 간섭의 이용

그림은 위조지폐를 감별하는 원리를 나타낸 것이다.

— 노란색 영역의 파장 　— 초록색 영역의 파장 　— 백색광

이에 대한 설명으로 옳은 것만을 〈보기〉에서 있는 대로 고르시오.

┌─────────────────── 보기 ───────────────────┐
ㄱ. 홀로그램을 이용한 것이다.
ㄴ. 빛의 간섭 현상을 이용한다.
ㄷ. 빛을 비추는 각도에 따라 색, 문양이 다르다.
└──┘

개념 가이드

지폐의 10000이라는 숫자가 노란색으로 보일 때는 노란색 빛이 [   ] 간섭을 한 것이고, 초록색으로 보일 때는 초록색 빛이 [   ] 간섭을 한 것이다. 📖 보강, 보강

대표 예제 **8** 무반사 코팅 렌즈

그림은 안경의 무반사 코팅 렌즈를 나타낸 것이다. 이에 대한 설명으로 옳은 것만을 〈보기〉에서 있는 대로 고르시오.

코팅 전

코팅 후

┌─────────────────── 보기 ───────────────────┐
ㄱ. 빛의 상쇄 간섭을 이용한다.
ㄴ. 코팅막의 윗면에서 반사하는 빛과 아랫면에서 반사하는 빛의 위상은 같다.
ㄷ. 빛의 투과율이 높아서 선명한 시야를 얻을 수 있다.
└──┘

개념 가이드

안경의 렌즈에 무반사 코팅을 하면 코팅막의 [   ]면에서 반사된 빛과 [   ]면에서 반사된 빛이 상쇄 간섭을 일으켜 선명한 시야를 얻을 수 있다. 📖 윗, 아랫

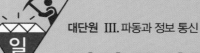

빛과 물질의 이중성

공부할 핵심 개념이 무엇인지 퀴즈를 통해 알아보자.

Quiz 금속 표면에 문턱 진동수 이상의 진동수의 빛을 비추면 ㄱ ㅈ ㅎ ㄱ 에 의해 전자가 튀어나온다.

답 광전 효과

배울 내용
1 광전 효과와 빛의 이중성
2 광전 효과의 이용 – 영상 정보의 기록
3 물질파
4 물질파의 이용 – 전자 현미경

Quiz 빛의 파동성과 입자성은 ㄷ ㅅ ㅇ 나타나지 않고 어떤 특정한 순간에 하나만 측정할 수 있다.

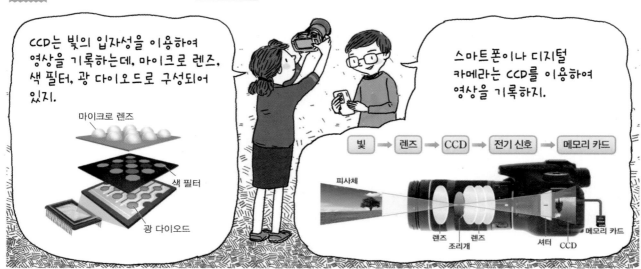

CCD는 빛의 입자성을 이용하여 영상을 기록하는데, 마이크로 렌즈, 색 필터, 광 다이오드로 구성되어 있지.

마이크로 렌즈
색 필터
광 다이오드

스마트폰이나 디지털 카메라는 CCD를 이용하여 영상을 기록하지.

빛 → 렌즈 → CCD → 전기 신호 → 메모리 카드

피사체
렌즈
조리개
렌즈
셔터
CCD
메모리 카드

답 동시에

Quiz 드브로이는 빛과 같이 물질도 ㅇ ㅈ ㅅ 을 가지고 있다고 제안하였다.

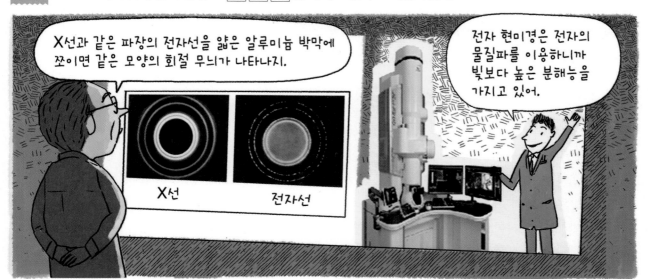

X선과 같은 파장의 전자선을 얇은 알루미늄 박막에 쪼이면 같은 모양의 회절 무늬가 나타나지.

X선
전자선

전자 현미경은 전자의 물질파를 이용하니까 빛보다 높은 분해능을 가지고 있어.

답 이중성

교과서 핵심 정리 ①

개념 1   광전 효과와 빛의 이중성

1 광전 효과   금속 표면에 ❶[   ] 진동수 이상의 진동수의 빛을 비추었을 때 금속 표면에서 전자가 튀어 나오는 현상

  ① 문턱 진동수: 어떤 금속에서 광전자를 방출시킬 수 있는 빛의 ❷[   ] 진동수

  ② 광전자: 광전 효과에 의해 금속 표면에서 튀어 나온 전자

2 광전 효과 실험 결과   광전자의 방출 여부는 금속판에 비춘 빛의 세기에는 관계 없고 빛의 ❸[   ]에만 관계된다.

  ① 금속판에 비추는 빛의 진동수가 문턱 진동수 이상이면 빛의 세기와 관계없이 광전 자가 즉시 방출되며, 방출되는 광전자 수는 ❹[   ]에 비례한다.

  ② 금속판에 비추는 빛의 진동수가 문턱 진동수보다 작으면 아무리 센 빛을 비추어도 광전자가 방출되지 않는다. ➡ 광전 효과는 빛을 ❺[   ]으로 생각하면 설명할 수 없다. 따라서 광전 효과는 빛이 입자의 성질을 갖는다는 것을 증명한다.

3 광양자설   빛은 광자(광양자)라는 ❻[   ]인 에너지 입자의 흐름이다. 광자의 에 너지는 빛의 ❼[   ]에 비례한다. ➡ $E = hf = \dfrac{hc}{\lambda}$ (h: 플랑크 상수)

4 일함수(W)   금속 표면에 있는 전자 1개를 방출시키는 데 필요한 최소한의 에너지로, 금속의 종류에 따라 다르다. ➡ $W = hf_0$(h: 플랑크 상수, f_0: 문턱 진동수)

5 광전자의 최대 운동 에너지(E_k)   광자 한 개의 에너지에서 일함수를 뺀 값과 같다.

   ➡ $E_k = \dfrac{1}{2}mv^2 = hf - W = hf - hf_0$

6 빛의 이중성   빛은 파동성과 함께 입자성을 가지고 있다. 빛의 파동성의 증거에는 간 섭과 회절 현상이 있고, 입자성의 증거에는 ❽[   ]가 있다.

개념 2   광전 효과의 이용 – 영상 정보의 기록

1 광 다이오드   p−n 접합면에 빛이 들어오면 광전 효과에 의해 전류가 흐르고, 방출되 는 전자의 개수는 ❾[   ]에 비례한다.

2 CCD   빛의 입자성을 이용하여 영상을 전기 신호로 기록하는 장치로, 빛에너지가 전기 에너지로 전환되며, 디지털카메라에 이용된다.

  ① 구조: 수백만 개의 광 다이오드가 규칙적으로 배열된 반도체 소자로, 광 다이오드 는 화소에 해당한다.

  ② 원리: 빛이 CCD에 닿으면 ❿[   ] 때문에 각 화소에서 전자가 발생한다. 각 화 소에서 발생하는 전하의 양을 차례대로 전기 신호로 변환시켜서 각 위치에 비춰진 빛의 세기에 대한 영상 정보를 기록한다.

❶ 문턱

❷ 최소

❸ 진동수

❹ 빛의 세기

❺ 파동

❻ 불연속적

❼ 진동수

❽ 광전 효과

❾ 빛의 세기

❿ 광전 효과

1 광전 효과에 대한 설명으로 옳은 것은 ○, 옳지 않은 것은 ×표 하시오.

(1) 빛의 파동성을 설명하는 중요한 증거이다.
( )

(2) 빛의 에너지는 빛의 진동수에 비례한다는 것을 알 수 있다. ( )

(3) 빛의 진동수가 충분히 크면 빛의 세기가 약해도 즉시 광전자가 튀어 나온다. ( )

2 그림은 진동수가 f 인 빛이 문턱 진동수가 f_0 인 금속에 충돌하여 속도가 v 인 광전자를 방출하는 광전 효과를 간단히 나타낸 것이다.

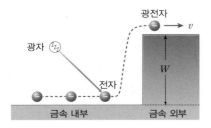

이에 대한 설명으로 옳지 <u>않은</u> 것은? (단, h는 플랑크 상수이다.)

① 광자의 에너지는 hf이다.
② 이 금속의 일함수는 hf_0이다.
③ 광전자의 최대 운동 에너지는 $hf-hf_0$이다.
④ 빛이 입사되는 즉시 광전자가 튀어나온다.
⑤ 빛의 세기를 크게 하면 광전자의 운동 에너지는 커진다.

3 다음은 빛의 이중성에 대한 설명이다. 빈칸에 알맞은 말을 쓰시오.

(1) 빛은 파동성과 입자성을 모두 가지고 있지만 두 가지 성질이 ( ) 나타나지는 않는다.

(2) 빛의 ( )을 나타내는 현상에는 간섭과 회절이 있고, ( )을 나타내는 현상에는 광전 효과가 있다.

4 그림은 CCD의 구조를 간단히 나타낸 것이다.

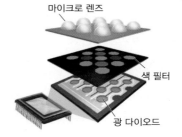

이에 대한 설명으로 옳은 것은 ○, 옳지 않은 것은 ×표 하시오.

(1) CCD는 빛의 입자성을 이용한다. ( )

(2) 광 다이오드는 빛의 진동수를 인식해서 색을 구분한다. ( )

(3) 광 다이오드에는 필터를 통과한 빛의 세기에 비례하는 전류가 흐른다. ( )

5일 교과서 핵심 정리 ②

개념 3 물질파

1 드브로이의 물질파 이론 빛이 입자의 성질을 갖는 것처럼, 입자도 **❶**⬚의 성질
을 갖는다고 주장하였다.

❶ 파동

2 물질파(또는 드브로이파) 물질 입자가 갖는 파동

① 물질파 파장(λ): 물질파의 파장은 물질의 질량(m)과 속도(v)를 곱한 **❷**⬚(p)
에 반비례한다.

❷ 운동량

➡ $\lambda = \dfrac{h}{p} = \dfrac{h}{mv}$ (h: 플랑크 상수)

② 일상생활에서는 물질파의 파장이 매우 짧아서 관찰하기 어렵지만 원자나 전자의
운동에서는 관찰할 수 있다.

3 물질파 확인 실험 – 물질파가 만드는 회절과 간섭 현상에 의해 확인되었다.

① 전자의 이중 슬릿 실험: 전자들을 이중 슬릿에 통과시키면 파동처럼 **❸**⬚무늬
가 나타난다.

❸ 간섭

② 톰슨의 전자 회절 실험: 전자의 드브로이 파장이 X선 파장과 같도록 하여 알루미늄
박에 쪼이면 **❹**⬚ 무늬가 나타난다.

❹ 회절

③ 데이비슨·거머의 실험: 니켈 표면에 전자선을 쏘면 전자선과 50°의 각을 이루는 곳
에서 나오는 전자의 수가 가장 많다. 이는 전자의 물질파가 **❺**⬚ 간섭을 일
으키기 때문이다.

❺ 보강

개념 4 물질파의 이용 – 전자 현미경

1 현미경의 조건 사용하는 파동의 파장이 관찰하고자 하는 물체의 크기보다 작아야 한
다. ➡ 파장이 **❻**⬚ 분해능이 좋다.

❻ 짧을수록

2 전자 현미경 전자의 물질파를 이용하는 현미경으로, 가시광선을 사용하는 광학 현미
경보다 **❼**⬚이 훨씬 좋다. 전자의 속력을 빠르게 가속하면 매우 짧은 파장을 만
들 수 있다.

❼ 분해능

① 투과 전자 현미경(TEM): **❽**⬚ 평면 구조의 상을 관찰하는 전자 현미경

❽ 2차원

② 주사 전자 현미경(SEM): **❾**⬚
입체 영상을 관찰하는 전자 현미경

❾ 3차원

③ 자기렌즈: 코일이 감긴 원통형 자
석으로, 광학 렌즈가 빛을 모으
는 것처럼 전자를 초점으로 모이
도록 한다.

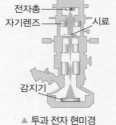

전자총
자기렌즈
시료
감지기

▲ 투과 전자 현미경

전자총
자기렌즈
시료
감지기

▲ 주사 전자 현미경

5일

5 물질파에 대한 설명으로 옳지 <u>않은</u> 것은?

① 물질파의 존재는 드브로이가 제안했다.

② 일상생활에서 물질파는 관찰하기 쉽다.

③ 원자나 전자의 물질파 파장은 관찰할 수 있다.

④ 물질파의 파장은 물질의 운동량에 반비례한다.

⑤ 전자의 이중 슬릿 실험은 입자의 파동성을 확인하는 실험 중 하나이다.

7 그림은 X선과 전자선을 얇은 알루미늄 박막에 쪼일 때 나타나는 무늬를 나타낸 것이다.

 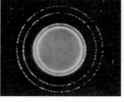

▲ X선   ▲ 전자선

빈칸에 알맞은 말을 쓰시오.

> X선과 전자의 드브로이 파장이 같도록 하여 얇은 알루미늄 박막에 쪼일 때 같은 모양의 회절 무늬가 나타나는 것을 확인하였다. 이것은 전자가 X선과 마찬가지로 (   )의 성질을 띤다는 것을 의미한다.

6 그림은 입자 가속기에서 방출된 입자가 이중 슬릿을 통과하여 형광판에 무늬를 형성한 것을 나타낸 것이다.

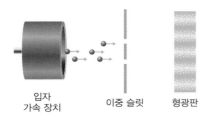

입자
가속 장치   이중 슬릿   형광판

이에 대한 설명으로 옳은 것은 ○, 옳지 않은 것은 ×표 하시오.

(1) 입자의 파동성을 설명하는 증거이다.   (   )

(2) 입자의 파장은 입자의 속력과 관계 있다.(   )

(3) 입자가 입자성만 가진다면 형광판에 두 줄의 무늬만 나타날 것이다.   (   )

8 그림은 전자 현미경의 구조를 모식적으로 나타낸 것이다.

이에 대한 설명으로 옳은 것은 ○, 옳지 않은 것은 ×표 하시오.

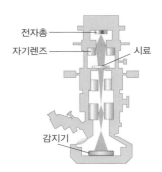

전자총
자기렌즈
시료
감지기

(1) 전자 현미경은 전자의 파동성을 이용한다.

(   )

(2) 자기렌즈는 전자를 초점으로 모으는 역할을 한다.

(   )

(3) 전자 현미경은 광학 현미경보다 분해능이 나쁘다.

(   )

대표 예제 1 광전 효과

그림은 (−)전하로 대전된 검전기 위에 아연판을 올려 놓고 자외선을 쪼여 주

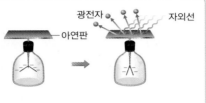

었을 때의 모습을 나타낸 것이다. 이에 대한 설명으로 옳은 것만을 〈보기〉에서 있는 대로 고르시오.

▶ 보기 ◀

ㄱ. 광전자는 자외선을 쪼이는 즉시 방출된다.
ㄴ. 자외선의 진동수는 아연의 문턱 진동수 이상이다.
ㄷ. 자외선의 세기를 증가시키면 방출되는 광전자의 수는 증가한다.

개념 가이드

광전자는 쪼여주는 빛의 진동수가 금속의 [   ] 진동수 이상일 때 [   ] 튀어 나온다. **답** 문턱, 즉시

대표 예제 2 광전 효과

그림은 광전 효과가 일어나는 상황을 모식적으로 나타낸 것이다. 이에 대한 설명으로 옳은 것만을 〈보기〉에서 있는 대로 고르시오.

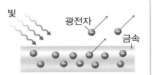

▶ 보기 ◀

ㄱ. 쪼여 주는 빛의 진동수는 금속의 문턱 진동수 이상이다.
ㄴ. 빛은 입자로 전자에 충돌하면 광전자가 즉시 튀어 나온다.
ㄷ. 쪼여 주는 빛의 진동수가 더 커지면 방출되는 광전자의 수가 증가한다.

개념 가이드

광전 효과는 [   ]와 [   ]의 충돌로 설명할 수 있는 현상이다. **답** 광자, 전자

대표 예제 3 빛의 이중성

그림 (가)는 이중 슬릿을 통과한 빛의 간섭무늬를, 그림 (나)는 광전 효과를 나타낸 것이다.
이에 대한 설명으로 옳지 <u>않은</u> 것은?

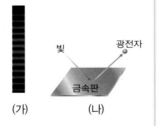

(가)   (나)

① (가)는 빛의 파동성을 나타낸다.
② (가)는 빛의 간섭으로 나타난다.
③ (나)는 빛의 입자성을 나타낸다.
④ (나)의 광전자는 빛을 비추는 즉시 나온다.
⑤ 빛은 입자성과 파동성이 동시에 나타난다.

개념 가이드

빛은 [   ]과 [   ]을 함께 가지고 있지만 두 성질이 동시에 나타나지는 않는다. **답** 입자성, 파동성

대표 예제 4 빛의 이중성

다음 중 빛의 입자성을 이용하는 것으로 옳지 <u>않은</u> 것은?

① 광 다이오드
② CCD
③ 디지털카메라
④ 태양 전지
⑤ 마이컬슨·몰리 실험 장치

개념 가이드

CCD는 빛의 [   ]을 이용하여 영상을 기록하는 장치로, 빛에너지가 [   ] 에너지로 전환된다. **답** 입자성, 전기

5일

대표 예제 5   물질파

물질파에 대한 설명으로 옳은 것만을 〈보기〉에서 있는 대로 고른 것은?

━━━━━ 보기 ●━━

ㄱ. 물질파는 전자처럼 질량을 갖는 물질이 운동할 때 가지는 파동이다.
ㄴ. 물질파는 파동의 간섭으로 확인할 수 있다.
ㄷ. 광전 효과는 물질파의 파동성을 확인하는 실험 중 하나이다.

① ㄱ   ② ㄱ, ㄴ   ③ ㄱ, ㄷ
④ ㄴ, ㄷ   ⑤ ㄱ, ㄴ, ㄷ

✦ 개념 가이드

전자, 야구공 등 질량을 갖는 물질이 가진 파동을 ☐☐☐ 또는 ☐☐☐☐☐ 라고 한다.

답 물질파, 드브로이파

대표 예제 6   물질파의 파장

질량이 m인 물체가 v의 속력으로 운동할 때, 이 물체가 갖는 물질파의 파장은? (단, 플랑크 상수는 h이다.)

① mv ② mvh ③ $\dfrac{h}{mv}$

④ $\dfrac{mv}{h}$ ⑤ mh

✦ 개념 가이드

물질파의 파장은 물질의 질량과 속도를 곱한 ☐☐☐ 에 ☐☐☐ 한다.

답 운동량, 반비례

대표 예제 7   전자의 이중 슬릿 실험

그림은 전자의 이중 슬릿 실험을 설명하는 모식도이다.

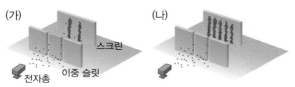

이에 대한 설명으로 옳은 것만을 〈보기〉에서 있는 대로 고르시오.

━━━━━ 보기 ●━━

ㄱ. (가)는 전자가 입자처럼 행동할 때 결과이다.
ㄴ. (나)는 전자가 파동처럼 행동할 때 결과이다.
ㄷ. 전자의 이중 슬릿 실험 결과는 (가)와 같이 나오므로 전자는 파동성이 없다.

✦ 개념 가이드

전자의 이중 슬릿 실험에서 전자 수를 ☐☐ 시킬수록 파동의 ☐☐ 무늬가 잘 나타난다.

답 증가, 간섭

대표 예제 8   전자 현미경

광학 현미경과 전자 현미경을 비교한 설명으로 옳은 것만을 〈보기〉에서 있는 대로 고른 것은?

ㄱ. 광학 현미경은 빛을 사용하고 전자 현미경은 전자선을 사용한다.
ㄴ. 광학 현미경은 광학 렌즈를 사용하고 전자 현미경은 자기렌즈를 사용한다.
ㄷ. 전자 현미경은 광학 현미경보다 배율과 분해능이 높아 더 작은 물체를 관찰할 수 있다.

① ㄱ   ② ㄱ, ㄴ   ③ ㄱ, ㄷ
④ ㄴ, ㄷ   ⑤ ㄱ, ㄴ, ㄷ

✦ 개념 가이드

전자 현미경은 광학 현미경보다 사용하는 파동의 파장이 ☐☐ 분해능이 ☐☐.

답 짧아, 좋다

신경향

1 다음은 수소 원자 모형에 대해 세 학생이 대화를 나누고 있는 모습을 나타낸 것이다.

수소 원자의 에너지 준위는 연속적이야.

전자는 바닥상태에서 가장 낮은 에너지를 가져.

학생 B

전자가 궤도 사이를 전이할 때 전자기파를 방출하거나 흡수해.

학생 A

학생 C

옳게 말한 학생만을 모두 고른 것은?

① A   ② B   ③ C
④ A, B   ⑤ B, C

2 그림은 물질 X, Y의 에너지띠 구조를 나타낸 것이다. X, Y는 도체와 절연체 중 하나이다.

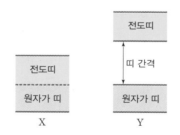

전도띠

전도띠

띠 간격

원자가 띠

원자가 띠

X

Y

이에 대한 설명으로 옳은 것만을 〈보기〉에서 있는 대로 고른 것은?

┌─────────────────── 보기 ┐
ㄱ. X는 도체의 에너지띠 구조이다.
ㄴ. Y는 절연체의 에너지띠 구조이다.
ㄷ. Y의 띠 간격에는 자유 전자가 존재한다.
└──────────────────────┘

① ㄱ   ② ㄴ   ③ ㄷ
④ ㄱ, ㄴ   ⑤ ㄴ, ㄷ

3 그림과 같이 p−n 접합 다이오드에 전원과 전류계를 연결하였더니 전류계에 전류가 흘렀다.
이에 대한 설명으로 옳은 것만을 〈보기〉에서 있는 대로 고르시오.

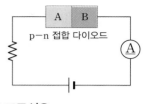

┌─────────────────── 보기 ┐
ㄱ. A와 B는 모두 p형 반도체이다.
ㄴ. 다이오드에 전류가 흐른다.
ㄷ. 다이오드에는 역방향 바이어스가 걸려 있다.
└──────────────────────┘

4 자기장과 자기력선에 대한 설명으로 옳은 것만을 〈보기〉에서 있는 대로 고르시오.

┌─────────────────── 보기 ┐
ㄱ. 자기력선은 S극에서 나와 N극으로 들어가는 방향이다.
ㄴ. 자기장의 방향은 나침반 자침의 N극이 가리키는 방향이다.
ㄷ. 자기력선이 촘촘할수록 자기장의 세기가 세다.
└──────────────────────┘

5 직선 도선에 흐르는 전류가 만드는 자기장에 대한 설명으로 옳지 <u>않은</u> 것을 모두 고르면? (2개)
① 자기장은 도선을 중심으로 한 동심원 모양이다.
② 자기장의 세기는 도선에 흐르는 전류의 세기에 비례한다.
③ 자기장의 세기는 도선으로부터 거리의 제곱에 반비례한다.
④ 오른손의 엄지손가락을 전류의 방향으로 향할 때 나머지 네 손가락이 도선을 감아쥔 방향이 자기장의 방향이다.
⑤ 도선에 흐르는 전류의 방향이 바뀌어도 자기장의 방향은 바뀌지 않는다.

6 그림 (가)는 어떤 물질에 외부 자기장을 가했을 때, (나)는 외부 자기장을 제거했을 때 물질 내 원자 자석의 배열을 모식적으로 나타낸 것이다.

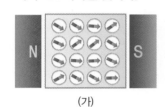
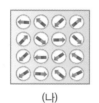

(가)　　　　　(나)

이에 대한 설명으로 옳은 것만을 〈보기〉에서 있는 대로 고른 것은?

─────────────── 보기 ●───
ㄱ. 이 물질은 상자성체이다.
ㄴ. (나)에서는 자성이 나타나지 않는다.
ㄷ. (가)에서는 외부 자기장의 방향으로 강하게 자기화된다.
──────────────────────

① ㄱ　　　　② ㄴ　　　　③ ㄷ
④ ㄱ, ㄴ　　　⑤ ㄱ, ㄴ, ㄷ

7 그림은 코일 근처에서 자석이 운동할 때 코일에 흐르는 유도 전류의 방향을 나타낸 것이다.

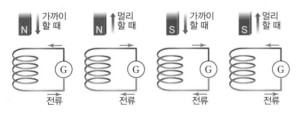

이에 대한 설명으로 옳은 것만을 〈보기〉에서 있는 대로 고른 것은?

─────────────── 보기 ●───
ㄱ. N극을 가까이 하면 코일 위쪽에 N극이 유도된다.
ㄴ. S극을 멀리 하면 코일 위쪽에 N극이 유도된다.
ㄷ. N극을 멀리 하면 코일 위쪽에 N극이 유도된다.
──────────────────────

① ㄱ　　　　② ㄴ　　　　③ ㄷ
④ ㄱ, ㄴ　　　⑤ ㄱ, ㄴ, ㄷ

8 그림은 낙하하는 자이로드롭을 멈추게 하는 자기 브레이크의 원리를 모식적으로 나타낸 것이다.
자기 브레이크의 작동 원리를 서술하시오.

9 다음 세 파동의 공통점으로 옳은 것은?

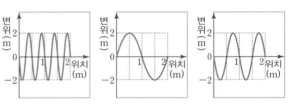

① 주기가 같다.　　　② 파장이 같다.
③ 진폭이 같다.　　　④ 진동수가 같다.
⑤ 진행 속력이 같다.

10 다음은 파동이 성질이 다른 매질로 진행할 때 경계면에서 굴절하는 모습을 나타낸 것이다.
굴절할 때 물리량을 비교한 것으로 옳지 않은 것은?

굴절 모양			
①	주기	변하지 않는다.	변하지 않는다.
②	속력	작아진다.	커진다.
③	진동수	작아진다.	커진다.
④	파장	짧아진다.	길어진다.
⑤	굴절각	입사각 > 굴절각	입사각 < 굴절각

신경향

1 그림은 물에서 공기로 빛이 진행하는 모습을 나타낸 것이다.

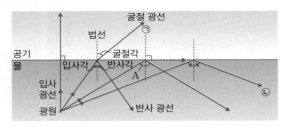

이에 대한 설명으로 옳은 것만을 〈보기〉에서 있는 대로 고르시오.

─── 보기 ───

ㄱ. A는 임계각이다.

ㄴ. ㉠의 경우 전반사가 일어난다.

ㄷ. ㉡의 경우에 굴절 광선이 없다.

2 구리 통신과 비교할 때 광통신의 장점 두 가지를 서술하시오.

3 그림은 전자기파를 진동수에 따라 분류한 것이다.

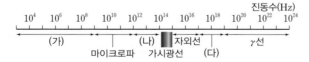

이에 대한 설명으로 옳은 것만을 〈보기〉에서 있는 대로 고르시오.

─── 보기 ───

ㄱ. (가)는 라디오파이다.

ㄴ. (나)는 강한 열작용을 하여 열선이라고도 불린다.

ㄷ. (다)는 고속의 전자가 금속에 충돌할 때 발생한다.

4 그림은 열화상 카메라로 사람의 모습을 촬영한 것이다.

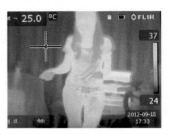

이 카메라에서 사용한 전자기파를 이용한 예로 옳은 것은?

① 리모컨

② 위조지폐 감별

③ 암치료

④ 식기 소독기

⑤ 공항의 수화물 검사

신경향

5 그림 (가), (나)는 두 파동이 중첩할 때 합성파를 나타낸 것이다.

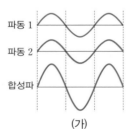 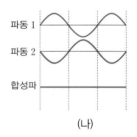

이에 대한 설명으로 옳은 것만을 〈보기〉에서 있는 대로 고른 것은?

─── 보기 ───

ㄱ. (가)와 같은 원리로 기름막에서 다양한 색이 나타난다.

ㄴ. (가)와 같은 원리로 울림통이 있는 악기의 소리가 크고 선명하게 발생한다.

ㄷ. (나)의 원리를 이용하여 비행기 내에서 엔진 소음을 제거한다.

① ㄱ   ② ㄴ   ③ ㄷ

④ ㄴ, ㄷ   ⑤ ㄱ, ㄴ, ㄷ

정답과 해설 78쪽

[6~7] 다음은 광전 효과에 대해 알아보는 실험이다.

- 아연판을 검전기 위에 올려놓는다.
- 그림 (가)와 같이 (−)전하로 대전된 에보나이트 막대를 아연판에 접촉시킨다.
- 그림 (나)와 같이 아연판에 형광등을 비추고 금속박의 변화를 관찰한다. ➡ 금속박이 변하지 않는다.
- 그림 (다)와 같이 아연판에 자외선등을 비추고 금속박의 변화를 관찰한다. ➡ 금속박이 오므라든다.

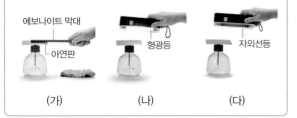

에보나이트 막대
아연판
형광등
자외선등

(가)　　　　(나)　　　　(다)

신경향

6 (가)와 같이 검전기의 아연판에 (−) 전하로 대전된 에보나이트 막대를 접촉시키는 까닭으로 옳은 것은?

① 검전기의 (+)전하를 제거하기 위해서
② 검전기 전체를 (−)전하로 대전시키기 위해서
③ 금속박의 전자를 제거하기 위해서
④ 금속박을 충전하기 위해서
⑤ 검전기의 이물질을 제거하기 위해서

7 (나), (다)의 실험 결과에 대한 설명으로 옳은 것만을 〈보기〉에서 있는 대로 고른 것은?

　　　　　　　　　　　　　　　　　　　• 보기 •
ㄱ. (나)에서 광전자가 방출된다.
ㄴ. (다)에서 광전자가 방출된다.
ㄷ. (다)의 빛을 세게 하면 광전자가 더 많이 방출된다.

① ㄱ　　　　② ㄴ　　　　③ ㄷ
④ ㄴ, ㄷ　　　⑤ ㄱ, ㄴ, ㄷ

8 빛의 이중성에 대한 설명으로 옳지 않은 것은?

① 빛의 입자성과 파동성은 동시에 나타난다.
② 빛은 입자성과 함께 파동성을 가지고 있다.
③ 빛의 간섭 현상은 파동성의 증거이다.
④ 빛의 광전 효과는 입자성의 증거이다.
⑤ 어떤 특정한 순간에는 입자성과 파동성 중 하나만 측정할 수 있다.

9 다음은 물질파에 대한 학생들이 발표 내용이다.

학생	발표 내용
A	전자도 빛과 같이 파동성과 입자성을 가지고 있다.
B	물질파의 회절과 간섭으로 자성을 확인할 수 있다.
C	물질파의 확인 실험으로는 데이비슨과 거머의 전자 회절 실험이 있다.

발표 내용이 옳은 학생을 모두 고른 것은?

① A　　　　② C　　　　③ A, B
④ A, C　　　⑤ A, B, C

10 물질의 이중성에 대한 설명으로 옳은 것만을 〈보기〉에서 있는 대로 고르시오.

　　　　　　　　　　　　　　　　　　　• 보기 •
ㄱ. 던져진 야구공은 파동의 성질이 없다.
ㄴ. 물질파의 파장은 운동량에 반비례한다.
ㄷ. 전자 현미경은 전자의 파동적 성질을 이용한 것이다.

1 그림 (가), (나)는 전자가 전이할 때 방출되는 빛의 스펙트럼을 나타낸 것이다.

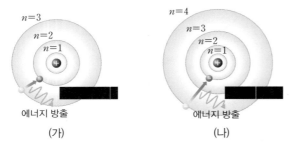

(가)　　　　　　(나)

(가)와 (나)에서 방출되는 빛의 파장을 에너지 준위를 이용해 비교하여 서술하시오.

_____

_____

_____

2 그림과 같이 솔레노이드에 검류계를 연결하고, 막대자석의 N극을 가까이 하거나 멀리 할 때 검류계의 바늘의 움직임을 관찰하였다.

막대자석의 N극을 가까이 할 때와 멀리 할 때 유도 전류의 방향을 서술하시오.

_____

_____

_____

3 다음은 어떤 물질의 자성을 알아보기 위해 한 실험의 결과이다.

외부 자기장이 없을 때는 자기장을 띠지 않고, 외부 자기장을 가할 때에는 외부 자기장과 반대로 자기화되고, 외부 자기장을 제거하면 자성을 띠지 않는다.

▲ 외부 자기장이 없을 때　▲ 외부 자기장을 가할 때　▲ 외부 자기장을 제거할 때

(1) 이 물질은 어떤 자성체인지 쓰고, 특성을 간단히 서술하시오.

_____

_____

(2) 이 물질과 같은 자성을 띠는 물질의 예를 두 가지 이상 쓰시오.

_____

정답과 해설 79쪽

4 다음은 몇 가지 물질에서의 빛의 굴절에 대해 알아보는 실험 과정과 결과이다.

[실험 과정]

1. 그림과 같이 공기와 다른 물질의 경계면에 레이저 빛을 입사시키면서 굴절각을 측정한다.
2. 다른 물질로 교체하면서 과정 1을 반복한다.

[실험 결과]

실험 결과 입사각이 같을 때 물, 유리, 다이아몬드에서 굴절은 다음 그림과 같이 나타났다.

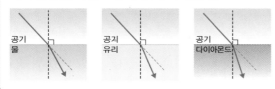

물, 유리, 다이아몬드의 굴절률과 그 물질 속에서의 빛의 속력을 부등호를 이용해 비교하시오.

_____

_____

_____

5 그림은 전자기파를 파장에 따라 나타낸 것이다.

(1) (가)와 (나)에 들어갈 전자기파의 이름을 각각 쓰시오.

_____

(2) 전자기파의 진동수와 에너지는 A 쪽으로 갈수록 어떻게 되는지 서술하시오.

_____

_____

_____

_____

6 그림은 광전 효과 실험에서 동일한 금속판에 노란색 빛과 보라색 빛을 비추었을 때 결과를 나타낸 것이다.

이와 같은 결과가 나오는 까닭을 서술하시오.

_____

_____

_____

_____

6일

1 다음은 다이오드의 특성을 알아보는 실험을 나타낸 것이다.

참의
융합

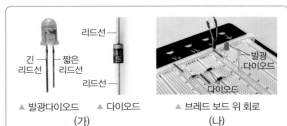

▲ 발광다이오드   ▲ 다이오드   ▲ 브레드 보드 위 회로
　　　(가)　　　　　　　　　　　　　(나)

- (가)와 같이 발광 다이오드와 다이오드의 겉모습을 관찰하고 특징을 기록한다.
- (나)와 같이 브레드 보드에 다이오드 2개를 각각 방향을 다르게 끼우고, 발광 다이오드 2개는 긴 리드선이 (+)극 쪽에 연결되도록 끼운다.
- 저항과 전원을 연결한 다음 스위치를 올리고 발광 다이오드가 빛을 내는지 관찰한다.

(1) (가)에서 발광 다이오드와 다이오드의 특징을 각각 서술하시오.

_____

_____

(2) (나)에서 발광 다이오드에 불이 켜지는 것은 어느 경우인지 서술시오.

_____

_____

_____

(3) 이 실험을 통하여 내릴 수 있는 결론을 서술하시오.

_____

_____

2 그림 (가)~(라)와 같이 막대자석을 코일에 가까이 하거나 멀리 하였다.

참의

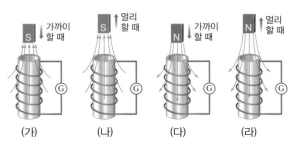

　(가)　　　(나)　　　(다)　　　(라)

(1) 막대자석의 S극을 가까이 할 때와 멀리 할 때 유도 전류의 방향을 비교하여 쓰시오.

_____

(2) 막대자석의 N극을 가까이 할 때와 멀리 할 때 유도 전류의 방향을 비교하여 쓰시오.

_____

(3) 막대자석의 S극을 가까이 할 때와 N극을 가까이 할 때 유도 전류의 방향을 비교하여 쓰시오.

_____

(4) 막대자석의 N극을 가까이 할 때와 멀리 할 때 자석의 자기장과 유도 전류에 의한 자기장의 방향을 비교하여 서술하시오.

_____

_____

(5) 유도 전류의 방향을 코일을 통과하는 자기장의 변화를 이용해 서술하시오.

_____

_____

정답과 해설 80쪽

3
창의
융합

그림은 물속의 광원에서 나온 빛이 물에서 공기로 진행하면서 굴절과 반사를 하는 모습을 나타낸 것이다.

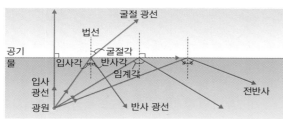

전반사가 일어나는 경우에 대해 '입사각'이라는 단어를 이용해 서술하시오.

_____

_____

4
창의
융합

그림과 같이 나란히 설치한 동일한 두 스피커에서 진동수가 400 Hz인 소리가 발생하게 하고, 스피커에서 2 m 떨어진 곳을 지나가면서 소리를 들었다.

이때 들리는 소리의 변화를 까닭과 함께 서술하시오.

_____

_____

_____

5
창의
융합

그림 (가)는 톰슨이 수행한 파장이 같은 X선과 전자선을 얇은 알루미늄 박막에 쪼이는 실험을, (나)는 이 실험 결과 나타난 회절 무늬를 나타낸 것이다.

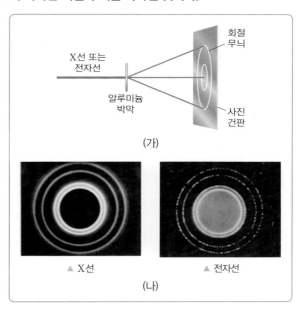

(가)

▲ X선   ▲ 전자선

(나)

(나)의 실험 결과로 알 수 있는 사실을 서술하시오.

_____

_____

1 보어의 원자 모형에 대한 설명으로 옳지 <u>않은</u> 것은?

① 전자는 각 궤도 사이에도 연속적으로 존재한다.

② 전자가 에너지 준위가 높은 궤도에서 낮은 궤도로 전이할 때 에너지 차이만큼의 빛을 방출한다.

③ 전자가 에너지 준위가 낮은 궤도에서 높은 궤도로 전이할 때 에너지 차이만큼의 빛을 흡수한다.

④ 전자가 안정된 궤도에서 운동할 때는 전자기파를 방출하지 않는다.

⑤ 원자핵에 가까운 궤도일수록 에너지 준위가 낮은 궤도이다.

2 그림 (가), (나), (다)는 도체, 반도체, 절연체의 에너지띠 구조를 순서 없이 나타낸 것이다.

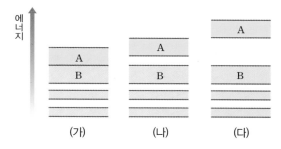

이에 대한 설명으로 옳지 <u>않은</u> 것은?

① A는 전도띠이다.

② B는 원자가 띠이다.

③ (가)는 도체의 에너지띠 구조이다.

④ (나)의 예에는 규소, 저마늄 등이 있다.

⑤ (다)는 띠 간격이 커서 전자가 이동하기 쉽다.

3 그림은 다이오드를 포함한 회로의 입력 전압과 출력 전압을 나타낸 것이다.

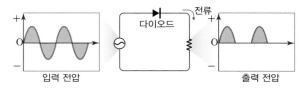

이로부터 알 수 있는 다이오드의 특성을 서술하시오.

_____

_____

4 그림은 화살표 방향으로 전류가 흐르는 직선 도선을 나타낸 것이다. 도선에서 점 P, R까지 거리는 같고, 점 Q까지의 거리는 P까지 거리의 $\frac{1}{2}$배이다. 이에 대한 설명으로 옳은 것만을 〈보기〉에서 있는 대로 고르시오.

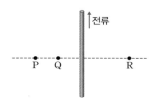

> ━━━━━━━━ 보기 ●
> ㄱ. P와 R에서 자기장의 세기는 같다.
> ㄴ. P와 R에서 자기장의 방향은 같다.
> ㄷ. Q에서 자기장의 세기는 R에서의 2배이다.

5 솔레노이드에 흐르는 전류에 의한 자기장의 세기를 증가시키는 방법으로 옳은 것을 모두 고르면? (2개)

① 전류의 세기를 증가시킨다.

② 단위 길이당 코일의 감은 수를 늘린다.

③ 솔레노이드 중심에 유리 막대를 넣는다.

④ 솔레노이드 지름의 크기를 크게 한다.

⑤ 솔레노이드 지름의 크기를 작게 한다.

정답과 해설 82쪽

신경향

6 그림과 같이 자석을 물질 A에 가까이 하였더니 A가 밀려났고, B에 가까이 하였더니 B가 끌려왔다.

이에 대한 설명으로 옳은 것은?

① A는 강자성체이다.
② A는 전자석의 철심으로 쓰인다.
③ A와 같은 물질에는 물, 구리가 있다.
④ B는 반자성체이다.
⑤ B와 같은 물질에는 초전도체가 있다.

7 그림과 같이 바닥에 놓인 원형 도선의 중심축 위로 자석을 접근시켰더니 원형 도선에 시계 방향으로 유도 전류가 흘렀다.
이에 대한 설명으로 옳은 것은?

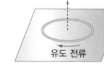

① 막대자석의 윗면은 N극이다.
② 유도 전류에 의한 자기장은 위쪽 방향이다.
③ 막대자석의 자기장은 아래쪽 방향이다.
④ 자석을 멈추어도 유도 전류는 계속 흐른다.
⑤ 유도 전류의 세기는 자석이 멀수록 세다.

8 전자기 유도를 이용한 제품이 <u>아닌</u> 것은?

① 발전기　　　　② 전동기
③ 태블릿 컴퓨터　　④ 발광 킥보드
⑤ 신용카드 판독기

9 그림 (가)는 오른쪽으로 진행하는 파동의 변위를 위치에 따라 나타낸 것이고, (나)는 (가)의 P점 변위를 시간에 따라 나타낸 것이다.

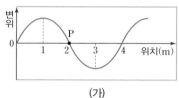
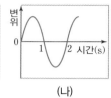

(가)　　　　　　(나)

이에 대한 설명으로 옳은 것만을 〈보기〉에서 있는 대로 고른 것은?

보기

ㄱ. 이 파동의 파장은 4 m이다.
ㄴ. 이 파동의 주기는 2초이다.
ㄷ. 이 파동의 속력은 2 m/s이다.

① ㄱ　　　　② ㄴ　　　　③ ㄷ
④ ㄴ, ㄷ　　　⑤ ㄱ, ㄴ, ㄷ

10 그림은 물결파가 영역 I에서 영역 II로 진행하는 모습을 나타낸 것이다. v_1은 영역 I에서 물결파의 속력이고, v_2는 영역 II에서 물결파의 속력이다.

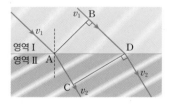

이에 대한 설명으로 옳은 것은?

① v_1은 v_2보다 작다.
② 진동수는 영역 I과 영역 II에서 같다.
③ 파장은 영역 II에서가 영역 I에서보다 크다.
④ 주기는 영역 II에서가 영역 I에서보다 크다.
⑤ 물결파가 A에서 C까지 진행하는 데 걸리는 시간은 B에서 D까지 진행하는 데 걸리는 시간보다 크다.

11 그림은 빛 A, B C가 물에서 공기로 진행하는 모습을 나타낸 것이다.

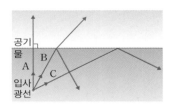

이에 대한 설명으로 옳은 것만을 〈보기〉에서 있는 대로 고른 것은? (단, 처음 A, B, C의 세기는 모두 같다.)

┌─────────────────── 보기 ─┐
ㄱ. A의 반사광의 세기가 가장 크다.
ㄴ. B의 굴절각은 입사각보다 작다.
ㄷ. C는 전반사를 하므로 굴절 광선이 없다.
└──────────────────────────┘

① ㄱ   ② ㄴ   ③ ㄷ
④ ㄱ, ㄴ   ⑤ ㄴ, ㄷ

12 그림 (가)는 굴절률이 다른 유리 P, Q를 접촉시켜 놓고 경계면에 빛 A, B를 입사시켰을 때 진행하는 모습을, (나)는 P, Q로 만든 광섬유의 구조를 나타낸 것이다.

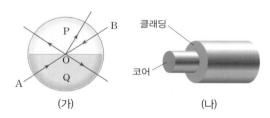

이에 대한 설명으로 옳은 것만을 〈보기〉에서 있는 대로 고른 것은?

┌─────────────────── 보기 ─┐
ㄱ. A는 경계면에서 전반사한다.
ㄴ. 굴절률은 P가 Q보다 크다.
ㄷ. (나)에서 코어는 P, 클래딩은 Q로 만든다.
└──────────────────────────┘

① ㄱ   ② ㄴ   ③ ㄷ
④ ㄴ, ㄷ   ⑤ ㄱ, ㄴ, ㄷ

13 전자기파에 대한 설명으로 옳지 않은 것은?

① 전자기파의 진행 방향과 전기장의 진동 방향은 나란하다.
② 진공 중에서 전자기파의 속력은 빛의 속력과 같다.
③ 전자기파는 전기장과 자기장이 진동하면서 전파된다.
④ 전자기파는 매질 없이도 전파된다.
⑤ 전자기파의 에너지는 진동수에 비례한다.

14 다음 도구 중 이용하는 전자기파의 종류가 다른 하나는?

① 체온계   ② 열화상 카메라
③ TV 리모콘   ④ 적외선 카메라
⑤ 위조지폐 감별기

15 그림과 같이 두 파원 S_1, S_2에서 진폭과 진동수가 같은 물결파를 발생시켰다. 이에 대한 설명으로 옳은 것만을 〈보기〉에서 있는 대로 고른 것은?

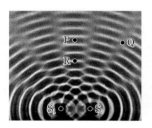

┌─────────────────── 보기 ─┐
ㄱ. 중첩된 수면파의 진폭은 Q에서 가장 크다.
ㄴ. P에서는 보강 간섭, Q에서는 상쇄 간섭이 일어난다.
ㄷ. P와 R에서 중첩된 수면파의 진폭은 같다.
└──────────────────────────┘

① ㄱ   ② ㄴ   ③ ㄷ
④ ㄴ, ㄷ   ⑤ ㄱ, ㄴ, ㄷ

16 그림은 헤드셋에서 소음을 제거하는 원리를 모식적으로 나타낸 것이다.

이에 대한 설명으로 옳지 <u>않은</u> 것은?

① 헤드폰에서 소음과 위상이 반대인 소리를 발생한다.
② 소리의 상쇄 간섭을 이용한다.
③ 소음이 제거되어도 음악 소리는 변하지 않는다.
④ 소음과 진폭, 진동수가 같은 소리를 발생한다.
⑤ 소음과 위상이 같은 소리를 발생해도 소음 제거 효과는 같다.

신경향
17 그림은 광전 효과에 대한 학생들의 대화를 나타낸 것이다.

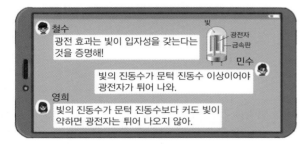

옳은 의견을 말한 학생을 모두 고른 것은?

① 철수   ② 민수   ③ 영희
④ 철수, 민수   ⑤ 철수, 영희

---

18 광전 효과가 빛의 입자성의 증거인 까닭을 서술하시오.

---

19 그림은 전자를 이중 슬릿에 통과시켰을 때 나타난 간섭무늬를 나타낸 것이다.

이에 대한 설명으로 옳은 것만을 〈보기〉에서 있는 대로 고른 것은?

┌─────────────────────── 보기 ───────────────────────┐
ㄱ. 전자는 파동성을 갖기 때문에 간섭무늬가 여러 개 나타난다.
ㄴ. 전자가 입자성만 있다면 무늬의 수는 2개만 나타날 것이다.
ㄷ. 전자의 물질파 파장은 전자의 운동량에 비례한다.
└──┘

① ㄱ   ② ㄱ, ㄴ   ③ ㄱ, ㄷ
④ ㄴ, ㄷ   ⑤ ㄱ, ㄴ, ㄷ

---

20 전자 현미경의 분해능에 대한 설명으로 옳은 것만을 〈보기〉에서 있는 대로 고른 것은?

┌─────────────────────── 보기 ───────────────────────┐
ㄱ. 현미경의 분해능은 파장이 짧을수록 좋다.
ㄴ. 전자의 가속 전압을 조절하면 파장이 짧은 물질파를 얻을 수 있다.
ㄷ. 물질파는 파장이 짧아도 광학 현미경보다 분해능이 좋지는 않다.
└──┘

① ㄱ   ② ㄴ   ③ ㄷ
④ ㄱ, ㄴ   ⑤ ㄴ, ㄷ

1 전기력에 대한 설명으로 옳지 <u>않은</u> 것은?

① 같은 종류의 전하 사이에는 미는 힘이 작용한다.
② 다른 종류의 전하 사이에는 끌어당기는 힘이 작용한다.
③ 두 전하 사이의 거리가 가까울수록 작용하는 힘의 크기가 크다.
④ 두 전하 사이에 작용하는 힘의 크기는 두 전하량의 곱에 비례한다.
⑤ 두 전하가 서로 접촉해 있을 때에만 힘이 작용한다.

2 그림은 보어의 원자 모형을 간단히 나타낸 것이다.

이에 대한 설명으로 옳은 것만을 〈보기〉에서 있는 대로 고른 것은?

─── 보기 ───
ㄱ. 전자들은 특정 궤도에서만 원운동을 한다.
ㄴ. 전자가 안정된 특정 궤도에서 운동할 때는 빛을 방출하지 않는다.
ㄷ. 전자는 전기력에 의해 원자핵에 속박되어 있다.

① ㄱ   ② ㄴ   ③ ㄷ
④ ㄴ, ㄷ   ⑤ ㄱ, ㄴ, ㄷ

3 고체의 에너지띠에 대한 설명으로 옳은 것은?

① 인접한 원자들의 영향으로 에너지 준위가 미세한 차이를 두고 겹쳐 있다.
② 자유 전자는 원자가 띠에 존재한다.
③ 전자가 갖는 에너지는 연속적이다.
④ 원자들은 다른 원자의 에너지 궤도에 영향을 주지 않는다.
⑤ 전자가 채워진 띠를 전도띠라고 한다.

4 반도체 레이저 다이오드를 이용한 것이 <u>아닌</u> 것은?

① 광통신   ② DVD
③ 레이저 포인터   ④ 충전기
⑤ 레이저 거리 측정기

5 그림과 같이 화살표 방향으로 전류가 흐르는 무한히 긴 직선 도선이 종이면에 놓여 있다. 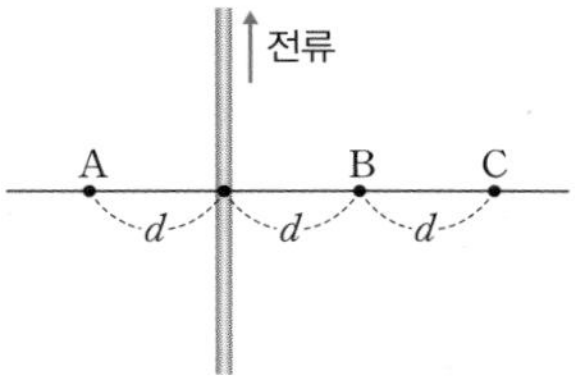
이에 대한 설명으로 옳은 것만을 〈보기〉에서 있는 대로 고른 것은? (단, 지구 자기장은 무시한다.)

─── 보기 ───
ㄱ. A와 B에서 자기장의 세기는 같다.
ㄴ. B와 C에서 자기장의 방향은 같다.
ㄷ. A와 C에서 자기장의 세기는 같다.

① ㄱ   ② ㄴ   ③ ㄷ
④ ㄱ, ㄴ   ⑤ ㄱ, ㄷ

6 그림은 감은 수가 각각 N, $2N$인 두 솔레노이드 A, B를 가까이 놓고 전류를 흐르게 한 것을 나타낸 것이다.

A(N)　　　B($2N$)

이에 대한 설명으로 옳은 것만을 〈보기〉에서 있는 대로 고른 것은? (단, 지구 자기장은 무시한다.)

> ─● 보기 ●─
> ㄱ. P점에서 나침반 자침의 N극은 왼쪽을 가리킨다.
> ㄴ. Q점에서 나침반 자침의 N극은 왼쪽을 가리킨다.
> ㄷ. A와 B 사이에는 끌어당기는 힘이 작용한다.

① ㄱ　　　　② ㄴ　　　　③ ㄷ
④ ㄱ, ㄷ　　　⑤ ㄱ, ㄴ, ㄷ

7 자성에 대한 설명으로 옳지 <u>않은</u> 것은?

① 자성의 원인은 원자 속 전자의 운동이다.
② 자성의 원인은 원자 속 전자의 스핀이다.
③ 물질을 구성하는 원자가 자석과 같은 역할을 한다.
④ 자성체는 강자성체, 반자성체, 상자성체로 나눈다.
⑤ 대부분의 물질은 각 원자가 일정한 방향으로 배열되어 있어서 자성을 띠고 있다.

신경향

8 그림은 휴대 전화 무선 충전기의 원리를 간단히 나타낸 것이다.

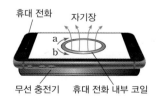

휴대 전화　자기장
a
b
무선 충전기　휴대 전화 내부 코일

무선 충전기의 자기장이 감소할 때 코일에 흐르는 전류의 방향을 쓰시오.

9 그림은 물결파의 어느 순간을 나타낸 것이다. 나뭇잎은 2초 간격으로 골에 위치한다.

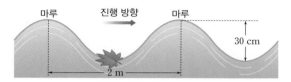

마루　진행 방향　마루
30 cm
2 m

이 파동의 속력은 몇 m/s인지 구하시오.

10 그림은 물결파가 매질 I에서 매질 II로 진행하면서 굴절하는 모습을 나타낸 것이다.

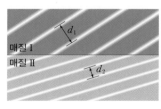

매질 I　d_1
매질 II　d_2

이에 대한 설명으로 옳은 것만을 〈보기〉에서 있는 대로 고른 것은? (단, $d_1 > d_2$이다.)

> ─● 보기 ●─
> ㄱ. 물결파의 파장은 I에서가 II에서보다 크다.
> ㄴ. 물결파의 진동수는 I에서가 II에서보다 크다.
> ㄷ. 물결파의 속력은 I에서가 II에서보다 크다.

① ㄱ　　　　② ㄴ　　　　③ ㄷ
④ ㄱ, ㄷ　　　⑤ ㄱ, ㄴ, ㄷ

11 그림은 유리 막대, OHP 필름, 직각 프리즘에 레이저 빛이 입사했을 때의 모습을 나타낸 것이다.

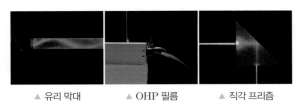

▲ 유리 막대　　▲ OHP 필름　　▲ 직각 프리즘

이에 대한 설명으로 옳은 것만을 〈보기〉에서 있는 대로 고른 것은?

보기
> ㄱ. 유리의 굴절률이 공기의 굴절률보다 작다.
> ㄴ. OHP 필름에서 전반사가 일어난다.
> ㄷ. 프리즘의 임계각은 45°보다 작다.

① ㄱ　　　　② ㄴ　　　　③ ㄷ
④ ㄴ, ㄷ　　　⑤ ㄱ, ㄴ, ㄷ

12 그림은 광통신 과정을 나타낸 것이다.

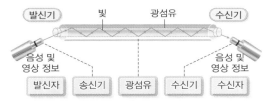

이에 대한 설명으로 옳지 않은 것은?

① 발신기는 음성 및 영상 정보를 빛 신호로 바꾼다.
② 수신기는 빛 신호를 음성 및 영상 정보로 바꾼다.
③ 광통신의 빛 신호는 먼 거리를 갈 수 있다.
④ 광섬유는 전반사를 이용해 정보를 전송한다.
⑤ 광통신은 한꺼번에 많은 양의 정보를 보낼 수 없다.

13 광섬유를 이용한 것이 아닌 것은?

① 광통신　　② 내시경　　③ 예술품
④ 망원경　　⑤ 광케이블형 자연 채광 시스템

14 그림은 여러 가지 천체 망원경으로 게 성운을 관측한 모습이다.

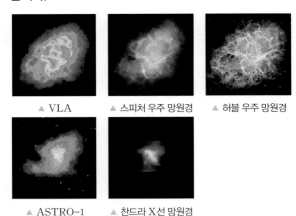

▲ VLA　　▲ 스피처 우주 망원경　　▲ 허블 우주 망원경

▲ ASTRO-1　　▲ 찬드라 X선 망원경

위 사진에서 이용된 파동이 아닌 것은?

① 전파　　　② 적외선　　　③ 가시광선
④ 자외선　　⑤ 초음파

15 그림은 두 파원 S_1, S_2에서 진폭과 진동수가 같은 파동을 동시에 발생시켰을 때 두 파동이 진행하는 모습을 나타낸 것이다.

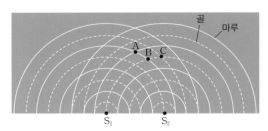

A, B, C에서 두 파동이 중첩될 때 합성파의 진폭에 대해 서술하시오.

_____

_____

_____

7일

신경향

16 그림은 무반사 코팅 렌즈의 원리를 나타낸 것이다. 이에 대한 설명으로 옳지 않은 것은?

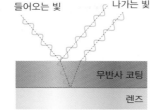

① 나가는 두 빛이 상쇄 간섭을 일으킨다.
② 나가는 빛의 세기는 거의 0이다.
③ 투과하는 빛의 세기가 증가한다.
④ 안경을 통해 선명한 시야를 얻을 수 있다.
⑤ 코팅막으로 눈에 들어오는 빛의 양이 적다.

17 그림 (가), (나)는 금속에서 일어나는 광전 효과를 모식적으로 나타낸 것이다.

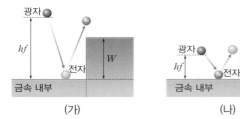

이에 대한 설명으로 옳은 것만을 〈보기〉에서 있는 대로 고르시오.

보기
ㄱ. (가)에서 입사한 빛의 진동수는 금속의 문턱 진동수 이상이다.
ㄴ. (나)에서 입사한 빛의 에너지가 금속의 일함수보다 작다.
ㄷ. 광자와 전자는 입자처럼 충돌한다.

18 빛의 파동성과 입자성을 증명하는 현상을 서술하시오.

_____

_____

19 그림은 데이비슨과 거머가 니켈 표면에 전자선을 쏘았을 때 결과를 나타낸 것이다.

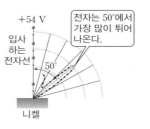

이에 대한 설명으로 옳은 것은?

① 전자는 특정한 각도에서만 튀어나온다.
② 전자의 물질파는 특정한 각도에서 보강 간섭이 일어난다.
③ 니켈 표면은 항상 50° 기울어진 상태로 존재한다.
④ 전자는 니켈과 입자로 충돌하여 반사되어 나온다.
⑤ 50° 부근에서 전자의 물질파는 상쇄 간섭을 일으킨다.

20 그림 (가), (나)는 알루미늄 박막에 X선과 전자선을 쏘았을 때의 결과를 순서 없이 나타낸 것이다.

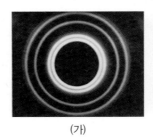 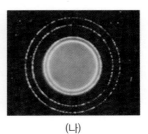

이에 대한 설명으로 옳은 것만을 〈보기〉에서 있는 대로 고른 것은?

보기
ㄱ. (가)는 X선에 의한 회절 무늬이다.
ㄴ. (나)는 전자선에 의한 회절 무늬이다.
ㄷ. 전자의 파동성을 확인할 수 있다.

① ㄱ   ② ㄴ   ③ ㄱ, ㄴ
④ ㄴ, ㄷ   ⑤ ㄱ, ㄴ, ㄷ

Memo

7일 끝!

정답과 해설

 정답과 해설 활용 안내

◈ 정답 박스로 **빠르게 정답 확인하기!**

◈ 정답과 오답의 이유, **한 번 더 짚고 넘어가기!**

◈ **서술형** 답안의 **채점 기준**은 직접 **체크**해 보며,
주관식 문제 꼼꼼히 **대비하기!**

1일 기초 확인 문제

9, 11쪽

• 1. 전기

1 ② **2** (1) 연속 (2) 흡수 (3) 불연속적 **3** ⑤ **4** (1) e
(2) b, c, d (3) 10.2 eV **5** A, B **6** (1) ○ (2) × (3) ○
(4) ○ **7** (1) 도핑 (2) 원자가 전자 (3) 자유 전자 (4) 양공
8 (1) × (2) ○ (3) ○ (4) ○

1 ② 쿨롱 법칙에 따르면 전기력의 크기는 $F = k\dfrac{q_1 q_2}{r^2}$로 두
전하 사이의 거리의 제곱에 반비례한다.

선택지 바로 보기

① 전기력의 크기는 두 전하량의 곱에 비례한다. (○)
→ 쿨롱 법칙에 따르면 전기력의 크기는 $F = k\dfrac{q_1 q_2}{r^2}$로 두 전하량의 곱에
비례한다.
② 전기력의 크기는 두 전하 사이의 거리에 비례한다. (×)
③ 같은 종류의 전하 사이에는 서로 밀어내는 힘이 작용한다. (○)
→ 같은 종류의 전하 사이에는 서로 밀어내는 힘인 척력이 작용한다.
④ 서로 다른 종류의 전하 사이에는 서로 끌어당기는 힘이 작용한다.
(○)
→ 서로 다른 종류의 전하 사이에는 서로 끌어당기는 힘인 인력이 작용한다.
⑤ 원자핵과 전자 사이에는 전기력이 작용하여 전자가 원자핵에
속박되어 있다. (○)
→ (+)전하를 띤 원자핵과 (−)전하를 띤 전자 사이에는 전기력이 작용하므
로 전자가 원자핵에 속박되어 있다.

2 (1) (가)는 백열등에서 나오는 빛의 스펙트럼으로 무지개
처럼 여러 가지 색의 띠가 연속적으로 나타나 있다. 따라서
(가)는 연속 스펙트럼이다.
(2) (나)는 연속 스펙트럼 위에 검은 선이 나타나 있는 것을
볼 수 있는데, 이를 흡수 스펙트럼이라고 한다. 빛이 저온
의 기체를 통과하면 에너지 준위에 해당하는 빛을 흡수하
므로 검은 흡수선이 나타난다.
(3) (나)에서 검은 선이 띄엄띄엄 나타나는 것으로 보아 수
소 원자의 에너지 준위가 불연속적임을 알 수 있다.

3 보어 원자 모형은 전자가 안정된 궤도를 운동할 때는 전자
기파를 방출하지 않고, 에너지 준위는 불연속적이다라는
두 가지 가정을 포함한다.

⑤ 전자의 에너지 준위는 원자핵에서 멀어질수록 높으므로
원자핵에 가장 가까이 있는 전자의 에너지가 가장 낮다.

선택지 바로 보기

① 전자는 원자핵 주위를 원운동한다. (○)
→ 전자는 원자핵 주위의 안정된 궤도를 원운동한다.
② 수소 원자의 에너지 준위는 불연속적이다. (○)
→ 수소 원자의 에너지 준위는 양자화되어 있어 불연속적이다.
③ 전자가 양자수 $n = 1$인 궤도에 있을 때 바닥상태에 있다고 한
다. (○)
→ 전자가 $n = 1$인 궤도에 있을 때 바닥상태에 있다고 하고, 이때 에너지가
가장 낮다.
④ 전자가 안정된 궤도를 돌 때는 전자기파를 방출하지 않는다. (○)
→ 전자가 안정된 궤도를 돌 때는 전자기파를 방출하지 않는다. 전자가 다른
에너지 준위로 전이할 때 전자기파를 방출하거나 흡수한다.
⑤ 원자핵에 가장 가까이 있는 전자의 에너지가 가장 높다. (×)

4 (1) 방출하거나 흡수하는 빛의 진동수가 가장 큰 경우는 전
이 과정에서 에너지 차이가 가장 큰 경우이므로 e이다.
(2) 빛을 방출하는 과정은 에너지가 높은 궤도에서 낮은 궤
도로 전이하는 경우이므로 b, c, d이다.
(3) a는 낮은 에너지 준위에서 높은 에너지 준위로 전이하
는 과정으로 빛을 흡수한다. 이때 흡수한 광자의 에너지는
두 궤도 사이의 에너지 준위 차이이므로
−3.4 eV − (−13.6 eV) = 10.2 eV이다.

자료 분석 ➕ 수소 원자의 에너지 준위

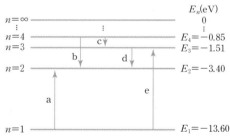

• 에너지 준위는 불연속적으로 분포한다.
• 높은 에너지 준위에서 낮은 에너지 준위로 전이하는 경우 빛을 방
출한다. ➡ 빛을 방출하는 과정: b, c, d
• 낮은 에너지 준위에서 높은 에너지 준위로 전이하는 경우 빛을 흡
수한다. ➡ 빛을 흡수하는 과정: a, e
• 전이할 때 흡수 또는 방출한 광자의 에너지는 두 궤도 사이의 에너
지 준위 차이에 해당한다.

5 A, B: 전자가 존재할 수 있는 영역을 허용된 띠라고 하고,
띠 간격은 전자가 존재할 수 없는 영역이다.

오답 풀이

C: 전도띠에 전자가 많을수록 전기 전도성이 좋다.

6 (가)는 절연체, (나)는 도체, (다)는 반도체의 에너지띠 구조이다.

(1) 그림에서 A는 전자가 존재할 수 없는 띠 간격을 나타낸다.

(2) (가)는 띠 간격이 넓어 전류가 잘 흐르지 않는 물질인 절연체의 에너지띠 구조이다.

(3) (나)는 전도띠와 원자가 띠가 겹쳐있으므로 전기 전도성이 좋아서 전류가 잘 흐르는 물질인 도체이다.

(4) (다)는 띠 간격이 좁은 반도체의 에너지띠 구조이다.

7 (1) 불순물 반도체는 순수 반도체에 소량의 불순물을 도핑하여 만든 것으로, 불순물을 도핑하면 전기 전도성이 좋아진다.

(2) n형 반도체는 순수 반도체에 원자가 전자가 5개인 불순물을 도핑하여 만들고, p형 반도체는 순수 반도체에 원자가 전자가 3개인 불순물을 도핑하여 만든다.

(3) n형 반도체는 순수 반도체에 원자가 전자가 5개인 불순물을 도핑하여 만드므로 순수 반도체보다 자유 전자가 많아 전기 전도성이 좋다.

(4) p형 반도체는 순수 반도체에 원자가 전자가 3개인 불순물을 도핑하여 만드므로 순수 반도체보다 양공이 많아 전기 전도성이 좋다.

8 (1) p−n 접합 다이오드는 순방향 바이어스가 걸렸을 때에만 전류가 흐른다.

(2), (3) 다이오드는 전류를 한쪽 방향으로만 흐르게 하므로 다이오드를 이용하여 교류를 직류로 바꿀 수 있는데, 이 회로를 정류 회로라고 한다.

(4) 발광 다이오드는 순방향 바이어스가 걸렸을 때에만 빛을 방출한다. 발광 다이오드에 역방향 바이어스가 걸렸을 때에는 빛을 방출하지 않는다.

1일 내신 기출 베스트   12~13쪽

• 1. 전기

1 ㄱ, ㄴ   **2** ㄱ, ㄴ, ㄷ   **3** ④   **4** ㄱ, ㄷ   **5** ㄱ, ㄴ, ㄷ
6 ③   **7** 금속 도선: B, 반도체 칩: C
8 (1) 자유 전자 (2) 양공 (3) (가)

---

1 ㄱ. 톰슨은 음극선 실험을 통하여 전자를 발견하고 전체적으로 양(+)전하를 띤 구에 전자가 박혀 있는 원자 모형을 제안하였다.

ㄴ. 음극선은 전자의 흐름으로 (−)전하를 띠고 있다.

[오답 풀이]

ㄷ. 톰슨은 양(+)전하를 띤 구에 전자가 박혀 있는 원자 모형을 제안하였다.

2 ㄱ. 백열등의 스펙트럼은 연속 스펙트럼이다.

ㄴ. 수소 기체의 스펙트럼은 특정 파장의 선들이 검게 나타나는 흡수 스펙트럼으로, 흡수선이 불연속적으로 나타난다. 이는 수소의 에너지 준위가 불연속적임을 나타낸다.

ㄷ. 태양의 흡수 스펙트럼을 보면 수소 원자의 흡수선과 일치하는 선을 찾을 수 있다. 이는 태양의 대기에 수소 기체가 존재하는 것을 의미한다.

[자료 분석] ➕ 스펙트럼

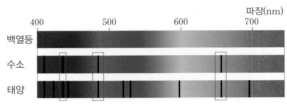

수소와 태양의 스펙트럼에 나타난 흡수선이 일치

• 백열등에서 나오는 빛의 스펙트럼은 연속 스펙트럼이다.
• 수소 원자의 스펙트럼은 불연속적으로 분포한다.
• 태양의 스펙트럼에는 여러 개의 흡수선이 나타나는데, 이는 대기에 여러 기체가 있다는 것을 나타낸다.
• 태양과 수소의 흡수선이 일치한다. ➡ 태양의 대기에 수소가 존재한다는 것을 의미

---

3 ④ 전자가 안정된 궤도 위를 운동할 때에는 전자기파를 방출하지 않으며, 궤도 사이에서 전이할 때 전자기파를 방출한다.

4 ㄱ. 수소 원자의 전자 궤도가 불연속적이므로 에너지 준위는 불연속적임을 알 수 있다.

ㄷ. 전자가 궤도 사이를 전이할 때 에너지 준위 차에 해당하는 에너지를 흡수하거나 방출한다. 따라서 a에서 방출하는 에너지는 b, c에서 흡수한 에너지의 합과 같다.

[오답 풀이]

ㄴ. 빛은 에너지가 클수록 파장이 작다. a에서 방출하는 빛의 에너지가 가장 크므로 파장은 가장 작다.

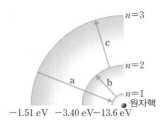

- 빛을 방출하는 과정: a
- 빛을 흡수하는 과정: b, c
- 흡수 또는 방출하는 빛의 에너지는 에너지 준위 차이와 같다.

5 ㄱ. A는 기체의 에너지 준위, B는 고체의 에너지 준위를 나타낸다.

ㄴ. B에서 전자는 허용된 띠에서만 존재하고, 띠 간격에는 존재할 수 없다.

ㄷ. 고체와 같이 수많은 원자가 인접해서 에너지 준위가 겹치게 되면 B와 같이 띠를 이루게 된다.

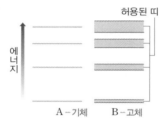

- **기체 원자의 에너지 준위**: 기체 원자들은 서로 떨어져 있어 원자 사이에 영향을 주지 않는다. 같은 종류의 기체인 경우 에너지 준위 분포가 동일하다.
- **고체 원자의 에너지 준위**: 수많은 원자들로 구성된 고체의 경우 원자 사이의 상호 작용에 의해 원자가 가지는 에너지 준위가 미세한 차이를 두고 나눠지면서 서로 겹치게 되어 연속적인 띠와 같은 모양을 가지게 되는데, 이를 에너지띠라고 한다.

6 ㄱ. 전도띠에서 전하를 운반하는 A는 자유 전자이다.

ㄴ. B는 전자가 빠져나간 빈자리인 양공으로 양공을 통해서도 전류가 흐른다.

ㄷ. (가)는 띠 간격으로 전자가 존재할 수 없으며, 띠 간격이 넓으면 전자가 원자가 띠에서 전도띠로 이동하기 어려운 절연체이다.

7 그림 (가)의 A는 절연체, B는 도체, C는 반도체의 에너지 띠 구조를 나타낸다.

금속 도선에는 도체인 B를 사용해야 하고, 반도체 칩에는 반도체인 C를 사용해야 한다.

8 (1) A는 자유 전자로 전하를 운반한다.

(2) B는 양공이며, 전자가 양공으로 이동하면서 전하를 운반한다.

(3) (가)는 자유 전자가 있는 n형 반도체이고, (나)는 양공이 있는 p형 반도체이다.

•2. 자기

1 (1) × (2) ○ (3) ○　**2** (1) 반대이다 (2) 같다 (3) $\frac{1}{2}$

3 서쪽　**4** (1) $+x$ (2) $+x$ (3) 비례　**5** ④　**6** (1) ○ (2) ×

(3) ○　**7** (1) 같은 방향 (2) 계속 유지된다 (3) 강자성체

8 ①　**9** ⑤

1 (1) 직선 도선에 전류가 흐르면 도선 주위에 동심원 모양의 자기장이 생긴다. 이때 도선에 흐르는 전류의 방향과 도선 주위의 자기장의 방향은 서로 수직이다.

(2), (3) 직선 도선 주위에 생기는 자기장의 세기는 전류의 세기에 비례하고 도선으로부터의 수직 거리에 반비례한다. 따라서 도선으로부터 멀어질수록 자기장의 세기는 약해진다.

2 (1) 직선 도선에 흐르는 전류에 의한 자기장의 방향은 오른손의 엄지손가락이 전류의 방향을 향할 때 나머지 네 손가락이 도선을 감아쥐는 방향이다.

따라서 A에서 자기장의 방향은 지면에서 수직으로 나오는 방향이고, B와 C에서 자기장의 방향은 지면에 수직으로 들어가는 방향이다. 따라서 A, B에서 자기장의 방향은 서로 반대이다.

(2) 자기장의 세기는 전류의 세기에 비례하고 도선으로부터의 거리에 반비례하므로 도선으로부터의 거리가 같은 A와 B에서 자기장의 세기는 같다.

(3) C는 B보다 도선으로부터 2배 멀리 떨어져 있으므로 C에서 자기장의 세기는 B에서 자기장의 세기의 $\frac{1}{2}$배이다

3 직선 도선에 흐르는 전류에 의한 자기장의 방향은 오른손의 엄지손가락이 전류의 방향을 향할 때 나머지 네 손가락이 도선을 감아쥐는 방향이다. 전류가 화살표 방향으로 흐르므로 도선 아래에 있는 나침반 자침의 N극이 가리키는 방향은 서쪽이다.

4 (1), (2) 솔레노이드에 흐르는 전류에 의한 자기장의 방향은 전류의 방향으로 오른손의 네 손가락을 감아쥘 때 엄지손가락이 가리키는 방향이다. 따라서 P점과 Q점에서 자기장의 방향은 모두 $+x$ 방향이다.

(3) 솔레노이드 내부에서 자기장의 세기는 솔레노이드에 흐르는 전류의 세기에 비례한다. 따라서 Q점에서 자기장의 세기는 전류의 세기에 비례한다.

자료 분석 ➕ 솔레노이드 주위의 자기장 ─────

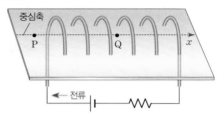

• 솔레노이드 내부에는 중심축과 나란한 방향으로 직선 모양의 균일한 자기장이 형성되고, 외부에는 막대자석 주위의 자기장과 비슷한 모양의 자기장이 형성된다.

5 ④ 발전기는 전류의 자기 작용이 아니라 전자기 유도 현상을 이용한 장치이다.

6 (1) 물질이 자성을 나타내는 까닭은 원자가 자석과 같은 역할을 하기 때문이다. 즉 원자 내 전자의 운동에 의해 자기장이 발생하기 때문이다.

(2) 대부분의 물질은 각 원자의 자기장 방향이 무질서하게 배열되어 있으므로 자성을 나타내지 않는다.

(3) 전자는 (−)전하를 띠고 있기 때문에 전자의 궤도 운동에서 전자의 운동 방향과 전류의 방향은 서로 반대이다.

7 그림 (가)는 강자성체에 외부 자기장이 가해졌을 때 강자성체 내부의 원자들이 정렬한 모습을 나타낸 것이고, (나)는 외부 자기장을 제거했을 때 원자들의 정렬 모습을 나타낸 것이다.

(1) (가)에서 원자의 정렬 방향이 외부 자기장의 방향과 같다. 즉 물질의 자기장은 외부 자기장과 같은 방향임을 알 수 있다.

(2) (나)와 같이 외부 자기장을 제거한 경우에도 원자의 정렬 방향이 규칙적이므로 물질의 자기장은 계속 유지되고 있음을 알 수 있다.

(3) 이 물질은 외부 자기장을 제거해도 계속 자성을 유지하고 있으므로 강자성체이다.

8 코일에 자석을 가까이 할 때 코일에 유도되는 전류의 방향은 코일 내부를 통과하는 자기장의 변화를 방해하는 방향이다.

① N극을 가까이 가져가면 코일 위쪽에 N극이 유도되도록 b 방향으로 유도 전류가 흐른다.

① N극을 가까이 가져가면 유도 전류의 방향은 a 방향이다. (×)

② S극을 가까이 가져가면 유도 전류의 방향은 a 방향이다. (○)

→ S극을 가까이 가져가면 코일 위쪽에 S극이 유도되도록 a 방향으로 유도 전류가 흐른다.

③ N극을 멀리 하면 유도 전류의 방향은 a 방향이다. (○)

→ N극을 멀리 하면 코일 위쪽에 S극이 유도되도록 a 방향으로 유도 전류가 흐른다.

④ S극을 멀리 하면 유도 전류의 방향은 b 방향이다. (○)

→ S극을 멀리 하면 코일 위쪽에 N극이 유도되도록 b 방향으로 유도 전류가 흐른다.

⑤ 자석이 코일에 대해 운동하지 않으면 유도 전류는 흐르지 않는다. (○)

→ 자석이 코일에 대해 운동하지 않으면 자기 선속이 변하지 않아 유도 전류는 흐르지 않는다.

9 ⑤ 자기장 속에서 코일을 회전시키면 코일을 통과하는 자기 선속이 주기적으로 변하므로 발생하는 유도 전류도 주기적으로 변한다.

① 유도 전류의 방향은 코일을 통과하는 자기장의 변화를 방해하는 방향이다. (○)

→ 렌츠 법칙에 따르면 유도 전류는 코일을 통과하는 자기장의 변화를 방해하는 방향으로 흐른다.

② 유도 기전력의 크기는 자기 선속의 시간적 변화율에 비례한다. (○)

③ 유도 전류의 세기는 솔레노이드의 감은 수가 많을수록 세다. (○)

④ 유도 전류의 세기는 자석과 솔레노이드의 상대적 운동이 빠를수록 세다. (○)

→ 유도 기전력의 크기는 자기 선속의 시간적 변화율과 코일의 감은 수에 각각 비례한다. 따라서 유도 전류의 세기는 자석과 솔레노이드의 상대적인 운동이 빠를수록, 솔레노이드의 감은 수가 많을수록 세다.

⑤ 자기장 속에서 코일을 회전시키면 코일을 통과하는 자기 선속이 주기적으로 변하여 유도 전류가 일정하게 흐른다. (×)

2일 내신 기출 베스트

20~21쪽

• 2. 자기

1 ②　**2** ㄱ, ㄷ　**3** ㄴ　**4** ㄱ, ㄴ, ㄷ　**5** ④　**6** ③
7 ㄴ, ㄷ　**8** ㄱ, ㄷ

1 ㄱ. 자기장의 방향은 나침반 자침의 N극이 가리키는 방향으로 정했다.

ㄴ. 자기력선은 자기장의 모양을 선으로 나타낸 것으로, 자석 주위에 철가루를 뿌리면 관찰할 수 있다.

오답 풀이

ㄷ. 막대자석 주위의 자기력선은 N극에서 나와 S극으로 들어가는 방향이다.

2 ㄱ. 직선 전류에 의한 자기장의 방향은 오른손의 엄지손가락이 전류의 방향을 향할 때 나머지 네 손가락이 도선을 감아쥐는 방향이다. 따라서 a에서 자기장의 방향은 뒤쪽으로 돌아가는 방향이고 b에서 자기장의 방향은 앞쪽으로 돌아나오는 방향이므로 a, b에서 자기장의 방향은 서로 반대이다.

ㄷ. 전류의 방향이 반대가 되면 자기장의 방향도 반대가 된다.

오답 풀이

ㄴ. 자기장의 세기는 도선에 흐르는 전류의 세기에 비례하고, 도선으로부터의 수직 거리에 반비례한다. 도선으로부터 거리가 a가 더 크므로 자기장의 세기는 a에서가 b에서보다 작다.

3 ㄴ. 원형 전류에 의한 자기장의 세기는 전류의 세기에 비례하므로 전류의 세기가 2배가 되면 O에서 자기장의 세기도 2배가 된다.

오답 풀이

ㄱ. 원형 전류에 의한 자기장의 방향은 각 부분을 직선 도선으로 생각했을 때 오른손을 이용해서 구할 수 있다. 원형 전류에 의한 자기장의 방향은 오른손의 엄지손가락이 전류의 방향을 향할 때 나머지 네 손가락이 도선을 감아쥐는 방향이다. 따라서 O에서 자기장의 방향은 지면에 수직으로 들어가는 방향이다.

ㄷ. 원형 전류에 의한 자기장의 세기는 원형 도선의 반지름에 반비례하므로 원형 도선의 지름이 2배가 되면 O에서 자기장의 세기는 $\frac{1}{2}$배가 된다.

4 ㄱ. 코일에 전류가 흐르면 코일 주위에 자기장이 형성된다.

ㄴ. 코일 주위에 자기장이 형성되므로 코일에 흐르는 전류의 방향에 따라 코일에는 영구 자석과 밀거나 당기는 힘이 작용한다.

ㄷ. 코일이 움직이면 코일에 붙어 있는 진동판이 따라 움직이고, 진동판이 움직이면 소리가 발생한다.

5 그림 (가)는 상자성체에 외부 자기장을 가했을 때 모습을, (나)는 외부 자기장을 제거했을 때 모습을 나타낸 것이다.

오답 풀이

철, 니켈, 코발트는 강자성체이고, 알루미늄은 상자성체, 초전도체는 반자성체이다.

6 ㄱ, ㄴ. A는 자석 위에 떠 있으므로 자석과 서로 밀어내는 힘을 작용하고 있다. 따라서 A의 자기장의 방향은 자석의 자기장의 방향과 반대이므로 A는 반자성을 나타내는 물질인 초전도체라는 것을 알 수 있다.

> **오답 풀이**
> ㄷ. 반자성체는 자석을 없애면 자기장이 사라진다. 따라서 자석이 없어지면 A의 자기장은 사라진다.

7 ㄴ. 3초일 때 코일은 정지해 있으므로 자기 선속의 변화가 발생하지 않아 유도 전류가 흐르지 않는다.
ㄷ. 5초일 때 코일은 A에서 B 방향으로 이동하므로 자석에 가까워지고 있다. 따라서 코일에는 자석의 자기장의 방향과 반대 방향으로 자기장이 생기도록 시계 방향으로 유도 전류가 흐른다.

> **오답 풀이**
> ㄱ. 1초일 때 코일은 B에서 A 방향으로 이동하므로 자석에서 멀어지고 있다. 따라서 코일에는 자석의 자기장의 방향과 같은 방향으로 자기장이 생기도록 시계 반대 방향으로 유도 전류가 흐른다.

8 ㄱ. 고리를 회전시키면 고리를 통과하는 자기 선속이 주기적으로 변하므로 유도 전류가 주기적으로 흐른다.
ㄷ. 고리의 회전 속도를 빠르게 하면 유도 전류의 세기가 커지므로 전구가 더 밝아진다.

> **오답 풀이**
> ㄴ. 고리를 회전시키지 않으면 자기 선속의 변화가 발생하지 않으므로 유도 전류가 흐르지 않는다.

3일 기초 확인 문제 · 25, 27쪽

•3. 파동(1)

1 (1) 10 m (2) 10 m (3) 0 　**2** (1) 4 m (2) 4초 (3) $\frac{1}{4}$ Hz
(4) 1 m/s 　**3** (1) ○ (2) × (3) ○ 　**4** 얕아 　**5** (1) × (2) ×
(3) ○ (4) ○ 　**6** ⑤ 　**7** (1) 크다 (2) 전반사 (3) 커야
8 (1) ○ (2) ○ (3) × (4) ○

1 (1) 파장은 위상이 동일한 두 지점, 즉 인접한 마루와 마루 사이의 거리이므로 10 m이다.
(2) 진폭은 중심 위치에서 마루나 골까지의 거리이므로 10 m이다.
(3) 이 순간으로부터 $\frac{1}{4}$ 주기가 지난 후 파동은 $\frac{1}{4}$ 파장만큼 오른쪽으로 진행하므로 A는 중심 위치에 있게 된다. 따라서 A의 변위는 0이다.

2 (1) 파장은 변위-위치 그래프에서 인접한 마루와 마루, 또는 골과 골 사이의 거리이므로 4 m이다.
(2) 파동의 주기는 변위-시간 그래프를 통해 알 수 있다. 주기는 파동이 한 번 진동하는 데 걸리는 시간이므로 4초이다.
(3) 파동의 진동수는 주기의 역수이므로 $\frac{1}{4}$ Hz이다.
(4) 파동의 속력=진동수×파장=$\frac{1}{4}$ Hz×4 m=1 m/s이다.

자료 분석 ➕ 파동 그래프의 해석

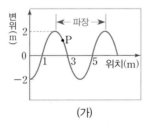 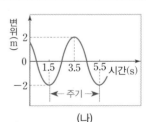

(가) 　　　　　　　(나)

• 변위-위치 그래프에서는 진폭, 파장을 알 수 있다.
➡ 진폭: 2 m, 파장: 4 m
• 변위-시간 그래프에서는 진폭, 주기, 진동수를 알 수 있다.
➡ 진폭: 2 m, 주기: 4초, 진동수: $\frac{1}{4}$ Hz

---

3 (1) 파동의 진동수는 다른 매질로 진행하더라도 변하지 않는다.
(2) 파동의 전파 속력이 같으면 굴절이 일어나지 않는다. 이 경우 물결파는 굴절되었으므로 두 매질에서의 속력이 같지 않다.

(3) 입사각은 입사파와 법선이 이루는 각이고, 굴절각은 굴절파와 법선이 이루는 각이다. 따라서 물결파의 입사각은 굴절각보다 크다.

자료 분석 ➕ **물결파의 굴절**

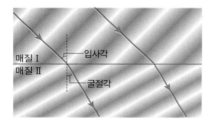

매질 I
매질 II
입사각
굴절각

• 입사각 > 굴절각
• 속력: 매질 I > 매질 II
• 파장: 매질 I > 매질 II

4 빛이 물속에서 공기 중으로 나올 때 굴절되므로 수심이 실제보다 얕아 보이고 물속에 있는 다리가 짧아 보이는 것이다.

5 (1) A에서 B로 진행할 때 굴절각이 입사각보다 크므로 A의 굴절률은 B의 굴절률보다 크다.
(2) (가)에서는 전반사가 일어나지 않았고 (나)에서는 전반사가 일어났다.
(3) (가)에서는 전반사가 일어나지 않았고 (나)에서는 전반사가 일어났으므로 A에서 B로 진행할 때 임계각은 θ_1보다 크고, θ_2보다 작다.
(4) 반사광의 세기는 전반사가 일어난 (나)에서가 (가)에서보다 크다.

6 ⑤ 신용카드나 지폐에는 위조를 방지하는 특수한 무늬가 있는데 이것은 전반사가 아니라 간섭 현상을 이용한 것이다.

선택지 바로 보기

① 다이아몬드는 다른 보석보다 밝게 빛난다. (○)
→ 다이아몬드는 임계각이 작아서 전반사를 잘 일으키므로 다른 보석보다 밝게 빛난다.
② 쌍안경 속에는 직각 프리즘이 있어 상을 똑바로 보게 해 준다. (○)
→ 쌍안경 속에는 직각 프리즘이 있어서 빛의 손실 없이 상을 똑바로 보게 해 준다.
③ 잠망경 속에는 직각 프리즘이 있어 물 위의 상을 밝게 볼 수 있다. (○)
→ 잠망경 속에는 직각 프리즘이 있어 프리즘의 전반사를 이용하여 빛의 손실 없이 물 위의 상을 밝게 볼 수 있다.
④ 내시경을 이용하여 물체의 내부나 인체 내부를 관찰할 수 있다. (○)
→ 내시경은 전반사를 이용하여 물체의 내부나 인체 내부를 관찰할 수 있게 해 준다.
⑤ 신용카드나 지폐에는 위조를 방지하는 특수한 무늬가 있다. (✕)

7 (1) 코어의 굴절률이 클래딩의 굴절률보다 커서 빛은 전반사하면서 계속 코어 속으로 진행할 수 있다.
(2) 광섬유는 빛의 전반사를 이용하여 빛의 손실 없이 신호를 멀리까지 전송할 수 있다.
(3) 광섬유를 통해 빛 신호를 전송시키기 위해서는 전반사가 일어나야 한다. 따라서 광섬유에 입사한 빛의 입사각이 임계각보다 커야 한다.

8 (1) 광통신은 광섬유를 이용하므로 정보를 손실 없이 멀리 보낼 수 있다.
(2) 광섬유는 구리선보다 더 많은 양의 정보를 보낼 수 있다.
(3) 광통신은 외부 전파에 의한 간섭이나 혼선이 있을 수 없고, 도청이 어렵다.
(4) 광섬유는 화재나 충격에 약하고 한번 끊어지면 연결하기 어렵다.

3〈일〉 **내신 기출 베스트** 28~29쪽

• 3. 파동(1)

1 ㄱ, ㄴ, ㄷ **2** ㄱ, ㄴ **3** ③ **4** ㄱ, ㄴ **5** ②
6 A, B **7** ②, ⑤ **8** ㄱ, ㄴ

1 ㄱ. (가)의 파장은 2 m이고 (나)의 파장은 1 m이므로 (가)의 파장은 (나)의 2배이다.
ㄴ. (가), (나)의 진폭은 모두 2 m로 같다.
ㄷ. 주기가 1초로 같으므로 진동수도 1 Hz로 같다.

2 ㄱ. 파동의 주기가 0.5초이므로 주기의 역수인 진동수는 2 Hz이다.
ㄴ. 파동의 파장은 마루에서 다음 마루까지 거리이므로 8 m이다.

오답 풀이
ㄷ. 파동의 속력 = 진동수 × 파장 = 2 Hz × 8 m = 16 m/s이다.

3 ㄱ. 물속에서 나온 빛이 물과 공기의 경계면에서 굴절하기 때문에 물 컵에 담긴 빨대가 꺾인 것처럼 보인다.
ㄷ. 파동이 진행하다 다른 매질을 만나면 굴절하게 되므로 매질의 경계면에서 진행 방향이 바뀐다.

오답 풀이
ㄴ. 파동이 굴절하는 까닭은 다른 매질로 진행할 때 파동의 속력이 달라지기 때문이다.

4 그림은 볼록 렌즈를 통과한 빛이 진행하는 모습을 나타낸 것이다.

ㄱ. 볼록 렌즈의 렌즈축에 나란하게 입사한 빛은 굴절 후 한 점에 모인다.

ㄴ. 빛은 렌즈의 두꺼운 쪽으로 굴절하므로 볼록 렌즈를 통과한 빛은 안쪽으로 굴절하고, 오목 렌즈를 통과한 빛은 밖으로 굴절한다.

오답 풀이

ㄷ. 유리 속에서 빛의 속력은 공기 중에서 빛의 속력보다 느리며, 두 매질에서 빛의 속력이 다르기 때문에 굴절 현상이 일어난다.

자료 분석 ➕ 렌즈에서 빛의 굴절

| 볼록 렌즈 | 오목 렌즈 |

• 빛의 속력은 공기보다 렌즈에서 느리므로, 빛이 공기에서 렌즈로 들어갈 때는 입사각이 굴절각보다 크고, 렌즈에서 공기로 빠져나올 때는 굴절각이 입사각보다 크다.

➡ 평행한 광선이 렌즈축과 나란하게 입사하면 볼록 렌즈는 광선을 모으고, 오목 렌즈는 광선을 퍼뜨린다.

5 ㄱ. C는 전반사하였으므로 굴절하는 빛 없이 모두 반사한 것이다. 따라서 반사광의 세기는 C가 가장 크다.

ㄴ. C는 전반사하였으므로 임계각보다 큰 입사각으로 입사한 것이다.

오답 풀이

ㄷ. 전반사는 빛이 굴절률이 큰 매질에서 작은 매질로 진행할 때 일어난다. 물에서 공기로 진행할 때 전반사가 일어나므로 빛의 굴절률은 물에서가 공기에서보다 크다.

6 A: 쌍안경은 빛의 전반사를 이용하여 빛의 진행 방향을 바꿔서 상이 똑바로 보이도록 한다.

B: 프리즘에 45°로 입사한 빛이 전반사를 일으키므로 임계각은 45°보다 작다. 유리의 임계각은 보통 42°이다.

오답 풀이

C: 프리즘에서 전반사가 일어나므로 빛의 세기가 약해지지 않고 방향만 바뀐 것이다. 전반사가 일어나지 않고 굴절 광선이 있으면 빛의 세기가 감소한다.

7 ② P점에서 굴절 광선이 없으므로 빛은 전반사한다.

⑤ 전반사는 굴절률이 큰 물질에서 굴절률이 작은 물질로 진행할 때 일어나므로 A의 굴절률이 B보다 크다. 따라서 단색광의 속력은 B에서가 A에서보다 크다.

선택지 바로 보기

① 광섬유 내에서는 입사각에 상관없이 빛이 항상 전반사하면서 진행한다. (×)

→ 광섬유 내에서도 입사각이 임계각보다 작으면 빛은 전반사하지 않고 굴절 광선이 생긴다.

② P점에서 빛은 전반사한다. (○)

③ Q점에서 빛은 전반사한다. (×)

→ Q점에서 빛은 전반사하지 못하고 일부가 굴절되어 빠져 나간다.

④ A와 B의 굴절률은 같다. (×)

→ 전반사나 굴절이 일어나므로 A와 B의 굴절률은 다르다는 것을 알 수 있다.

⑤ 단색광의 속력은 B에서가 A에서보다 크다. (○)

8 ㄱ. 송신기는 음성 및 영상 정보를 빛 신호로 바꾸고, 수신기는 빛 신호를 음성 및 영상 정보가 담긴 전기 신호로 바꾼다.

ㄴ. 광섬유 내에서는 빛이 전반사하면서 진행한다. 따라서 광섬유는 빛 신호를 손실 없이 멀리 보낸다.

오답 풀이

ㄷ. 영상 및 음성 신호를 모두 빛 신호로 변환하여 광섬유를 통해 전송하고 수신기에서 빛 신호가 전기 신호로 바뀐다.

4^일 기초 확인 문제

33, 35쪽

• 3. 파동(2)

1 ⑤　**2** 자외선　**3** (1) C (2) C (3) C>B>A　**4** (1) ×
(2) ○ (3) ○　**5** (1) ○ (2) ○ (3) × (4) ○　**6** ③　**7** ②
8 (1) 상쇄 (2) 반대

---

1 ⑤ 전자기파는 파장(또는 진동수)에 따라 분류한다.

> **선택지 바로 보기**

① 전자기파는 횡파이다. (○)
→ 전자기파는 전기장과 자기장의 진동으로 전파되는데, 전자기파의 진행 방향과 전기장 및 자기장의 진동 방향은 서로 수직이므로 횡파이다.
② 전기장은 진동하면서 공간으로 전파된다. (○)
③ 자기장은 진동하면서 공간으로 전파된다. (○)
→ 전기장과 자기장은 진동하면서 공간으로 전파된다.
④ 진공 중에서 전자기파의 속력은 3×10^8 m/s이다. (○)
→ 진공 중에서 전자기파의 속력은 빛의 속력과 같은 3×10^8 m/s이다.
⑤ 전자기파는 진폭의 크기에 따라 분류한다. (×)

2 파장이 380 nm보다 짧고 강한 살균력을 가진 전자기파는 자외선이다. 자외선은 에너지가 커서 피부가 자외선에 오래 노출되면 검게 타고 노화가 촉진되며, 형광 물질에 흡수되면 가시광선을 방출한다. 자외선은 식기 소독기, 형광등, 위조지폐 감별기 등에 이용한다.

3 A는 자외선을 이용하는 식기 소독기, B는 X선을 이용하는 X선 검색대, C는 γ선을 이용하는 암 치료기를 나타낸 것이다.
(1) 자외선, X선, γ선 중 파장이 가장 짧은 것은 γ선이므로 C이다.
(2) 전자기파의 에너지는 진동수에 비례하고, 진동수는 파장이 짧을수록 크다. 따라서 에너지가 가장 큰 전자기파는 γ선인 C이다.
(3) 전자기파의 진동수는 γ선>X선>자외선 순이므로 C>B>A이다.

4 (1) 전자레인지에 이용되는 전자기파는 마이크로파이다. 마이크로파의 파장은 가시광선보다 길다.
(2) 전자레인지에 이용되는 전자기파인 마이크로파의 진동수는 물의 고유 진동수와 같다. 따라서 음식 속의 물이 전자레인지에서 발생하는 마이크로파에 따라 진동을 하므로 열이 발생한다.

(3) 전자레인지에서 발생하는 마이크로파는 물에 잘 흡수되는 성질이 있다.

> **자료 분석** ✚ **전자레인지의 원리**

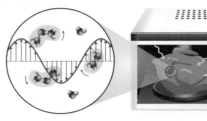

• 전자레인지에서 발생하는 마이크로파는 물에 잘 흡수되는 성질이 있다
• 마이크로파의 진동수는 물 분자의 고유 진동수와 같기 때문에 음식물 속의 물 분자를 진동시켜 열이 발생하도록 한다.
• **고유 진동수**: 물체의 고유한 성질에 의해 결정되는 진동수로, 외부의 영향 없이 물체가 진동할 때 고유 진동수로 진동한다. 고유 진동수와 같은 진동수의 주기적인 외력이 가해지면 공명 현상이 일어난다.

---

5 (1) 중첩 원리에 따르면 두 파동이 만나 중첩되는 지점의 변위는 각 파동의 변위의 합과 같다.
(2) 파동의 독립성에 의해 파동이 서로 중첩되더라도 각 파동은 중첩 전과 동일한 상태로 진행하며, 서로 중첩 지점을 지나간 후에는 원래 모양대로 원래 진행하던 방향으로 계속 진행한다.
(3) 파동의 변위의 방향이 같아 진폭이 커지는 현상을 보강 간섭이라 하고, 파동의 변위의 방향이 반대여서 진폭이 작아지는 현상을 상쇄 간섭이라고 한다.
(4) 두 파원에서 파장과 진폭이 같은 물결파를 발생시키면 두 물결파가 전파하다가 만나서 간섭을 일으키므로 간섭무늬가 나타난다.

6 ③ 위상이 같은 골과 골이 만난 Q점에서는 보강 간섭이 일어나 골이 더 깊어진다.

> **오답 풀이**

① 두 파원에서 발생한 파동이 진행하다가 중첩되어 나타나는 이와 같은 물결무늬를 간섭무늬라고 한다.
② 위상이 같은 마루와 마루가 만난 P점에서는 보강 간섭이 일어난다.
④ 위상이 반대인 마루와 골이 만난 R점에서는 상쇄 간섭이 일어난다.
⑤ 보강 간섭이 일어난 P점에서 수면의 높이는 상쇄 간섭이 일어난 R점에서 수면의 높이보다 높다.

7 ② (가)는 외부에서 들어오는 소음과 파장은 같지만 위상이 반대인 파동으로 소음과 상쇄 간섭을 일으켜 소음이 들리지 않게 한다.

① (가)는 소음과 위상이 같다. (×)
→ (가)는 소음과 위상이 반대이다. 위상이 반대로 되어야 상쇄 간섭을 일으켜 소음이 제거된다.
② (가)는 소음과 상쇄 간섭을 일으킨다. (○)
③ 마이크는 소음을 채집하여 그대로 들려준다. (×)
→ 마이크는 소음을 채집하여 위상이 반대인 소리를 발생시켜 소음을 제거한다.
④ 마이크가 소음을 채집하면 소음의 크기가 줄어든다. (×)
⑤ 마이크가 소음을 흡수하므로 소음의 크기가 줄어든다. (×)
→ 마이크가 소음을 채집하거나 흡수해서 소음의 크기가 줄어든 것이 아니다.

8 (1) 비행기의 소음 제거 시스템은 파동의 상쇄 간섭을 이용한다.
(2) 여객기 내부에서는 엔진에서 발생하는 소리와 반대 위상의 소리를 발생시킨다. 따라서 두 소리가 상쇄 간섭 하므로 소음을 제거할 수 있다.

4일 내신 기출 베스트

36~37쪽

• 3. 파동(2)

1 ④ **2** ③ **3** ㄱ **4** ㄱ, ㄴ **5** ⑤ **6** P, Q
7 ㄱ, ㄴ, ㄷ **8** ㄱ, ㄷ

1 ㄴ. 전자기파의 에너지는 진동수가 클수록 크다.
ㄷ. 전자기파는 파동의 진행 방향과 매질의 진동 방향이 서로 수직인 횡파이다. 따라서 전기장의 진동 방향과 전자기파의 진행 방향은 서로 수직이다.

ㄱ. 전자기파는 매질이 없어도 전파된다.

2 전자기파를 파장이 짧은 것부터 긴 순서대로 나열하면 γ선－X선－자외선－가시광선－적외선－마이크로파－라디오파 순이다.

3 리모컨에서 정보를 전달하는 데 이용되는 전자기파는 적외선이다. 사람의 눈으로는 적외선을 볼 수 없지만 디지털카메라는 적외선의 일부분까지 감지할 수 있기 때문에 리모컨에서 나오는 빛이 관찰된다.
ㄱ. 리모컨에 쓰이는 전자기파는 적외선으로 파장이 가시광선보다 길다.

ㄴ. 이 전자기파는 적외선이다.
ㄷ. 적외선은 눈으로는 보이지 않지만 디지털카메라로 찍으면 보인다. 눈으로 보이는 전자기파는 가시광선이다.

4 ㄱ. 그림은 X선으로 촬영한 뼈 사진을 나타낸 것으로, X선은 고속의 전자가 금속과 충돌하여 감속할 때 발생한다.
ㄴ. X선은 공항에서 수화물을 검사할 때에도 이용한다.

ㄷ. 암치료에 이용되는 것은 γ선이다.

5 ⑤ (나)에서는 상쇄 간섭이 일어나므로 합성파의 진폭이 가장 작게 나타난다.

① (가)에서 두 파동의 위상은 같다. (○)
→ (가)는 보강 간섭을 나타내므로 두 파동의 위상은 같다.
② (가)에서 합성파의 파장은 원래 파장과 같다. (○)
→ (가)에서 합성파의 파장은 원래 파장과 같고, 합성파의 진폭은 원래 파장보다 크다.
③ (가)에서는 두 파동이 보강 간섭을 일으킨다. (○)
→ (가)에서는 두 파동이 같은 위상으로 만나므로 보강 간섭을 일으킨다.
④ (나)에서는 두 파동이 상쇄 간섭을 일으킨다. (○)
→ (나)에서는 두 파동이 반대 위상으로 만나므로 상쇄 간섭을 일으킨다.
⑤ (나)에서는 합성파의 진폭이 가장 크게 나타난다. (×)

6 보강 간섭이 일어나는 지점은 마루와 마루가 만나거나 골과 골이 만나는 지점이다. 그림에서 P점은 마루와 마루가, Q점은 골과 골이 만나므로 P, Q점은 보강 간섭이 일어나는 지점이다.

R점은 골과 마루가 만나므로 상쇄 간섭이 일어나는 지점이다.

7 ㄱ. 지폐의 위조를 방지하기 위해 홀로그램을 이용한다.
ㄴ, ㄷ. 홀로그램은 빛의 간섭 현상을 이용하여 빛을 비추는 방향에 따라 색과 문양이 다르게 보인다.

8 ㄱ. 안경 렌즈의 무반사 코팅은 코팅막의 윗면에서 반사하는 빛과 아랫면에서 반사하는 빛의 상쇄 간섭을 이용한다.

ㄷ. 반사하는 빛이 없으므로 빛의 투과율이 높아서 선명한 시야를 얻을 수 있다.

오답 풀이

ㄴ. 코팅막의 윗면에서 반사하는 빛과 아랫면에서 반사하는 빛의 위상이 반대이므로 상쇄 간섭이 일어나는 것이다.

자료 분석 ＋ 무반사 코팅 렌즈의 원리

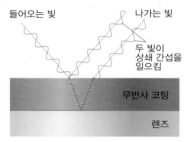

들어오는 빛 / 나가는 빛 / 두 빛이 상쇄 간섭을 일으킴 / 무반사 코팅 / 렌즈

• 무반사 코팅 렌즈를 끼운 안경에서는 코팅막의 윗면에서 반사된 빛과 아랫면에서 반사된 빛이 상쇄 간섭을 일으킨다. 따라서 코팅하지 않은 렌즈에 비해 반사되는 빛이 매우 줄어든다.

• 무반사 코팅 렌즈를 이용한 안경은 렌즈에서 반사하는 빛의 세기가 감소하므로 안경을 투과하는 빛의 세기가 증가하여 선명한 시야를 얻을 수 있다.

• 5. 빛과 물질의 이중성

1 (1) × (2) ○ (3) ○　**2** ⑤　**3** (1) 동시에 (2) 파동성, 입자성　**4** (1) ○ (2) × (3) ○　**5** ②　**6** (1) ○ (2) ○ (3) ○　**7** 파동　**8** (1) ○ (2) ○ (3) ×

1 (1) 광전 효과 실험 결과는 빛을 파동이라고 생각할 때는 설명할 수가 없다. 즉 광전 효과는 빛의 입자성을 설명하는 중요한 증거이다.

(2) 금속판에 비추는 빛의 진동수가 금속의 문턱 진동수 이상이면 빛의 세기에 관계없이 즉시 광전 효과가 발생한다. 이를 통해 빛의 에너지는 빛의 진동수에 비례한다는 것을 알 수 있다.

(3) 빛은 광자라고 하는 불연속적인 에너지 입자의 흐름이므로 빛의 진동수가 충분히 크면 빛의 세기가 약해도 즉시 광전자가 튀어 나온다.

2 ⑤ 광자의 에너지는 빛의 진동수에만 관계된다. 따라서 빛의 세기를 아무리 크게 해도 광자 한 개의 에너지는 증가하지 않으므로 광전자의 운동 에너지는 커지지 않는다.

입사하는 빛의 진동수가 커지면 광전자의 운동 에너지가 커진다.

선택지 바로 보기

① 광자의 에너지는 hf이다. (○)
→ 광자의 에너지는 진동수에 비례하므로 hf이다.

② 이 금속의 일함수는 hf_0이다. (○)
→ 문턱 진동수가 f_0이므로 이 금속의 일함수는 hf_0이다.

③ 광전자의 최대 운동 에너지는 $hf - hf_0$이다. (○)
→ 광전자의 최대 운동 에너지는 광자의 에너지에서 일함수를 뺀 값과 같으므로 $hf - W = hf - hf_0$이다.

④ 빛이 입사되는 즉시 광전자가 튀어나온다. (○)
→ 입사되는 빛의 진동수가 문턱 진동수 이상이면 빛이 입사되는 즉시 광전자가 튀어 나온다.

⑤ 빛의 세기를 크게 하면 광전자의 운동 에너지는 커진다. (×)

3 (1) 빛은 파동성과 입자성을 모두 가지고 있다. 이를 빛의 이중성이라고 한다. 그러나 두 가지 성질이 동시에 나타나지는 않는다.

(2) 빛의 파동성을 나타내는 현상에는 간섭과 회절이 있고, 입자성을 나타내는 현상에는 광전 효과가 있다.

4 (1) CCD는 광전 효과를 이용한다. 즉 CCD는 빛의 입자성을 이용한다.

(2) 광 다이오드는 빛의 입자성을 인식할 뿐 색을 구분하지는 못한다. CCD에서는 색을 구분하기 위해서 색 필터를 사용한다.

(3) 광 다이오드에는 광전 효과에 의해 필터를 통과한 빛의 세기에 비례하는 전류가 흐른다.

자료 분석 ➕ CCD의 원리

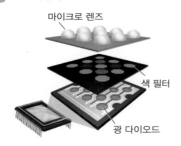

마이크로 렌즈

색 필터

광 다이오드

- **CCD(전하 결합 소자)**: 빛의 입자성을 이용하여 영상을 기록하는 장치이다.
- **광 다이오드**: 광 다이오드는 화소에 해당하며, 외부에서 들어온 광자들이 광 다이오드에 입사되면 광자의 수(빛의 세기)에 비례하여 광전자가 방출된다. 이때 빛 신호가 전기 신호로 전환된다.
- **색 필터**: 빛을 RGB(빨간색, 초록색, 파란색) 색상으로 구분한다. 예를 들어 빨간색 필터 아래에 있는 CCD는 빨간색 빛의 세기를 측정한다.
- **마이크로 렌즈**: 빛을 모아 각각의 광 다이오드에 집중시킨다.
- CCD를 이용한 디지털카메라는 가시광선뿐만 아니라 적외선도 감지할 수 있다.

5 ② 일상생활에서 물질파는 관찰하기 어려운데, 이는 일상의 입자들은 질량이 커서 물질파의 파장이 너무 작기 때문이다.

선택지 바로 보기

① 물질파의 존재는 드브로이가 제안했다. (○)
→ 물질파의 존재는 드브로이가 처음으로 제안했다.
② 일상생활에서 물질파는 관찰하기 쉽다. (✕)
③ 원자나 전자의 물질파 파장은 관찰할 수 있다. (○)
→ 원자나 전자의 질량은 매우 작다. 따라서 물질파 파장은 비교적 길어 관찰할 수 있다.
④ 물질파의 파장은 물질의 운동량에 반비례한다. (○)
→ 물질파의 파장은 $\lambda = \dfrac{h}{p} = \dfrac{h}{mv}$ (h: 플랑크 상수)로 물질의 운동량에 반비례한다.
⑤ 전자의 이중 슬릿 실험은 입자의 파동성을 확인하는 실험 중 하나이다. (○)
→ 전자의 이중 슬릿 실험은 실험 결과 간섭무늬가 나타나므로 파동성을 입증한다.

6 (1) 입자의 이중 슬릿 실험 결과 간섭무늬를 볼 수 있는데, 간섭무늬는 입자의 파동성을 설명하는 증거이다.

(2) 입자의 파장은 입자의 운동량에 반비례하고, 운동량은 질량과 속력의 곱이다. 따라서 입자의 파장은 입자의 속력에도 반비례한다.

(3) 만약 입자가 입자성만 가진다면 간섭 현상이 일어나지 않으므로 형광판에 두 줄의 무늬만 나타날 것이다.

7 전자의 회절 실험은 전자의 파동성을 검증하는 실험이다.

8 (1) 전자 현미경은 전자의 파동성을 이용하여 매우 작은 세계를 관찰한다.

(2) 자기렌즈는 광학 렌즈가 빛을 모으듯이 전자를 초점으로 모으는 역할을 한다.

(3) 전자의 물질파 파장이 가시광선의 파장보다 짧으므로 전자 현미경은 광학 현미경보다 분해능이 좋다.

5 ⟨일⟩ **내신 기출 베스트**　　　　　44~45쪽

• 5. 빛과 물질의 이중성

1 ㄱ, ㄴ, ㄷ　**2** ㄱ, ㄴ　**3** ⑤　**4** ⑤　**5** ②　**6** ③
7 ㄱ, ㄴ　**8** ⑤

1 자외선을 쪼여 주었을 때 금속박이 오므라들었다. 이는 광전 효과에 의해 광전자가 방출되어 금속박이 띠는 (−)전하량이 작아졌기 때문이다.

ㄱ. 빛의 진동수가 문턱 진동수 이상이면 광전자는 자외선을 쪼이는 즉시 방출된다.

ㄴ. 광전자가 방출되었으므로 자외선의 진동수는 아연의 문턱 진동수 이상이다.

ㄷ. 자외선의 세기를 증가시키면 광자의 수가 증가하므로 방출되는 광전자의 수도 증가한다.

2 ㄱ. 광전자가 방출되었으므로 쪼여 주는 빛의 진동수는 금속의 문턱 진동수 이상이라는 것을 알 수 있다.

ㄴ. 광전 효과에서 빛은 입자로 전자에 충돌하면 광전자가 즉시 튀어 나온다. 이는 광자와 전자가 탄성 충돌하는 것과 같다.

ㄷ. 쪼여 주는 빛의 진동수가 더 커지면 방출되는 광전자의 운동 에너지가 증가한다. 방출되는 광전자의 수를 증가시키려면 빛의 세기를 증가시켜야 한다.

3 ⑤ 빛은 입자성과 파동성이 동시에 나타나지 않는다. 즉 파동성을 확인하는 실험에서는 입자성이 나타나지 않고, 입자성을 확인하는 실험에서는 파동성이 나타나지 않는다.

① (가)는 빛의 파동성을 나타낸다. (○)
→ (가)는 이중 슬릿을 통과한 빛의 간섭무늬를 나타낸 것으로 빛의 파동성을 나타낸다.
② (가)는 빛의 간섭으로 나타난다. (○)
→ (가)는 빛의 간섭에 의해 나타난 무늬로 빛의 파동성을 나타낸다.
③ (나)는 빛의 입자성을 나타낸다. (○)
→ (나)는 광전 효과로 빛의 입자성을 나타내며, 빛의 파동성으로는 설명할 수 없다.
④ (나)의 광전자는 빛을 비추는 즉시 나온다. (○)
→ (나)의 광전자는 빛을 비추는 즉시 나온다. 이는 빛이 입자이기 때문이다.
⑤ 빛은 입자성과 파동성이 동시에 나타난다. (×)

4 ⑤ 마이컬슨·몰리 실험은 빛의 간섭 무늬로 빛의 속도를 비교하는 장치로, 빛의 파동성을 이용한다.

빛의 입자성을 이용하는 것에는 광다이오드, CCD, 디지털카메라, 태양 전지 등이 있다.

5 ㄱ. 물질파는 질량을 갖는 물질이 운동할 때 가지는 파동이다.
ㄴ. 물질파는 간섭 현상을 확인할 수 있는 전자 이중 슬릿 실험이나 회절 현상을 확인할 수 있는 전자선 회절 실험 등으로 확인할 수 있다.

ㄷ. 광전 효과는 빛의 입자성을 확인하는 실험이다. 물질파의 파동성을 확인하는 실험에는 전자 이중 슬릿 실험이나 전자선 회절 실험 등이 있다.

6 물질파의 파장은 운동량에 반비례하므로 $\lambda = \dfrac{h}{p} = \dfrac{h}{mv}$이다.

7 ㄱ. (가)는 전자가 입자처럼 행동할 때 예상되는 결과로 간섭이 일어나지 않아 슬릿의 수와 같이 두 줄만 나타난다.
ㄴ. (나)는 전자가 파동처럼 행동할 때 예상되는 결과로 간섭에 의해 여러 개의 줄무늬가 나타난다.

ㄷ. 전자의 수가 많아질수록 전자의 이중 슬릿 실험 결과는 (나)와 같이 나오므로 전자는 파동성을 가진다는 것을 알 수 있다.

8 ㄱ. 광학 현미경은 빛을 사용하고 전자 현미경은 전자선을 사용한다. 전자선을 이용하면 물질파의 파장이 짧아서 더 작은 물체를 관찰할 수 있다.
ㄴ. 광학 현미경은 빛을 모으는 데 광학 렌즈를 사용하고, 전자 현미경은 전자선을 모으는 데 자기렌즈를 사용한다. 자기렌즈는 자기장을 이용하여 전자의 진행 방향을 바꿀 수 있는 장치이다.
ㄷ. 전자 현미경은 사용하는 전자의 물질파의 파장이 광학 현미경의 빛의 파장보다 짧아서 배율과 분해능이 높다. 따라서 더 작은 물체를 관찰할 수 있다.

• 범위 | Ⅱ. 물질과 전자기장 ~ Ⅲ. 파동과 정보 통신

| 1 ⑤ | 2 ④ | 3 ㄴ | 4 ㄴ, ㄷ | 5 ③,⑤ | 6 ④ |
| 7 ④ | 8 해설 참조 | 9 ③ | 10 ③ | | |

1 B: 전자의 에너지는 바닥상태에 있을 때 가장 낮다.

C: 전자가 궤도를 돌고 있을 때에는 전자기파를 방출하지 않고 궤도 사이를 전이할 때 전자기파를 흡수하거나 방출한다.

오답 풀이

A: 보어 수소 원자 모형에서 수소 원자의 에너지 준위는 불연속적으로 분포한다.

2 ㄱ. X는 전도띠와 원자가 띠가 붙어 있으므로 전자의 이동이 쉽다. 즉 X는 전류가 잘 통하는 도체의 에너지띠 구조이다.

ㄴ. Y는 원자가 띠와 전도띠 사이의 띠 간격이 커서 전자가 이동하기 어렵다. 즉 Y는 전류가 잘 통하지 않는 절연체의 에너지띠 구조이다.

오답 풀이

ㄷ. 띠 간격에는 전자가 존재할 수 없다.

3 ㄴ. 전류계에 전류가 흘렀으므로 회로 전체가 전류가 흐르고 있는 것이다. 따라서 다이오드에도 전류가 흐른다.

오답 풀이

ㄱ, ㄷ. p−n 접합 다이오드에 전류가 흐르므로 다이오드에는 순방향 바이어스가 걸린 것이다. 따라서 (+)극 쪽에 연결된 A는 p형 반도체, (−)극 쪽과 연결된 B는 n형 반도체이다.

자료 분석 ➕ p−n 접합 다이오드

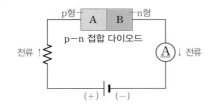

4 ㄴ. 나침반 자침의 N극이 가리키는 방향이 자기장의 방향이다.

ㄷ. 자기력선이 촘촘할수록 자기장의 세기가 세다.

오답 풀이

ㄱ. 자기력선은 N극에서 나와 S극으로 들어가는 방향이다.

5 ③ 자기장의 세기는 도선으로부터의 거리에 반비례한다.

⑤ 도선에 흐르는 전류의 방향이 바뀌면 자기장의 방향도 바뀐다.

선택지 바로 보기

① 자기장은 도선을 중심으로 한 동심원 모양이다. (○)

→ 자기장은 전류가 흐르는 직선 도선을 중심으로 한 동심원 모양이다.

② 자기장의 세기는 도선에 흐르는 전류의 세기에 비례한다. (○)

③ 자기장의 세기는 도선으로부터 거리의 제곱에 반비례한다. (×)

→ 직선 도선에 흐르는 전류에 의한 자기장의 세기는 도선에 흐르는 전류의 세기에 비례하고, 도선으로부터 거리에 반비례한다.

④ 오른손의 엄지손가락을 전류의 방향으로 향할 때 나머지 네 손가락이 도선을 감아쥔 방향이 자기장의 방향이다. (○)

→ 오른손의 엄지손가락을 직선 도선에 흐르는 전류의 방향으로 향할 때 나머지 네 손가락이 도선을 감아쥔 방향이 자기장의 방향이다.

⑤ 도선에 흐르는 전류의 방향이 바뀌어도 자기장의 방향은 바뀌지 않는다. (×)

6 ㄱ. 외부 자기장을 가했을 때 약하게 자기화되고 외부 자기장이 제거되면 즉시 자성을 띠지 않는 물질은 상자성체이다.

ㄴ. (나)에서는 원자 자석들이 무질서하게 나열되어 있으므로 자성이 나타나지 않는다.

오답 풀이

ㄷ. (가)에서 원자 자석은 외부 자기장의 방향으로 완전히 정렬하지는 않았다. 이는 외부 자기장의 방향으로 약하게 자기화되었다는 것을 의미한다.

7 ㄱ, ㄴ. 렌츠 법칙에 의해 외부 자기장의 변화를 방해하는 방향으로 유도 전류가 흐른다. 따라서 N극을 가까이 하면 N극이 가까이 오는 것을 방해하기 위해 코일 위쪽에 N극이 유도되고, S극을 멀리 하면 S극이 멀리 가는 것을 방해하기 위해 코일 위쪽에 N극이 유도된다.

오답 풀이

ㄷ. N극을 멀리 하면 이를 방해하기 위해 코일 위쪽에 S극이 유도된다.

자료 분석 ➕ 전자기 유도

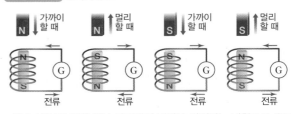

• 렌츠 법칙에 의해 외부 자기장의 변화를 방해하는 방향으로 유도 전류가 흐른다.

2학기 중간·기말

8 ✏️모범 답안 좌석 뒤에 붙어 있는 자석이 금속판에 가까워지면 자석의 운동 방향과 반대 방향으로 자기력이 작용하도록 유도 전류가 흘러 자이로드롭이 멈추게 된다.

채점 기준	배점(%)
자석의 운동 방향과 반대 방향으로 자기력이 작용하도록 유도 전류가 흐른다는 내용을 포함하여 옳게 서술한 경우	100
유도 전류가 흘러 자이로드롭의 운동을 방해한다고만 서술한 경우	70
유도 전류가 흐르기 때문이라고만 서술한 경우	30

9 변위-위치 그래프에서는 진폭과 파장을 알 수 있고, 변위-시간 그래프에서는 진폭과 주기, 진동수를 알 수 있다.
③ 진폭은 진동 중심에서 최대 변위까지의 거리이다. 따라서 그림을 보면 세 파동의 진폭이 2 m로 모두 같음을 알 수 있다.

선택지 바로 보기

① 주기가 같다. (×)
→ 변위-위치 그래프에서는 시간에 대한 정보가 없으므로 주기와 진동수를 알 수 없다.
② 파장이 같다. (×)
→ 세 파동의 파장은 0.5 m, 2 m, 1 m로 각각 다르다.
③ 진폭이 같다. (○)
→ 진폭이 2 m로 모두 같다.
④ 진동수가 같다. (×)
→ 주기를 알 수 없으므로 진동수도 알 수 없다.
⑤ 진행 속력이 같다. (×)
→ 파동의 진행 속력은 파장과 진동수(또는 주기)를 알아야 알 수 있는데, 이 경우 진동수를 알지 못하므로 진행 속력도 알 수 없다.

10 ③ 파동이 성질이 다른 매질로 진행하더라도 파동의 진동수는 변하지 않는다.

오답 풀이
① 파동의 진동수는 변하지 않는다. 따라서 진동수의 역수인 주기도 변하지 않는다.
②, ④ 왼쪽 그림에서는 매질 1에서 매질 2로 진행할 때 파장이 짧아졌으므로 진동수와 파장의 곱인 속력은 작아진다. 반면 오른쪽 그림에서는 매질 1에서 매질 2로 진행할 때 파장이 길어졌으므로 속력은 커진다.
⑤ 입사각은 입사파와 법선이 이루는 각이고 굴절각은 굴절파와 법선이 이루는 각이다.
따라서 왼쪽 그림에서는 매질 1에서 매질 2로 진행할 때 입사각>굴절각이고, 오른쪽 그림에서는 매질 1에서 매질 2로 진행할 때 입사각<굴절각이다.

자료 분석 ➕ 파동의 굴절

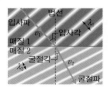 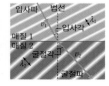

• 파장은 파면과 파면 사이의 거리이다.
• 파동의 속력＝진동수×파장이고, 파동이 굴절해도 진동수는 변하지 않으므로 파장이 길수록 파동의 속력이 크다.

6일 누구나 100점 테스트 **2**회   48~49쪽

• 범위 | Ⅱ. 물질과 전자기장 ~ Ⅲ. 파동과 정보 통신

1 ㄱ, ㄷ   **2** 해설 참조   **3** ㄱ, ㄴ, ㄷ   **4** ①   **5** ⑤
6 ②   **7** ④   **8** ①   **9** ④   **10** ㄴ, ㄷ

1 ㄱ. 입사각이 A인 경우에 굴절각이 90°가 되어 경계면을 따라 굴절 광선이 진행한다. 즉 A는 임계각이다.
ㄷ. ⓒ의 경우 입사각이 임계각보다 커서 전반사가 일어나므로 굴절 광선이 없고 입사 광선은 모두 반사된다.

오답 풀이
ㄴ. ㉠의 경우 반사 광선과 굴절 광선이 모두 있으므로 전반사가 일어나지 않았다는 것을 알 수 있다.

2 ✏️모범 답안 **한 번에 많은 정보를 보낼 수 있다. 정보를 더 멀리까지 보낼 수 있다. 외부 전파의 간섭이나 혼선이 없다. 도청이 어렵다. 등**

채점 기준	배점(%)
두 가지 모두 옳게 서술한 경우	100
한 가지만 옳게 서술한 경우	50

3 ㄱ. (가)는 마이크로파보다 진동수가 작은, 즉 마이크로파보다 파장이 긴 전자기파로 라디오파이다.
ㄴ. (나)는 적외선으로 강한 열작용을 하여 열선이라고도 불린다.
ㄷ. (다)는 X선으로 고속의 전자가 금속에 충돌할 때 발생한다.

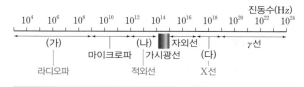

4 그림은 열화상 카메라로 사람을 촬영한 모습으로, 열화상 카메라는 적외선을 감지한다.
① 리모컨은 적외선을 이용한다.

오답 풀이
②, ④ 위조지폐 감별과 식기 소독기에는 자외선이 이용된다.
③ 암치료에는 γ선이 이용된다.
⑤ 공항의 수화물 검사에는 X선이 이용된다.

5 (가)는 두 파동이 같은 위상으로 중첩하는 보강 간섭을 나타낸 것이고, (나)는 두 파동이 반대 위상으로 중첩하는 상쇄 간섭을 나타낸 것이다.
ㄱ. 보는 각도에 따라 기름막의 윗면과 아랫면에서 반사하여 보강 간섭 하는 빛이 달라지므로 다양한 색이 나타난다.
ㄴ. 울림통이 있는 악기의 소리는 보강 간섭에 의해 크고 선명하게 발생한다.
ㄷ. 비행기 내에서는 상쇄 간섭을 이용하여 엔진 소음을 제거한다.

6 (−)전하로 대전된 에보나이트 막대를 아연판에 접촉시키면 (−)전하를 띤 전자가 검전기로 이동하여 검전기 전체가 (−)전하로 대전된다.

7 ㄴ. 금속박이 오므라들었으므로 아연판에서 광전자가 방출된 것이다. 형광등보다 진동수가 큰 자외선등을 쪼이면 자외선의 진동수가 아연의 문턱 진동수 이상이므로 광전 효과가 일어나 광전자가 방출된다.
ㄷ. 광전 효과가 일어날 때 빛의 세기를 증가시키면 광전자가 더 많이 방출된다.

오답 풀이
ㄱ. 금속박이 변하지 않았으므로 아연판에서 전자가 방출되지 않은 것이다. 형광등 빛의 진동수가 아연의 문턱 진동수보다 작으면 광전 효과가 일어나지 않으므로 광전자가 방출되지 않는다.

8 ① 빛은 입자성과 파동성을 모두 가지고 있지만 입자성과 파동성이 동시에 나타나지는 않는다.

선택지 바로 보기
① 빛의 입자성과 파동성은 동시에 나타난다. (×)
② 빛은 입자성과 함께 파동성을 가지고 있다. (○)
→ 빛은 입자성과 함께 파동성을 가지고 있다. 이를 빛의 이중성이라고 한다.
③ 빛의 간섭 현상은 파동성의 증거이다. (○)
→ 빛의 파동성을 입증하는 현상에는 간섭 현상과 회절 현상이 있다.
④ 빛의 광전 효과는 입자성의 증거이다. (○)
→ 광전 효과는 빛이 입자성을 나타내는 증거로 현대 전자 기기에서 많이 이용되고 있다.
⑤ 어떤 특정한 순간에는 입자성과 파동성 중 하나만 측정할 수 있다. (○)
→ 어떤 특정한 순간에는 입자성과 파동성 중 하나만 측정할 수 있다. 즉, 입자성과 파동성이 한 실험에서 동시에 나타나지는 않는다.

9 A: 전자도 빛과 같이 파동성과 입자성을 모두 가지고 있다. 즉 입자도 빛과 마찬가지로 입자성과 파동성을 모두 가지고 있는데, 이를 물질의 이중성이라고 한다.
C: 물질파의 확인 실험으로는 데이비슨과 거머의 전자 회절 실험, 전자의 이중 슬릿 실험 등이 있다.

오답 풀이
B: 물질파의 회절과 간섭은 물질의 파동성을 확인하는 증거들이다.

10 ㄴ. 물질파의 파장은 $\lambda = \dfrac{h}{p}$으로 운동량에 반비례한다.
ㄷ. 전자 현미경은 전자의 파동적 성질을 이용한 것이다. 전자의 물질파 파장이 짧으므로 광학 현미경으로 관찰할 수 없는 작은 물체를 관찰할 수 있다.

오답 풀이
ㄱ. 야구공도 파동의 성질을 가지고 있다. 다만 파장이 매우 짧아서 관찰하기 어렵다.

6일 서술형·사고력 테스트　50~51쪽

• 범위 | II. 물질과 전자기장 ~ III. 파동과 정보 통신

1 해설 참조　**2** 해설 참조　**3** (1) 해설 참조 (2) 구리, 유리, 금, 물, 탄소 등　**4** 해설 참조　**5** (1) (가) 자외선, (나) 라디오파
(2) 해설 참조　**6** 해설 참조

1 ✏️ 모범 답안 (가)에서 전이하는 에너지 준위 차이가 (나)에서 전이하는 에너지 준위 차이보다 작다. 빛의 에너지와 파장은 서로 반비례하므로 (가)에서 방출되는 빛의 파장이 (나)에서 방출되는 빛의 파장보다 길다.

채점 기준	배점(%)
전이할 때 에너지 준위차를 옳게 서술한 경우	30
에너지와 파장의 관계를 옳게 서술한 경우	30
전체 과정을 잘 이어서 서술한 경우	40

2 ✏️ 모범 답안 유도 전류는 솔레노이드 내부의 자기 선속의 변화를 방해하는 방향으로 흐르므로 막대자석의 N극을 가까이 할 때와 멀리할 때 유도 전류의 방향은 반대이다.

채점 기준	배점(%)
유도 전류의 방향과 자기 선속(자기장)의 관계를 옳게 서술한 경우	30
자석의 움직임과 유도 전류를 서술한 경우	30
전체 과정을 잘 이어서 서술한 경우	40

3 (1) ✏️ 모범 답안 반자성체, 반자성체는 외부 자기장과 반대로 자기화되므로 자석을 가까이 하면 밀려나고, 외부 자기장을 제거하면 자성이 바로 사라진다.
(2) ✏️ 모범 답안 구리, 유리, 금, 물, 탄소 등

	채점 기준	배점(%)
(1)	반자성체라고 쓴 경우	30
	반자성체의 특징을 옳게 서술한 경우	30
(2)	물질의 예를 두 가지 이상 쓴 경우	40
	물질의 예를 한 가지만 쓴 경우	20

4 ✏️ 모범 답안 입사각이 같을 때 굴절각은 물>유리>다이아몬드이므로 굴절률은 물<유리<다이아몬드이다. 또 물질 속에서 빛의 속력은 굴절률이 클수록 작으므로 물>유리>다이아몬드이다.

채점 기준	배점(%)
입사각과 굴절률의 관계를 옳게 서술한 경우	30
굴절률의 대소 관계를 옳게 비교한 경우	30
빛의 속력을 옳게 비교한 경우	40

5 (1) ✏️ 모범 답안 (가) 자외선, (나) 라디오파
(2) ✏️ 모범 답안 A 쪽으로 갈수록 전자기파의 파장이 길어지므로 진동수는 작아진다. 빛의 에너지는 진동수에 비례하므로 빛의 에너지도 A 쪽으로 갈수록 작아진다.

	채점 기준	배점(%)
(1)	(가), (나) 이름을 모두 옳게 쓴 경우	30
(2)	전자기파의 진동수를 옳게 서술한 경우	30
	전자기파의 에너지를 옳게 서술한 경우	40

6 ✏️ 모범 답안 노란색 빛의 진동수는 금속판의 문턱 진동수보다 작아서 센 빛을 비추어도 광전자가 방출되지 않는다. 보라색 빛의 진동수는 금속판의 문턱 진동수 이상이어서 약한 빛을 비추어도 광전자가 즉시 방출되며, 센 빛을 비추면 빛의 세기에 비례해서 광전자가 많이 방출된다.

채점 기준	배점(%)
빛의 진동수와 문턱 진동수를 비교해 광전자 방출을 서술한 경우	30
빛의 진동수가 문턱 진동수 이상일 때 빛의 세기와 방출되는 광전자 수의 관계를 옳게 서술한 경우	30
전체 과정을 잘 이어서 서술한 경우	40

6일 **창의·융합·코딩** 테스트 52~53쪽

• 범위 | Ⅱ. 물질과 전자기장 ~ Ⅲ. 파동과 정보 통신

1 (1) 해설 참조 (2) 해설 참조 (3) 해설 참조 **2** (1) 반대이다.
(2) 반대이다. (3) 반대이다. (4) 해설 참조 (5) 해설 참조
3 해설 참조 **4** 해설 참조 **5** 해설 참조

1 (1) ✏️ 모범 답안 발광 다이오드의 리드선은 한쪽이 길고, 다이오드는 한 쪽에 회색 줄이 그어져 있어서 방향을 알 수 있다.
(2) ✏️ 모범 답안 발광 다이오드에 불이 켜지는 것은 다이오드에 순방향 바이어스가 걸릴 때로, 회색 줄이 그어진 리드선을 (−)극 쪽에 연결한 경우에만 불이 켜진다.
(3) ✏️ 모범 답안 다이오드는 한쪽 방향으로만 전류가 흐르는 특징이 있다.

	채점 기준	배점(%)
(1)	발광 다이오드 특징을 설명한 경우	20
	다이오드 특징을 설명한 경우	20
(2)	다이오드에 순방향 바이어스가 걸릴 때와 연결지어 발광 다이오드에 불이 켜지는 경우를 옳게 서술한 경우	30
(3)	한쪽 방향으로만 전류를 흐르게 한다는 내용을 서술한 경우	30

2 (1) 유도 전류는 자기 선속의 변화를 방해하는 방향으로 흐르므로 S극을 가까이 할 때와 멀리 할 때 유도 전류의 방향은 반대이다.

(2) 유도 전류는 자기 선속의 변화를 방해하는 방향으로 흐르므로 N극을 가까이 할 때와 멀리 할 때 유도 전류의 방향은 반대이다.

(3) S극을 가까이 할 때는 코일이 위쪽이 S극이 되도록 유도 전류가 흐르고, N극을 가까이 할 때는 코일이 위쪽이 N극이 되도록 유도 전류가 흐른다. 따라서 두 경우 유도 전류의 방향은 반대이다.

(4) N극을 가까이 할 때는 코일이 위쪽이 N극이 되도록 유도 전류가 흐르고, N극을 멀리 할 때는 코일이 위쪽이 S극이 되도록 유도 전류가 흐른다.

✎ **모범 답안** N극을 가까이 할 때는 자석의 자기장과 유도 전류에 의한 자기장의 방향이 반대이고, N극을 멀리 할 때는 자석의 자기장과 유도 전류에 의한 자기장의 방향이 같다.

(5) ✎ **모범 답안** 유도 전류는 코일을 통과하는 자기장의 변화를 방해하는 쪽으로 흐른다.

채점 기준	배점(%)
(1) 반대라고 옳게 쓴 경우	10
(2) 반대라고 옳게 쓴 경우	10
(3) 반대라고 옳게 쓴 경우	10
(4) 자석의 자기장과 유도 전류의 자기장을 두 경우 모두 옳게 비교하여 서술한 경우	40
(5) 유도 전류의 방향에 대해 옳게 서술한 경우	30

자료 분석 ➕ 전자기 유도

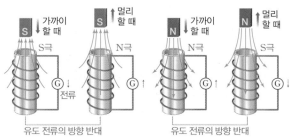

• 유도 전류는 자기 선속의 변화를 방해하는 방향으로 흐른다.

3 ✎ **모범 답안** 입사 광선의 입사각이 임계각보다 클 때 굴절 광선이 없는 전반사가 일어난다.

채점 기준	배점(%)
입사각과 임계각을 비교하여 옳게 서술한 경우	100
입사각이라는 단어 없이 서술한 경우	50

4 ✎ **모범 답안** 두 스피커 사이의 중앙 지점에서는 소리가 보강 간섭을 일으켜 가장 큰 소리가 들린다. 중앙에서 양 옆으로 이동하면 소리가 거의 들리지 않는 곳이 나타나는데, 이는 소리가 상쇄 간섭을 일으키기 때문이다.

채점 기준	배점(%)
소리의 크기 변화에 대해 옳게 서술한 경우	50
상쇄 간섭에 대해 서술한 경우	50

5 ✎ **모범 답안** 전자선이 회절을 일으키는 것으로 보아 전자선은 파동처럼 행동한다. 즉 입자인 전자가 파동성을 나타낸다.

채점 기준	배점(%)
전자선의 회절을 서술한 경우	50
전자가 파동성을 나타낸다고 서술한 경우	50

• **범위** | II. 물질과 전자기장 ~ III. 파동과 정보 통신

1 ①   **2** ⑤   **3** 해설 참조   **4** ㄱ, ㄷ   **5** ①, ②   **6** ③

7 ①   **8** ②   **9** ⑤   **10** ②   **11** ③   **12** ④   **13** ①

14 ⑤   **15** ④   **16** ⑤   **17** ④   **18** 해설 참조   **19** ②

20 ④

1 ① 보어 원자 모형에서 각 궤도 사이에는 전자가 존재하지 않는다. 전자는 특정한 궤도에만 불연속적으로 존재한다.

> **오답 풀이**

②, ③ 전자가 에너지 준위가 높은 궤도에서 낮은 궤도로 전이할 때는 에너지 차이만큼의 빛을 방출하고, 전자가 에너지 준위가 낮은 궤도에서 높은 궤도로 전이할 때는 에너지 차이만큼의 빛을 흡수한다.
④ 전자가 안정된 궤도에서 운동할 때는 전자기파를 방출하지 않는다. 궤도 사이를 전이할 때 전자기파를 흡수하거나 방출한다.
⑤ 원자핵에서 멀어질수록 에너지 준위가 높아지므로 원자핵에 가까운 궤도일수록 에너지 준위가 낮은 궤도이다.

2 A는 전도띠이고 B는 원자가 띠이다. 따라서 (가)는 도체, (나)는 반도체, (다)는 절연체의 에너지띠 구조이다.
⑤ (다)는 절연체로 띠 간격이 커서 원자가 띠에 있는 전자가 전도띠로 이동하기 어렵다. 따라서 전류가 잘 통하지 않는다.

> **오답 풀이**

① A는 전자가 채워져 있지 않은 전도띠이다.
② B는 전자가 채워진 가장 바깥쪽에 있는 에너지띠로, 원자가 띠이다.
③ (가)는 전도띠와 원자가 띠가 겹쳐져 있으므로 도체의 에너지띠 구조이다.
④ (나)는 전도띠와 원자가 띠 사이의 띠 간격이 좁은 반도체로, 반도체에는 규소, 저마늄 등이 있다.

> **자료 분석** **+** **고체의 에너지띠 구조**

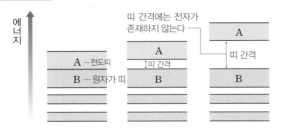

• 고체의 에너지 준위는 띠 구조를 이룬다.
• 원자가 띠에 있는 전자가 전도띠로 쉽게 이동할 수 있는지에 따라 도체, 반도체, 절연체로 나눈다.
• (다)와 같은 절연체는 띠 간격이 커서 원자가 띠의 전자가 전도띠로 이동하기 어렵다.
• 전도띠에 있는 자유 전자가 이동하면서 전류가 흐르게 된다.

3 입력 전압과 출력 전압을 비교해 보면 입력 전압 중에서 (+)인 전압일 때만 출력 전압이 나오는 것을 알 수 있다. 즉 다이오드에 순방향 바이어스가 걸릴 때만 전류가 흐른다.

> **모범 답안**   **다이오드는 전류를 한 방향으로만 흐르게 한다.**

채점 기준	배점(%)
다이오드는 전류를 한 방향으로만 흐르게 한다고 서술한 경우	100
다이오드에 순방향 바이어스가 걸릴 때만 전류가 흐른다고 서술한 경우에도	100

4 ㄱ, ㄷ. 직선 도선에 흐르는 전류에 의한 자기장의 세기는 도선에 흐르는 전류의 세기에 비례하고, 도선으로부터 거리에 반비례한다. 따라서 P와 R에서 자기장의 세기는 같고, Q에서 자기장의 세기는 R에서의 2배이다.

> **오답 풀이**

ㄴ. 직선 도선에 전류가 흐를 때 직선 도선 주위에 생기는 자기장의 방향은 전류의 방향으로 오른손의 엄지손가락을 향할 때 나머지 네 손가락이 도선을 감아쥐는 방향이다. 따라서 P와 R에서 자기장의 방향은 반대이다.

5 ①, ② 솔레노이드에 흐르는 전류에 의한 자기장의 세기는 솔레노이드에 흐르는 전류의 세기와 단위 길이당 코일의 감은 수에 각각 비례한다.

> **오답 풀이**

③ 솔레노이드 안에 강자성체인 철심을 넣으면 철심이 솔레노이드에 의한 자기장과 같은 방향으로 자기화되므로 자기장의 세기가 더 세진다.

6 자석을 가까이 할 때 끌려오는 것은 강자성체나 상자성체, 밀려나는 것은 반자성체이다. 따라서 A는 반자성체, B는 강자성체나 상자성체이다.
③ 반자성체에는 구리, 유리, 물, 탄소, 금, 은 등이 있다.

> **선택지 바로 보기**

① A는 강자성체이다. (×)
→ A는 자석에서 밀려나므로 반자성체이다.
② A는 전자석의 철심으로 쓰인다. (×)
→ 전자석의 철심으로 쓰이는 것은 강자성체이다.
③ A와 같은 물질에는 물, 구리가 있다. (○)
④ B는 반자성체이다. (×)
→ B는 자석에 끌려오므로 강자성체나 상자성체이다.
⑤ B와 같은 물질에는 초전도체가 있다. (×)
→ 초전도체는 반자성체이다.

7 원형 도선에 자석을 가까이 하면 도선을 통과하는 자기 선속의 변화를 방해하는 방향으로 원형 도선에 유도 전류가 흐른다.
① 원형 도선에 시계 방향으로 유도 전류가 흐르면 도선의 위쪽에 S극이 생긴다. 이는 막대자석의 S극이 가까워지고 있기 때문이므로 막대자석의 아랫면은 S극, 막대자석의 윗면은 N극임을 알 수 있다.

선택지 바로 보기

① 막대자석의 윗면은 N극이다. (○)
② 유도 전류에 의한 자기장은 위쪽 방향이다. (×)
→ 원형 도선의 아래쪽이 N극이므로 유도 전류에 의한 자기장은 아래쪽 방향이다.
③ 막대자석의 자기장은 아래쪽 방향이다. (×)
→ 막대자석의 윗면이 N극이므로 막대자석의 자기장은 위쪽 방향이다.
④ 자석을 멈추어도 유도 전류는 계속 흐른다. (×)
→ 자석을 멈추면 원형 도선을 통과하는 자기 선속이 변하지 않으므로 유도 전류는 흐르지 않는다.
⑤ 유도 전류의 세기는 자석이 멀수록 세다. (×)
→ 자석이 멀리 있으면 자기장의 세기가 약하므로 유도 전류의 세기는 약하다.

8 ② 전동기는 전자기 유도가 아니라 자기장 속에서 전류가 흐르는 도선이 받는 힘을 이용한 장치이다.

9 파동의 변위-위치 그래프에서는 진폭과 파장을 알 수 있고, 변위-시간 그래프에서는 진폭과 주기, 진동수를 알 수 있다.
ㄱ. 파장은 위상이 같은 이웃한 두 지점 사이의 거리이므로 (가)에서 이 파동의 파장은 4 m임을 알 수 있다.
ㄴ. 주기는 파동이 한 번 진동하는 데 걸리는 시간이므로 (나)에서 이 파동의 주기는 2초임을 알 수 있다.
ㄷ. 파동의 속력$=\dfrac{파장}{주기}=\dfrac{4 \text{ m}}{2 \text{ s}}=2 \text{ m/s}$이다.

자료 분석 ➕ 파동 그래프의 해석

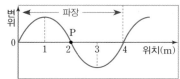 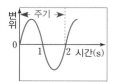

• 변위-위치 그래프에서 파장은 마루에서 다음 마루까지 거리이다.
• 진폭은 진동 중심에서 마루 또는 골까지 거리이다.
• 변위-시간 그래프에서 마루에서 다음 마루까지 시간이 주기이다.
• 진동수는 주기의 역수이다.

10 그림은 물결파가 깊이가 다른 영역으로 진행할 때 속력이 변하면서 굴절되는 것을 나타낸 것이다.
② 물결파의 전파 속력이 달라져도 진동수는 변하지 않으므로 진동수는 영역 Ⅰ과 영역 Ⅱ에서 같다.

선택지 바로 보기

① v_1은 v_2보다 작다. (×)
→ 파동은 굴절할 때 속력이 느린 매질 쪽으로 굴절하므로 v_1은 v_2보다 크다.
② 진동수는 영역 Ⅰ과 영역 Ⅱ에서 같다. (○)
③ 파장은 영역 Ⅱ에서가 영역 Ⅰ에서보다 크다. (×)
→ 파동의 진동수는 같고 속력이 영역 Ⅰ에서 더 빠르므로 파장은 영역 Ⅰ에서가 영역 Ⅱ에서보다 크다.
④ 주기는 영역 Ⅱ에서가 영역 Ⅰ에서보다 크다. (×)
→ 물결파의 진동수가 변하지 않으므로 주기도 변하지 않는다. 따라서 주기는 영역 Ⅰ과 영역 Ⅱ에서 같다.
⑤ 물결파가 A에서 C까지 진행하는 데 걸리는 시간은 B에서 D까지 진행하는 데 걸리는 시간보다 크다. (×)
→ 물결파가 A에서 C까지 진행하는 데 걸리는 시간과 B에서 D까지 진행하는 데 걸리는 시간은 같다.

11 ㄷ. C는 전반사를 한 경우이다. 따라서 굴절 광선이 없이 모두 반사한다.

오답 풀이

ㄱ. A는 경계면에 수직으로 입사하므로 반사광이 거의 없다. 반사광의 세기가 가장 큰 것은 전반사한 C이다.
ㄴ. 물보다 공기에서 빛의 속력이 빠르므로 B처럼 물에서 공기로 진행할 때 굴절각은 입사각보다 크다.

12 ㄴ. A는 굴절 광선과 반사 광선이 있고, B는 반사 광선만 있으므로 B는 전반사한 것이다. 전반사는 굴절률이 큰 물질에서 굴절률이 작은 물질로 진행할 때 일어나므로 굴절률은 P가 Q보다 크다.
ㄷ. 코어와 클래딩의 경계면에서 전반사가 일어나야 하므로 굴절률이 큰 P가 코어, 굴절률이 작은 Q가 클래딩으로 적당하다.
따라서 (나)에서 코어는 P, 클래딩은 Q로 만든다.

오답 풀이

ㄱ. A는 굴절 광선과 반사 광선이 모두 있으므로 전반사한 것이 아니다.

13 ① 전자기파의 진행 방향과 전기장의 진동 방향은 서로 수직으로 전자기파는 횡파이다.

① 전자기파의 진행 방향과 전기장의 진동 방향은 나란하다. (×)
② 진공 중에서 전자기파의 속력은 빛의 속력과 같다. (○)
→ 빛은 전자기파의 일종이므로 진공 중에서 전자기파의 속력은 빛의 속력과 같다.
③ 전자기파는 전기장과 자기장이 진동하면서 전파된다. (○)
④ 전자기파는 매질 없이도 전파된다. (○)
→ 전자기파는 전기장과 자기장이 진동하면서 전파되므로 매질이 없어도 전파될 수 있다.
⑤ 전자기파의 에너지는 진동수에 비례한다. (○)
→ 전자기파의 에너지는 전자기파의 진동수에 비례한다.

14 위조지폐 감별기는 자외선을 이용한 예이고, 나머지는 적외선을 이용한 예이다.

15 ㄴ. P에서는 골과 골이 만나서 보강 간섭이 일어나고, Q에서는 골과 마루가 만나서 상쇄 간섭이 일어난다.
ㄷ. P에서는 골과 골이 만나고, R에서는 마루와 마루가 만나서 보강 간섭을 일으키므로 두 점에서 중첩된 수면파의 진폭은 같다.

ㄱ. Q에서는 골과 마루가 만나서 상쇄 간섭이 일어나므로 중첩된 수면파의 진폭은 가장 작다.

16 ⑤ 소음과 위상이 같은 소리를 발생시키면 소음과 보강 간섭을 일으켜서 소음은 제거되지 않고 더욱 크게 들린다.

① 헤드폰에서 소음과 위상이 반대인 소리를 발생한다. (○)
→ 헤드폰에서 소음을 채집한 다음 소음과 위상이 반대인 소리를 발생한다.
② 소리의 상쇄 간섭을 이용한다. (○)
→ 소음과 위상이 반대인 소리가 상쇄 간섭을 일으켜 소음이 제거된다.
③ 소음이 제거되어도 음악 소리는 변하지 않는다. (○)
→ 소음과 음악은 서로 독립성을 가지므로 소음이 제거되어도 음악 소리는 변하지 않는다.
④ 소음과 진폭, 진동수가 같은 소리를 발생한다. (○)
→ 헤드폰에서 소음과 진폭, 진동수가 같고 위상이 반대인 소리를 발생해야 상쇄 간섭으로 소음이 완전히 제거된다.
⑤ 소음과 위상이 같은 소리를 발생해도 소음 제거 효과는 같다. (×)

17 철수, 민수: 광전 효과는 빛의 입자성을 증명하는 현상이다. 쪼여 주는 빛의 진동수가 문턱 진동수 이상이어야 광전 효과가 일어나 광전자가 튀어 나온다.

영희: 빛의 진동수가 문턱 진동수보다 크면 빛의 세기가 약해도 광전자는 즉시 튀어나온다. 빛의 세기가 세면 튀어나오는 광전자의 수가 많다.

18 ✏️ **모범 답안** 빛의 파동성으로는 광전 효과를 설명할 수 없고, 빛이 입자성을 가져야 광전 효과를 설명할 수 있기 때문이다.

채점 기준	배점(%)
광전 효과를 파동성으로 설명할 수 없다는 서술이 있는 경우	50
광전 효과를 입자성으로 설명할 수 있다는 것을 서술한 경우	50

19 ㄱ. 전자는 파동성을 갖기 때문에 이중 슬릿을 통과한 전자의 물질파가 간섭 현상을 일으켜 간섭무늬가 여러 개 나타난다.
ㄴ. 전자가 입자성만 갖는다면 전자가 두 슬릿을 그대로 통과하여 두 줄의 무늬만 나타날 것이다.

ㄷ. 전자의 물질파 파장은 전자의 운동량에 반비례한다.

20 ㄱ. 현미경의 분해능은 파장이 짧을수록 좋다. 따라서 더 짧은 파장의 파동을 얻기 위해 물질파를 이용한다.
ㄴ. 전자의 물질파 파장은 전자의 운동량에 반비례하므로 전자의 가속 전압을 조절하면 파장이 짧은 물질파를 얻을 수 있다.

ㄷ. 물질파는 파장이 짧아 광학 현미경보다 분해능이 좋다.

7일 학교시험 기본 테스트 2회　58~62쪽

*범위 | II. 물질과 전자기장 ~ III. 파동과 정보 통신

1 ⑤　**2** ⑤　**3** ①　**4** ④　**5** ④　**6** ⑤　**7** ⑤
8 b　**9** 1 m/s　**10** ④　**11** ④　**12** ⑤　**13** ④
14 ⑤　**15** 해설 참조　**16** ⑤　**17** ㄱ, ㄴ, ㄷ
18 해설 참조　**19** ②　**20** ⑤

1 ⑤ 전기력은 서로 떨어져 있어도 작용하는 힘이다.

① 같은 종류의 전하 사이에는 미는 힘이 작용한다. (○)

② 다른 종류의 전하 사이에는 끌어당기는 힘이 작용한다. (○)

→ 같은 종류의 전하 사이에는 미는 힘인 척력이 작용하고, 다른 종류의 전하 사이에는 끌어당기는 힘인 인력이 작용한다.

③ 두 전하 사이의 거리가 가까울수록 작용하는 힘의 크기가 크다. (○)

④ 두 전하 사이에 작용하는 힘의 크기는 두 전하량의 곱에 비례한다. (○)

→ 두 전하 사이에 작용하는 힘의 크기는 두 전하량에의 곱에 비례하고, 두 전하 사이의 거리의 제곱에 반비례한다.

⑤ 두 전하가 서로 접촉해 있을 때에만 힘이 작용한다. (×)

2 ㄱ, ㄴ 보어 원자 모형에서 전자들은 특정 궤도에서만 원운동을 한다. 전자가 안정된 특정 궤도에서 원운동할 때는 빛을 방출하지 않고, 다른 궤도로 전이할 때 빛을 흡수하거나 방출한다.

ㄷ. (−)전하를 띤 전자는 전기력에 의해 (+)전하를 띤 원자핵에 속박되어 있다.

3 ① 고체는 인접한 원자들의 에너지 준위가 미세한 차이를 두고 겹쳐서 에너지띠를 이룬다.

① 인접한 원자들의 영향으로 에너지 준위가 미세한 차이를 두고 겹쳐 있다. (○)

② 자유 전자는 원자가 띠에 존재한다. (×)

→ 자유 전자는 전도띠에 존재하며, 전하를 운반하는 역할을 한다.

③ 전자가 갖는 에너지는 연속적이다. (×)

→ 전자가 갖는 에너지는 불연속적이며, 에너지띠 사이의 띠 간격에는 전자가 존재할 수 없다.

④ 원자들은 다른 원자의 에너지 궤도에 영향을 주지 않는다. (×)

→ 고체는 인접한 많은 원자들이 다른 원자의 에너지 궤도에 영향을 주어 에너지띠 구조를 이룬다.

⑤ 전자가 채워진 띠를 전도띠라고 한다. (×)

→ 전도띠에는 전자가 채워져 있지 않다. 전자가 채워진 띠는 원자가 띠이다.

4 반도체 레이저 다이오드는 다이오드에 전류가 흐를 때 파장과 위상이 동일한 레이저를 방출한다. 이러한 반도체 레이저 다이오드는 광통신, DVD, 레이저 포인터, 레이저 거리 측정기 등 다양한 전자 기기의 광원으로 활용된다.

5 ㄱ. 직선 도선에 전류가 흐를 때 생기는 자기장의 세기는 전류의 세기에 비례하고 도선으로부터의 거리에 반비례한다. 따라서 도선으로부터 거리가 같은 A와 B에서 자기장의 세기는 같다.

ㄴ. 직선 도선에 흐르는 전류에 의한 자기장의 방향은 오른손 엄지손가락을 전류의 방향으로 향할 때 나머지 네 손가락이 도선을 감아쥐는 방향이다. 따라서 B와 C에서 자기장의 방향은 종이면에 수직으로 들어가는 방향으로 같고, A에서 자기장의 방향은 종이면에서 수직으로 나오는 방향이다.

ㄷ. 직선 도선에 흐르는 전류에 의한 자기장의 세기는 도선으로부터의 거리에 반비례한다. 도선으로부터의 거리는 A가 C보다 가까우므로 A에서 자기장의 세기는 C에서보다 크다.

6 솔레노이드에 화살표 방향으로 전류가 흐르면 A, B는 모두 솔레노이드의 왼쪽이 N극을 띤다. 따라서 A, B 모두 왼쪽에서는 자기장이 나가는 방향, 오른쪽으로는 자기장이 들어가는 방향이다.

ㄱ. P점에서 자기장의 방향이 왼쪽이므로 나침반 자침의 N극은 왼쪽을 가리킨다.

ㄴ. Q점에서 자기장의 방향이 왼쪽이므로 나침반 자침의 N극은 왼쪽을 가리킨다.

ㄷ. A의 오른쪽은 S극, B의 왼쪽은 N극이 형성된다. 따라서 N극과 S극이 마주보는 A와 B 사이에는 끌어당기는 힘이 작용한다.

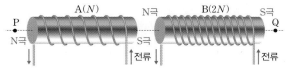

• 솔레노이드에 흐르는 전류의 방향으로 오른손의 네 손가락을 감아쥘 때 엄지손가락이 가리키는 방향이 자기장의 방향이다.

7 ⑤ 대부분의 물질은 각 원자가 무질서하게 배열되어 있어서 자성을 띠지 않는다.

① 자성의 원인은 원자 속 전자의 운동이다. (○)

② 자성의 원인은 원자 속 전자의 스핀이다. (○)

→ 원자가 자성을 나타내는 원인은 원자 속 전자의 운동과 원자 속 전자의 스핀이다.

③ 물질을 구성하는 원자가 자석과 같은 역할을 한다. (○)

→ 물질을 구성하는 원자가 자석과 같은 역할을 하는데, 이것을 원자 자석이라고 한다.

④ 자성체는 강자성체, 반자성체, 상자성체로 나눈다. (○)

→ 자성체는 외부 자기장과 같은 방향으로 자기화되는 강자성체와 상자성체, 외부 자기장과 반대 방향으로 자기화되는 반자성체로 구분한다.

⑤ 대부분의 물질은 각 원자가 일정한 방향으로 배열되어 있어서 자성을 띠고 있다. (×)

① **원자 속 전자의 궤도 운동**: 전자가 원자핵 둘레를 반시계 방향으로 회전하면, 전류는 시계 방향으로 흐르는 것과 같으므로 원형 전류에 의한 자기장과 같이 자기장의 방향은 전자의 궤도면에 수직인 아래 방향이 된다.

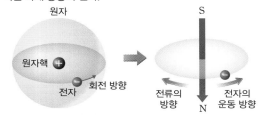

② **원자 속 전자의 스핀**: 전자는 원자핵 주변을 돌면서 스스로 회전하는데, 이 스핀 방향이 반시계 방향일 때 전류는 시계 방향으로 흐르는 것과 같으므로, 자기장의 방향은 아래 방향이 된다.

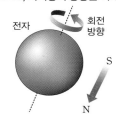

8 휴대 전화 내부 코일에 유도되는 전류는 코일을 통과하는 자기장의 변화를 방해하는 방향으로 흐른다. 따라서 자기장이 감소하면 현재 자기장의 방향으로 자기장이 생기도록 유도 전류가 흐르므로 b 방향으로 흐른다.

9 마루에서 다음 마루까지 거리는 파장을 의미하므로 물결파의 파장은 2 m이고, 나뭇잎이 한번 진동하는 데 걸리는 시간이 2초이므로 물결파의 진동수는 0.5 Hz이다. 따라서 파동의 속력=파장×진동수=2 m×0.5 Hz=1 m/s이다.

10 ㄱ. 그림에서 파면과 파면 사이의 간격은 파장을 의미한다. $d_1 > d_2$이므로 물결파의 파장은 Ⅰ에서가 Ⅱ에서보다 크다.
ㄷ. 파동의 속력=파장×진동수이고 진동수는 매질 Ⅰ과 Ⅱ에서가 같다. 따라서 물결파의 속력은 파장이 큰 매질 Ⅰ에서가 매질 Ⅱ에서보다 크다.

ㄴ. 물결파의 진동수는 매질에 관계없이 일정하므로 매질 Ⅰ에서와 Ⅱ에서가 같다.

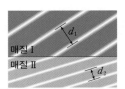

• 파장이 크다. → 속력이 크다.
• 파장이 작다. → 속력이 작다.

• 물결파가 진행할 때 매질이 달라지더라도 진동수나 주기는 변하지 않는다.

11 빛이 굴절률이 큰 물질에서 굴절률이 작은 물질로 진행할 때, 입사각이 임계각보다 크면 전반사가 일어난다.
ㄴ. OHP 필름을 따라 빛이 진행하므로 OHP 필름에서 전반사가 일어났음을 알 수 있다.
ㄷ. 프리즘에 45°의 입사각으로 입사할 때 전반사가 일어났으므로 프리즘의 임계각은 45°보다 작다.

ㄱ. 전반사는 빛이 굴절률이 큰 물질에서 굴절률이 작은 물질로 진행할 때 일어난다. 유리 막대 속에서 전반사가 일어났으므로 유리의 굴절률은 공기의 굴절률보다 크다.

12 광통신은 음성 및 영상 신호를 빛 신호로 바꿔 광섬유를 이용하여 전달하고 수신부에서 빛 신호를 음성이나 영상 신호로 전환하는 통신 방법이다.
⑤ 광통신은 빛의 주파수가 전파의 주파수보다 매우 크므로 한꺼번에 많은 양의 정보를 보낼 수 있다.

① 발신기는 음성 및 영상 정보를 빛 신호로 바꾼다. (○)
→ 발신기는 음성 및 영상 정보를 빛 신호로 바꿔 광섬유를 통해 보낼 수 있도록 한다.
② 수신기는 빛 신호를 음성 및 영상 정보로 바꾼다. (○)
→ 수신기는 광섬유를 통해 전달된 빛 신호를 음성 및 영상 정보로 바꿔서 정보를 활용할 수 있도록 한다.
③ 광통신의 빛 신호는 먼 거리를 갈 수 있다. (○)
→ 광통신의 빛 신호는 전반사를 이용해 전달되므로 손실이 매우 적다. 따라서 먼 거리를 갈 수 있다.
④ 광섬유는 전반사를 이용해 정보를 전송한다. (○)
→ 광섬유는 전반사를 이용해 효율적으로 정보를 전송한다.
⑤ 광통신은 한꺼번에 많은 양의 정보를 보낼 수 없다. (×)

13 광섬유는 광통신, 내시경, 예술품, 자연 채광 시스템 등에 다양하게 이용된다.

14 우주를 관찰하는 데는 여러 가지 전자기파가 이용된다. 관찰하는 전자기파에 따라 다른 특성을 나타내고 알아낼 수 있는 정보가 다르기 때문이다. 그림에서 VLA는 우주에서 오는 전파를 관측하고, 스피처 우주 망원경은 적외선을 이용한다. 허블 우주 망원경은 가시광선을 이용해 우주를 관찰하고, ASTRO−1은 자외선을 이용하며, 찬드라 X선 망원경은 X선을 이용하여 우주를 관찰한다.

15 ✎**모범 답안** A점은 마루와 마루가 만나 보강 간섭을, C점은 골과 골이 만나 보강 간섭을 하므로 진폭이 2배가 된다. B점은 마루와 골이 만나 상쇄 간섭을 하므로 진폭이 0이다.

채점 기준	배점(%)
보강 간섭 조건과 A, C점을 들어 서술한 경우	50
상쇄 간섭 조건과 B점을 들어 서술한 경우	50

16 무반사 코팅 렌즈는 코팅 막의 윗면과 아랫면에서 반사된 빛이 서로 상쇄 간섭을 일으켜 반사광이 보이지 않도록 한다. ⑤ 코팅막을 통해서 들어오는 빛은 반사가 거의 없으므로 눈에 들어오는 빛의 양이 많다.

선택지 바로 보기

① 나가는 두 빛이 상쇄 간섭을 일으킨다. (○)
→ 코팅 막의 윗면과 아랫면에서 반사된 두 빛이 상쇄 간섭을 일으킨다.
② 나가는 빛의 세기는 거의 0이다. (○)
→ 두 빛이 상쇄 간섭을 일으키므로 나가는 빛의 세기는 거의 0이다.
③ 투과하는 빛의 세기가 증가한다. (○)
→ 반사광이 거의 없으므로 투과하는 빛의 세기가 증가한다.
④ 안경을 통해 선명한 시야를 얻을 수 있다. (○)
→ 밖에서 들어오는 빛이 반사되지 않으므로 안경을 통해 선명한 시야를 얻을 수 있다.
⑤ 코팅막으로 눈에 들어오는 빛의 양이 적다. (×)

17 그림은 광전 효과를 입자의 충돌로 이해하려는 모식도이다. (가)에서는 광자의 에너지가 충분하여 광전자가 방출되고, (나)에서는 광자의 에너지가 작아서 광전자가 방출되지 못한다.
ㄱ. (가)에서는 광전자가 밖으로 방출되므로 입사한 빛의 진동수는 금속의 문턱 진동수 이상이다.
ㄴ. (나)에서는 광전자가 밖으로 방출되지 못하므로 입사한 빛의 에너지가 금속의 일함수보다 작다.
ㄷ. 광자와 전자는 입자처럼 충돌하므로 아무리 약한 빛이라도 문턱 진동수 이상이면 충돌 즉시 광전자가 방출된다.

18 ✎**모범 답안** 파동성을 증명하는 현상에는 간섭과 회절이 있고, 입자성을 증명하는 현상에는 광전 효과가 있다.

채점 기준	배점(%)
빛의 파동성을 증명하는 현상을 옳게 서술한 경우	50
빛의 입자성을 증명하는 현상을 옳게 서술한 경우	50

19 ② 니켈 표면에 전자선을 쏘면 입사 전자선과 50°의 각을 이루는 곳에서 튀어 나오는 전자의 수가 가장 많았다. 이러한 결과는 전자의 물질파가 반사되어 나올 때 특정한 각도에서 보강 간섭이 일어나는 것으로 해석할 수 있다. 즉 전자의 파동적인 성질을 확인할 수 있다.

선택지 바로 보기

① 전자는 특정한 각도에서만 튀어나온다. (×)
→ 전자는 모든 각도에서 튀어 나오지만 특정한 각도에서 물질파의 보강 간섭이 일어나 튀어 나오는 전자의 수가 가장 많은 것이다.
② 전자의 물질파는 특정한 각도에서 보강 간섭이 일어난다. (○)
③ 니켈 표면은 항상 50° 기울어진 상태로 존재한다. (×)
→ 니켈의 표면이 기울어진 각도를 달리하면서 어느 각도에서 전자가 가장 많이 튀어 나오는지를 관찰하는 실험이다.
④ 전자는 니켈과 입자로 충돌하여 반사되어 나온다. (×)
→ 전자는 입자가 아니라 물질파로 반사되어 나온 것이다.
⑤ 50° 부근에서 전자의 물질파는 상쇄 간섭을 일으킨다. (×)
→ 50° 부근에서 전자의 물질파는 보강 간섭을 일으킨다.

20 ㄱ, ㄴ, ㄷ. (가)는 X선 회절 무늬를 나타내고, (나)는 전자선에 의한 회절 무늬를 나타낸다. 이를 통해 전자의 파동성을 확인할 수 있다.

Memo

전기력과 스펙트럼

전기력

- **전기력:** 전하를 띤 물체 사이에 작용하는 힘
- **쿨롱 법칙:** 전기력 F는 전하량 q_1, q_2의 곱에 비례하고, 전하 사이의 거리 r의 제곱에 **❶**〔　　　〕한다.
  → $F = k\dfrac{q_1 q_2}{r^2}$ (k: 쿨롱 상수)
- **원자 구조:** 중심에 $(+)$전하를 띤 원자핵이 있고, 그 주위를 $(-)$전하를 띤 **❷**〔　　　〕가 돌고 있다.

스펙트럼

- **연속 스펙트럼:** 무지개처럼 연속적인 색의 띠 ⑩ 햇빛, 백열등 등
- **선 스펙트럼:** 선이 띄엄띄엄 나타나는 색의 띠

▲ 방출 스펙트럼

▲ 흡수 스펙트럼

답 ❶ 반비례 ❷ 전자

보어 원자 모형과 에너지 준위

보어 원자 모형과 에너지 준위

- **보어 원자 모형:** 전자는 원자핵 주위의 특정한 궤도에서만 돌고 있다.

- **에너지 준위:** 특정 궤도에서 전자가 갖는 에너지로, 양자수 n에 따라 양자화(띄엄띄엄)되어 있다.
- **바닥상태:** 전자의 에너지가 가장 **❶**〔　　　〕 상태로 가장 안정적이다.

전자의 전이

- **전자의 전이:** 전자가 서로 다른 에너지 준위 사이를 이동하는 것
  → 낮은 에너지 준위 ⇄ 높은 에너지 준위 (에너지 흡수 / 에너지 방출)
- 전자가 전이할 때 흡수하거나 방출하는 빛의 에너지는 두 궤도의 **❷**〔　　　〕 차에 해당한다.

답 ❶ 낮은 ❷ 에너지 준위

고체의 에너지띠와 전기 전도성

고체의 에너지띠와 전기 전도성

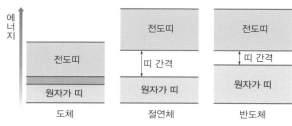

도체	• 원자가 띠와 전도띠가 일부 겹쳐 있다. • 전기 전도성이 **❶**〔　　　〕 전류가 잘 흐른다. ⑩ 금, 은, 구리, 알루미늄 등
절연체	• 원자가 띠와 전도띠 사이의 **❷**〔　　　〕 이 매우 넓다. • 전기 전도성이 매우 나빠서 전류가 잘 흐르지 않는다. ⑩ 나무, 고무, 유리 등
반도체	• 원자가 띠와 전도띠 사이의 띠 간격이 좁다. • 전기 전도성과 전기 저항이 도체와 절연체의 중간이다. ⑩ 규소(Si), 저마늄(Ge) 등

답 ❶ 좋아서 ❷ 띠 간격

반도체 소자

- **순수 반도체:** 원자가 전자가 4개인 규소(Si)나 저마늄(Ge) 등이 있다. ➡ 모든 원자가 전자가 공유 결합에 참여하므로 전기 전도성이 낮다.
- **도핑:** 순수 반도체에 불순물을 첨가하는 과정 ➡ 불순물을 첨가하면 남는 전자나 **❶**〔　　　〕이 생겨 전기 전도성이 좋아진다.
- **불순물 반도체:** 순수 반도체에 소량의 불순물을 도핑한 반도체

n형 반도체	인(P), 비소(As)와 같이 원자가 전자가 5개인 불순물을 도핑한 반도체 ➡ 자유 전자가 주요 전하 운반체
p형 반도체	붕소(B), 알루미늄(Al)과 같이 원자가 전자가 3개인 불순물을 도핑한 반도체 ➡ 양공이 주요 전하 운반체

- **p-n 접합 다이오드:** p형 반도체와 n형 반도체를 붙여 양 끝에 전극을 붙인 것으로, **❷**〔　　　〕 바이어스가 걸렸을 때만 전류가 흐른다.
- **정류 회로:** 다이오드를 이용해 전류를 한 방향으로만 흐르게 하는 회로

답 ❶ 양공 ❷ 순방향

예제 보어의 원자 모형에 대한 설명으로 옳지 <u>않은</u> 것은?

① 전자는 원자핵 주위의 특정한 궤도에서만 돌고 있다.

② 원자가 일정한 크기를 안정적으로 유지하는 것을 설명할 수 있다.

✓③ 원자핵에서 가장 가까운 궤도에 존재하는 전자는 가장 높은 에너지를 갖는다.

④ 전자가 낮은 궤도에서 높은 궤도로 전이할 때 에너지 차이만큼의 빛을 흡수한다.

⑤ 전자가 높은 궤도에서 낮은 궤도로 전이할 때 에너지 차이만큼의 빛을 방출한다.

★기억해요!

보어의 수소 원자 모형에서 전자의 에너지 준위는 [   ]이며, 전자가 궤도 사이를 [   ]할 때 빛을 방출하거나 흡수한다.

답 불연속적, 전이

예제 그림과 같이 전하량이 각각 $+2Q$, $+Q$, $-Q$인 세 물체 A, B, C가 일직선상에서 r만큼씩 떨어져 놓여 있다.

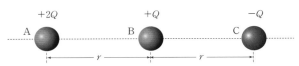

이에 대한 설명으로 옳은 것만을 〈보기〉에서 있는 대로 고르시오.

▶ 보기 ◀

✓ㄱ. A와 B 사이에는 척력이 작용한다.

ㄴ. B와 C 사이에는 척력이 작용한다.

ㄷ. B가 A에 작용하는 전기력의 크기와 B가 C에 작용하는 전기력의 크기가 같다

★기억해요!

같은 종류의 전하 사이에는 서로 밀어내는 힘인 [   ]이 작용하고, 다른 종류의 전하 사이에는 서로 끌어당기는 힘인 [   ]이 작용한다.

답 척력, 인력

예제 그림은 불순물을 첨가한 반도체 X, Y를 접합하여 만든 p−n 접합 다이오드 A가 전지에 연결된 회로를 나타낸 것이다. X, Y에 첨가한 불순물의 원자가 전자 수는 각각 3개, 5개이다.

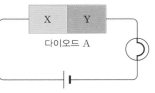

이에 대한 설명으로 옳지 <u>않은</u> 것은?

① X는 p형 반도체이다.

② Y는 n형 반도체이다.

✓③ A에는 역방향 바이어스가 걸린다.

④ A에는 전류가 흐른다.

⑤ 전구에 불이 켜진다.

★기억해요!

불순물을 도핑한 후 전자가 남으면 [   ]형 반도체이고, 양공이 생성되면 [   ]형 반도체이다.

답 n, p

예제 그림은 상온에서 고체 A와 B의 에너지띠 구조를 나타낸 것이다. A와 B는 반도체와 절연체를 순서 없이 나타낸 것이다.

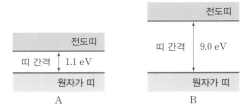

이에 대한 설명으로 옳은 것만을 〈보기〉에서 있는 대로 고르시오.

▶ 보기 ◀

✓ㄱ. B는 절연체이다.

✓ㄴ. 전기 전도성은 A가 B보다 좋다.

ㄷ. A의 띠 간격에는 전자가 존재할 수 있다.

★기억해요!

절연체의 띠 간격은 반도체의 띠 간격보다 [   ]으며, 띠 간격에는 전자가 존재할 수 [   ].

답 넓, 없다

핵심정리 05 전류에 의한 자기장

- **자기장**: ❶ [　　　]이 미치는 공간으로, 자석 주변이나 전류가 흐르는 도선 주위에 생긴다.

- **전류에 의한 자기장**

직선 전류에 의한 자기장	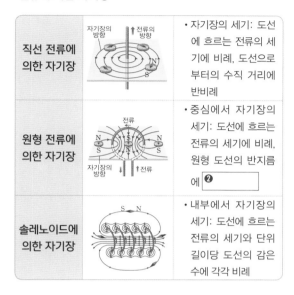	• 자기장의 세기: 도선에 흐르는 전류의 세기에 비례, 도선으로부터의 수직 거리에 반비례
원형 전류에 의한 자기장		• 중심에서 자기장의 세기: 도선에 흐르는 전류의 세기에 비례, 원형 도선의 반지름에 ❷ [　　　]
솔레노이드에 의한 자기장		• 내부에서 자기장의 세기: 도선에 흐르는 전류의 세기와 단위 길이당 도선의 감은 수에 각각 비례

답 ❶ 자기력 ❷ 반비례

핵심정리 06 물질의 자성

- **자성**: 물질이 자석 또는 외부 자기장과 반응하는 성질

- **자성의 원인**: 물질을 구성하는 원자가 ❶ [　　　]과 같은 역할을 하기 때문

- **자성체의 종류**

강자성체	자석에 강하게 달라붙는 성질을 가진 물체로, 외부 자기장을 가할 때 외부 자기장의 방향으로 ❷ [　　　] 자기화되며, 외부 자기장을 제거해도 자성을 오래 유지한다. 예 철, 니켈, 코발트 등
상자성체	강한 자석에 약하게 끌려오는 성질을 가진 물체로, 외부 자기장을 가할 때 외부 자기장의 방향으로 약하게 자기화되며, 외부 자기장을 제거하면 자성의 효과가 바로 사라진다. 예 종이, 알루미늄, 나트륨, 산소 등
반자성체	자석을 가까이 했을 때 약하게 밀려나는 성질을 가진 물체로, 외부 자기장을 가하면 외부 자기장의 반대 방향으로 약하게 자기화되며, 외부 자기장을 제거하면 자성의 효과가 바로 사라진다. 예 구리, 유리, 물, 탄소 등

답 ❶ 자석 ❷ 강하게

핵심정리 07 전자기 유도

- **전자기 유도**: 자석과 코일의 상대적 운동에 의해 코일을 통과하는 자기 선속이 변할 때 코일에 ❶ [　　　]가 흐르는 현상

- **렌츠 법칙**: 유도 전류는 코일 내부를 통과하는 자기 선속의 변화를 ❷ [　　　] 방향으로 흐른다.

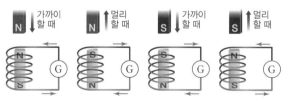

- **패러데이 법칙**: 전자기 유도에 의한 유도 기전력의 크기는 자기 선속의 시간적 변화율과 코일의 감은 수에 각각 비례한다. ➡ 자석을 빨리 움직일수록, 자석의 세기가 강할수록, 코일을 많이 감을수록 유도 전류의 세기가 세다.

- **전자기 유도의 이용**: 발전기, 신용카드 판독기, 금속 탐지기, 교통 카드, 발광 킥보드 등

답 ❶ 유도 전류 ❷ 방해하는

핵심정리 08 파동의 요소

○ **파동**

- **파동**: 한곳에서 발생한 진동이 주위로 퍼져 나가는 현상
  ➡ ❶ [　　　]은 제자리에서 진동할 뿐 이동하지 않는다.

○ **파동의 요소**

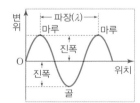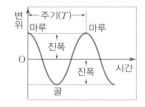

- **파장(λ)**: 위상이 동일한 이웃한 두 지점 사이의 거리

- **주기(T)**: 매질이 한 번 진동하는 데 걸리는 시간

- **진동수(f)**: 매질이 1초 동안 진동한 횟수 ➡ 주기와 진동수는 서로 ❷ [　　　] 관계이다. $T = \dfrac{1}{f}$

- **파동의 속력(v)**: $v = \dfrac{\lambda}{T} = f\lambda$

답 ❶ 매질 ❷ 역수

예제 그림은 외부 자기장의 변화에 따른 어떤 물체 내부의 원자 자석의 변화를 순서대로 나타낸 것이다.

이에 대한 설명으로 옳은 것만을 〈보기〉에서 있는 대로 고르시오.

● 보기 ●
✓ㄱ. 이 물체는 강자성체이다.
ㄴ. 외부 자기장을 가하기 전에 물체는 자기화되었다.
✓ㄷ. 외부 자기장이 제거되어도 자석의 효과가 일정 시간 유지된다.

★기억해요!

자석에 강하게 달라붙는 성질을 가진 [   ]는 외부 자기장을 가할 때 외부 자기장과 [   ] 방향으로 강하게 자기화된다.

답 강자성체, 같은

예제 전류가 흐르고 있는 솔레노이드 주위의 자기장에 대한 설명으로 옳지 않은 것은?

① 솔레노이드 내부에는 중심축과 나란한 방향으로 균일한 자기장이 형성된다.
✓② 솔레노이드 외부에는 동심원 모양의 자기장이 형성된다.
③ 솔레노이드 내부에서 자기장의 세기는 도선에 흐르는 전류의 세기에 비례한다.
④ 솔레노이드 내부에서 자기장의 세기는 단위 길이당 도선의 감은 수에 비례한다.
⑤ 솔레노이드 내부에서 자기장의 방향은 솔레노이드에 흐르는 전류의 방향으로 오른손의 네 손가락을 감아쥘 때 엄지손가락이 가리키는 방향이다.

★기억해요!

솔레노이드 내부에는 중심축과 [   ] 방향으로 균일한 자기장이 형성되고, 외부에는 [   ] 주위의 자기장과 비슷한 모양의 자기장이 형성된다.

답 나란한, 막대자석

예제 그림은 파장이 4 m인 어떤 파동의 변위를 시간에 따라 나타낸 것이다.
이에 대한 설명으로 옳은 것만을 〈보기〉에서 있는 대로 고르시오.

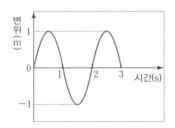

● 보기 ●
✓ㄱ. 이 파동의 진폭은 1 m이다.
ㄴ. 이 파동의 진동수는 2 Hz이다.
✓ㄷ. 이 파동의 속력은 2 m/s이다.

★기억해요!

진동수는 [   ]의 역수이고, 파동의 속력은 [   ]와 파장의 곱으로 구할 수 있다.

답 주기, 진동수

예제 그림과 같이 막대자석의 N극을 솔레노이드에 가까이 가져갔더니 검류계 바늘이 a 방향으로 움직였다.
이에 대한 설명으로 옳은 것만을 〈보기〉에서 있는 대로 고르시오.

검류계

● 보기 ●
✓ㄱ. S극을 솔레노이드에 가까이 가져가면 검류계 바늘은 b 방향으로 움직인다.
✓ㄴ. 솔레노이드에 전류가 흐르는 것을 전자기 유도 현상으로 설명할 수 있다.
ㄷ. 막대자석을 빠르게 가져갈수록 검류계 바늘이 움직이는 폭이 작아진다.

★기억해요!

코일을 통과하는 [   ]의 변화가 없으면 유도 전류는 흐르지 않으며, 자기 선속의 시간적 변화율이 [   ] 유도 전류의 세기가 세다.

답 자기 선속, 클수록

핵심정리 09 파동의 굴절

○ 파동의 굴절

- **파동의 굴절**: 파동이 한 매질에서 다른 매질로 진행할 때 속력이 변하여 파동의 **❶** 이 꺾이는 현상

- **굴절 법칙**: 파동이 매질 1에서 매질 2로 진행할 때 입사각(i)과 굴절각(r)의 **❷** 의 비는 일정하다. 또 두 매질에서 파동의 속력과 파장의 비도 일정하다.

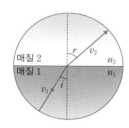

매질 2, 매질 1, r, v_2, n_2, n_1, v_1, i

$$\Rightarrow \frac{\sin i}{\sin r} = \frac{v_1}{v_2} = \frac{\lambda_1}{\lambda_2} = \frac{n_2}{n_1} = 일정$$

○ 굴절과 관련된 현상

- 물 밖에서 물속을 보면 수심이 실제보다 얕아 보인다.

- 뜨거운 지표 근처에서 바닥에 신기루가 생긴다.

- 평행한 광선이 입사하면 볼록 렌즈는 광선을 모으고, 오목 렌즈는 광선을 퍼뜨린다.

답 ❶ 진행 방향 ❷ 사인값

핵심정리 10 전반사와 광통신

○ 전반사

- **전반사**: 빛이 다른 매질로 진행할 때 전부 반사하는 현상

- **임계각**: 굴절각이 **❶** 일 때의 입사각

- **전반사가 일어나기 위한 조건**: 빛이 굴절률이 큰 매질에서 굴절률이 작은 매질로 진행해야 하며, 입사각이 임계각보다 **❷** 한다.

○ 광통신

- **광통신**: 정보 신호를 빛 신호로 전환하여 광섬유를 통해 전송하는 통신 방식

클래딩, 코어, 코팅, 피복, 코어, 클래딩

- **장점**: 광섬유는 구리선에 비해 정보를 멀리, 빠르게, 많이 보낼 수 있으며, 간섭이나 혼선, 도청의 염려가 없다.

- **단점**: 외부 충격에 약하고 끊어지면 연결이 힘들다.

답 ❶ 90° ❷ 커야

핵심정리 11 전자기파

○ 전자기파의 특징

- 전기장과 자기장의 세기가 커졌다가 작아지는 것을 반복하면서 진행하는 파동이다.

- 전기장의 진동 방향과 자기장의 진동 방향, 전자기파의 진행 방향이 모두 서로 수직인 **❶** 이다.

- 매질이 없는 진공에서도 진행할 수 있으며, 진공에서의 속력은 종류에 관계없이 모두 3×10^8 m/s로 같다.

- 전자기파의 에너지는 진동수에 **❷** 한다.

○ 전자기파의 분류

- 파장이 긴 영역부터 전파(라디오파, 마이크로파), 적외선, 가시광선, 자외선, X선, γ선으로 구분할 수 있다.

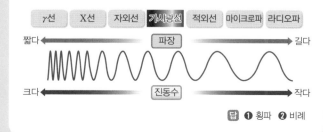

γ선 | X선 | 자외선 | 가시광선 | 적외선 | 마이크로파 | 라디오파

짧다 ◄─── 파장 ───► 길다

크다 ◄─── 진동수 ───► 작다

답 ❶ 횡파 ❷ 비례

핵심정리 12 파동의 중첩과 간섭

○ 파동의 중첩

- **파동의 중첩**: 여러 파동이 한 지점에서 만나 서로 겹쳐지는 현상

- **중첩 원리**: 두 파동이 만나는 동안 각 지점의 변위는 각 파동의 변위의 합과 같다.

- **파동의 독립성**: 파동은 다른 파동과 중첩된 이후에도 중첩 전과 동일한 상태로 진행한다.

○ 파동의 간섭

- **파동의 간섭**: 두 개 이상의 파동이 서로 중첩되어 진폭이 커지거나 작아지는 현상

- **보강 간섭**: 두 파동이 **❶** 위상으로 중첩되어 진폭이 커지는 현상

- **상쇄 간섭**: 두 파동이 **❷** 위상으로 중첩되어 진폭이 작아지는 현상

답 ❶ 같은 ❷ 반대

10 이것만은 꼭! 전반사와 광통신

[예제] 그림은 광섬유 내부에서 빛이 진행하는 모습을 나타낸 것이다.
이에 대한 설명으로 옳은 것만을 〈보기〉에서 있는 대로 고르시오.

보기

✓ㄱ. 빛은 코어와 클래딩의 경계면에서 전반사한다.
  ㄴ. 빛은 코어와 클래딩의 경계면에 임계각보다 작은 각으로 입사한다.
✓ㄷ. 코어의 굴절률이 클래딩의 굴절률보다 크다.

★기억해요!

광섬유는 굴절률이 큰 ▢▢▢를 굴절률이 작은 ▢▢▢이 감싸고 있는 이중 원기둥 모양이다.

답 코어, 클래딩

09 이것만은 꼭! 파동의 굴절

[예제] 그림은 해안가로 접근하는 파도의 진행 방향이 변하는 것을 나타낸 것이다.
이와 같은 현상으로 설명할 수 없는 것은?

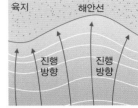

① 물 밖에서 물속을 보면 수심이 실제보다 얕아 보인다.
② 뜨거운 지표 근처에서 바닥에 신기루가 생긴다.
③ 볼록 렌즈는 평행하게 입사한 빛을 한 곳에 모은다.
④ 오목 렌즈는 평행하게 입사한 빛을 퍼뜨린다.
✓⑤ 박쥐는 초음파를 이용하여 먹이의 위치를 찾는다.

★기억해요!

파동이 진행하다 성질이 다른 매질을 만나 ▢▢▢이 변하여 ▢▢▢이 꺾이는 현상을 파동의 굴절이라고 한다.

답 속력, 진행 방향

12 이것만은 꼭! 파동의 중첩과 간섭

[예제] 그림과 같이 서로 반대 방향으로 진행하던 두 파동이 겹쳐졌다가 분리 된 후의 모습으로 옳은 것은?

①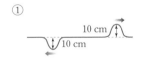

✓②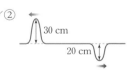

③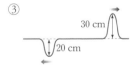

④

⑤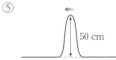

★기억해요!

파동은 중첩된 후 중첩되기 ▢▢의 파형을 그대로 유지하면서 진행한다. 이를 파동의 ▢▢▢이라고 한다.

답 전, 독립성

11 이것만은 꼭! 전자기파

[예제] 전자기파에 대한 설명으로 옳지 않은 것은?

✓① 전자기파는 매질이 없는 공간에서는 진행하지 못한다.
② 전자기파는 진동 방향과 진행 방향이 수직인 횡파이다.
③ 전자기파의 진동수가 클수록 전자기파가 전달하는 에너지가 크다.
④ 전자기파는 진공에서의 파장과 진동수에 따라 다른 성질을 갖는다.
⑤ 전기장과 자기장의 세기가 커졌다 작아졌다를 반복하면서 공간으로 퍼져 나가는 파동을 전자기파라고 한다.

★기억해요!

전자기파는 전기장과 자기장의 진동 방향에 각각 ▢▢한 방향으로 진행하는 ▢▢이다.

답 수직, 횡파

핵심정리 13 간섭과 관련된 현상

◎ 물결파의 간섭

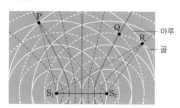

- 보강 간섭이 일어나는 지점(P, Q): 두 파원으로부터의 경로차가 반파장의 **①** 배인 곳으로, 무늬의 밝기가 계속 변한다.
- 상쇄 간섭이 일어나는 지점(R): 경로차가 반파장의 **②** 배인 곳으로, 무늬의 밝기가 변하지 않는다.

◎ 간섭 현상의 이용

소리의 간섭	소음 제거 기술, 악기의 소리 등
빛의 간섭	• 비눗방울이나 기름막에서 나타나는 무늬 • 무반사 코팅 렌즈 • 신용카드나 지폐에 이용되는 홀로그램

답 ❶ 짝수 ❷ 홀수

핵심정리 14 광전 효과와 광양자설

◎ 광전 효과

- **광전 효과**: 금속 표면에 문턱 진동수 이상의 진동수의 빛을 비추었을 때 금속 표면에서 전자가 튀어 나오는 현상
- **광전 효과 실험 결과**: 금속판에 비추는 빛의 진동수가 문턱 진동수 이상이면 아무리 약한 빛을 비추더라도 광전자가 즉시 방출되고, 문턱 진동수보다 작으면 아무리 센 빛을 비추어도 광전자가 방출되지 않는다. ➡ 빛을 파동으로 생각하는 파동성으로는 광전 효과를 설명할 수 없다. 즉 빛의 **①** 을 증명한다.

◎ 광양자설

- **광양자설**: 빛은 진동수에 **②** 하는 에너지를 갖는 광자(광양자)라고 하는 입자들의 흐름이다. 진동수가 f일 때 광자의 에너지 $E=hf$(h: 플랑크 상수)이다.
- 광전 효과를 광자와 전자 사이의 충돌로 생각하면 광전 효과를 설명할 수 있다. ➡ 문턱 진동수 이상인 진동수의 빛은 광자 한 개의 에너지가 클수록 튀어 나온 전자의 최대 운동 에너지도 크다.

답 ❶ 입자성 ❷ 비례

핵심정리 15 빛의 이중성과 광전 효과의 이용

◎ 빛의 이중성

- **빛의 파동성의 증거**: 빛의 간섭 현상, 빛의 회절 현상
- **빛의 입자성의 증거**: 광전 효과
- **빛의 이중성**: 빛은 파동성과 입자성을 함께 가지고 있다. 빛의 파동성과 입자성은 **①** 나타나지 않고 어떤 특정한 순간에 하나의 성질만 측정할 수 있다.

◎ 광전 효과의 이용-영상 정보의 기록

- **광 다이오드**: p−n 접합 다이오드에서 발생하는 광전 효과에 의해 전류가 흐르는 다이오드
- **CCD(전하 결합 소자)**: 빛의 **②** 을 이용하여 영상을 기록하는 장치로, 빛에너지가 전기 에너지로 전환되며, 디지털카메라에 이용된다.
- **CCD의 구조와 원리**: 수백만 개의 광 다이오드가 규칙적으로 배열된 반도체 소자로, 광 다이오드는 화소에 해당한다. 빛이 CCD에 닿으면 광전 효과 때문에 각 화소에서 전자가 발생하여 영상 정보를 기록한다.

답 ❶ 동시에 ❷ 입자성

핵심정리 16 물질파와 물질의 이중성

◎ 물질파

- **드브로이의 물질파 이론**: 빛이 파동과 입자의 성질을 모두 가지고 있듯이, 전자도 입자의 성질과 함께 **①** 의 성질도 가지고 있다고 드브로이가 제안하였다.
- **물질파 파장**: 물질파의 파장은 물질의 질량과 속도를 곱한 **②** 에 반비례한다. ➡ $\lambda=\dfrac{h}{p}=\dfrac{h}{mv}$
- 일상생활에서는 물질파를 관찰하기 어렵지만 원자나 전자는 물질파의 파장이 입자의 크기에 비해 상대적으로 커서 파동성을 관찰할 수 있다.

◎ 물질파 확인 실험

- **전자의 이중 슬릿 실험**: 전자들을 이중 슬릿을 통과시키면 파동처럼 간섭무늬가 나타난다.
- **톰슨의 전자 회절 실험**: 전자의 드브로이 파장이 X선 파장과 같도록 하여 알루미늄 박막에 쪼이면 같은 모양의 회절무늬가 나타난다.

답 ❶ 파동 ❷ 운동량

이것만은 꼭! 광전 효과와 광양자설

[예제] 그림과 같이 음(−)전하로 대전된 검전기의 금속박이 벌어져 있는 상태에서 검전기 위에 놓인 아연판에 어떤 단색광을 비추었더니 검전기의 금속박에 아무런 변화가 없었다.
금속박이 오므라들게 하기 위한 방법으로 옳은 것은?

단색광
아연판

① 단색광의 세기를 감소시킨다.
② 파장이 긴 단색광으로 바꾼다.
✓③ 진동수가 큰 단색광으로 바꾼다.
④ 단색광을 비추는 시간을 짧게 한다.
⑤ 단색광을 아연판에 더 가까이 하여 비춘다.

★기억해요!

금속판에 □□ 이상의 빛을 비추었을 때 광전 효과가 일어나며, 광전 효과가 일어나면 금속판에서 □□□가 방출된다.

답 문턱 진동수, (광)전자

13

이것만은 꼭! 간섭과 관련된 현상

[예제] 소음 제거 헤드폰을 사용하면 주변의 소음이 잘 들리지 않는 까닭은?

① 헤드폰이 매우 단단하여 소음이 투과하지 않기 때문이다.
② 헤드폰에서 재생되는 소리가 소음과 보강 간섭을 하기 때문이다.
③ 헤드폰에서 소음보다 매우 큰 소리를 발생시키기 때문이다.
④ 주변 소음의 진동수는 사람이 들을 수 있는 가청 주파수 범위가 아니기 때문이다.
✓⑤ 헤드폰에서 소음과 상쇄 간섭을 일으키는 소리를 발생시키기 때문이다

★기억해요!

소음 제거 헤드폰에서는 마이크로 감지한 소음과 진동수는 같고 위상이 □□인 소리를 발생시켜 소음과 □□ 간섭을 하게 만든다.

답 반대, 상쇄

16

이것만은 꼭! 물질파와 물질의 이중성

[예제] 물질 입자의 성질에 대한 설명으로 옳지 않은 것은?

① 물질파의 파장은 물질의 운동량에 반비례한다.
② 질량을 갖는 물질이 가진 파동을 물질파 또는 드브로이파라고 한다.
③ 입자도 빛과 마찬가지로 파동성과 입자성을 모두 가지고 있다.
✓④ 빛은 입자성과 파동성이 동시에 나타나지 않지만 입자는 입자성과 파동성이 동시에 나타난다.
⑤ 전자를 이용한 이중 슬릿 실험을 통해 전자가 파동의 성질을 갖는다는 것을 알 수 있다.

★기억해요!

원자나 전자와 같이 질량을 갖는 물질이 가진 파동을 □□ 또는 □□□□□라고 한다.

답 물질파, 드브로이파

15

이것만은 꼭! 빛의 이중성과 광전 효과의 이용

[예제] 그림 (가)는 빛이 이중 슬릿을 통과한 후 스크린에 나타난 무늬이고, (나)는 금속판에 빛을 비추었을 때 광전자가 방출되는 모습을 나타낸 것이다.

(가)

(나)

빛
광전자
금속판

이에 대한 설명으로 옳은 것만을 〈보기〉에서 있는 대로 고르시오.

──● 보기 ●──
ㄱ. (가)는 빛의 입자성을 증명한다.
ㄴ. (나)는 빛의 파동성을 증명한다.
✓ㄷ. (가)와 (나)를 통해 빛이 이중성을 가지고 있음을 알 수 있다.

★기억해요!

간섭과 회절은 빛의 □□□을 증명하고, 광전 효과는 빛의 □□□을 증명한다.

답 파동성, 입자성

가장 쉽고 재미있는 수능 과학 입문서!

시작은 # 하루 수능 과학

시리즈

시작은
하루
수능
바 탕 학 습

1654 프로젝트
1일 6쪽 X 주 5일 X 4주 학습

과 탐 영 역

물리학Ⅰ
기초

천재교육

수능 과학, 어렵게만 느껴진다면?
"하루 과학"으로 기초부터 확실하게!
중3~고2 (물리학Ⅰ / 화학Ⅰ / 생명과학Ⅰ / 지구과학Ⅰ)

book.chunjae.co.kr

교재 내용 문의	………………………	교재 홈페이지 ▶ 고등 ▶ 교재상담
교재 내용 외 문의	………………………	교재 홈페이지 ▶ 고객센터 ▶ 1:1문의
발간 후 발견되는 오류	……………	교재 홈페이지 ▶ 고등 ▶ 학습지원 ▶ 학습자료실

앞선 생각으로
더 큰 미래를 제시하는 기업

서책형 교과서에서 디지털 교과서,
참고서를 넘어 빅데이터와 AI학습에 이르기까지
끝없는 변화와 혁신으로
대한민국 교육을 선도해 나갑니다.

milk T

닥터매쓰

geniA.

천재교육

book.chunjae.co.kr

교재 내용 문의	......	교재 홈페이지 ▶ 고등 ▶ 교재상담
교재 내용 외 문의	......	교재 홈페이지 ▶ 고객센터 ▶ 1:1문의
발간 후 발견되는 오류	......	교재 홈페이지 ▶ 고등 ▶ 학습지원 ▶ 학습자료실

53400

ISBN 979-11-259-6129-1

정가 14,000원